ANCORA Y DELFIN. 197

RAMIRO PINILLA.—LAS CIEGAS HORMIGAS

RAMIRO PINILLA

LAS CIEGAS
HORMIGAS

PREMIO EUGENIO NADAL 1960

EDICIONES DESTINO
Tallers, 62–Barcelona

Depósito legal B 1934 -1961   Núm. Registro 216/61

© Ediciones Destino

Primera edición: febrero 1961

I

E STABA junto al padre, mirando el barco de cinco mil toneladas que sabíamos se hundiría irremediablemente. La pertinaz lluvia había formado, sobre las alas del viejo sombrero del padre —traído de América por el abuelo hacía más de veinticinco años— una especie de foso circular que rodeaba la cúpula central, y así, el sombrero de lona semejaba un castillo antiguo. A cada movimiento de la cabeza, un chorro de agua caía, bien por el rostro o por las proximidades de las orejas, y luego se introducía por el cuello de la gastada trinchera, atada a la cintura con un cinturón rojo de cuero, para que el furioso viento no la ahuecara. No hablábamos, ni podíamos hacerlo. Parecía como si todas las tormentas anteriores, desde que el mar fue creado, no consistieron más que en ensayos previos para ofrecernos ahora aquella apoteosis de ruido, poder y espuma. A duras penas nos manteníamos en aquel borde de la costa de La Galea, a cien metros sobre las peñas. El agua había hecho que la trinchera del padre pareciese casi negra, de empapada que estaba. Cuando se la puso en casa, nada más venir el tío Pedro con la noticia del barco, era blanca, de un falso y leve blanco, un blanco enfermizo, de tan lavada que estaba. Faltaba una hora escasa para que anocheciera completamente.

Los ojos del padre, casi ocultos, ahora, entre los pliegues de la carne, en su esfuerzo por defenderlos lo mejor posible del vendaval, miraban fijamente en la dirección del barco, allá abajo, muy cerca ya de las rocas. Oíamos los gritos en lengua extranjera del capitán y los oficiales, y hasta sabíamos cuándo blasfemaban. Toda la tripulación se hallaba en cubierta, luchando con desesperación contra la muerte que cada vez se hallaba más cercana, encaramada en los agudos e inamovibles picos de las peñas costeras, contra los que rompían las olas furiosamente y la espuma era lanzada por los aires, poniendo, aquí y allá, toques blanquecinos en aquel cuadro del fondo.

—Es inglés —dijo el tío Pedro, sacando su media botella de vino—. Aún recuerdo algunas banderas.

Quitó a la media botella el corcho, limpió el morro con la chorreante manga de su abrigo y bebió un trago largo. Después, se la pasó al padre, sin mirarle. El padre no se movió siquiera, aunque yo sabía que había tenido que ver el movimiento, y el tío Pedro la tapó y la guardó de nuevo con cuidado en el bolsillo de su abrigo.

Luego aparecieron los remolcadores. Hasta que salieron de los morros del puerto no los pudimos ver. Una cortina cerrada y húmeda, de color cambiante entre el gris y el blanco, se extendía a nuestro alrededor. Los tripulantes del barco también los vieron, porque en seguida formaron, del lado de los remolcadores, un grupo más nutrido que los otros.

—Sólo podrán salvar a los hombres —dijo el padre.

Uno junto al otro, parecían dos caballitos de tíovivo, elevándose el primero cuando descendía el segundo, idénticos en aspecto y movimientos, como un par de gemelos de un parto del mar que continuasen con el cordón umbilical, que era lo que les unía por debajo del agua y los hacía navegar a idéntica velocidad. Sus máquinas trabajaban a la máxima presión, pero apenas avanzaban. Había momentos en que los dos desaparecían de nuestra vista, tragados por las enormes olas, que en seguida parecían vomitarlos. Se oía, a veces, el redoblar furioso de los poderosos motores, cuando las hélices salían del agua y giraban enloquecidas y desbocadas. Pasaron varios minutos y entonces fue necesario aguzar la vista para distinguir algo de lo que sucedía.

Los gritos de los tripulantes arreciaron. Uno de los remolcadores había conseguido acercarse al navío y parecía que iba a arrojar un cable sobre su cubierta. Por eso gritaban más los oficiales ingleses. Me adelanté un paso y estiré la cabeza, pero el padre, de un empujón firme, me retiró, no solamente hasta donde antes estaba, a su costado, sino hasta colocarme detrás suyo, de forma que, entonces, el viento apenas me molestaba, pues el padre hacía de muro.

—No debiste traer al chico en un día como este — oí decir al tío Pedro.

—Debe acostumbrarse a todo — dijo el padre —. Es bueno que sepa bandearse solo. Luego también pienso llevarlo con nosotros...

—¿Luego? ¿Quieres decir que...?

—Sí. ¿Acaso no dijiste que el barco carga carbón?

Miré al padre, que en aquel momento tenía su sempiterna pajita en la boca y su punta se movía a impulso de los movimientos que la lengua imprimía al otro extremo oculto en la boca. Hasta entonces, no la había visto en sus labios; aquella vez, no sé cuándo se la puso, ni de dónde la cogió. Simplemente, apareció allí. La movía sin cesar, lentamente, como en una rumia incompleta, sin masticarla ni sacarla de su boca, haciéndola bailar con su lengua y el vaivén suave de su mandíbula inferior, sin separar los labios. Oculto tras su cuerpo, yo asomaba la cabeza por junto a su codo izquierdo, y así veía su rostro de costado. No pude apreciar su mirada, pero sabía que sus ojos refulgían vivamente, pues la expresión del resto de su rostro lo decía. Conocía aquella expresión muy bien: momentos antes de lanzarse a salvar al chiquillo que, en su descenso por el acantilado de La Galea, había quedado a mitad de camino, en plena ladera, sin atreverse a subir ni a bajar, y las mujeres gritando en la playa, también la tenía.

—La abuela se ha puesto tan pesada rezando — dijo el padre —, que hasta Dios le ha tenido que hacer caso esta vez.

El estruendo que vino de abajo dio la impresión de que el mar se había roto en mil pedazos.

—¿Qué dices? — preguntó el tío Pedro, acercando a él la cabeza.

Por toda respuesta, el padre señaló con un simple gesto de su barbilla el lugar donde se hallaba el barco.

—Roto — casi gritó, para hacerse oír.

El barco, al verse libre del cable, se alejó del remolcador que lo había estado sosteniendo. La inercia acumulada

después de tantos intentos baldíos por separarse, apareció
irresistible, y ella fue la que ayudó a la tormenta a arrastrar el barco a las peñas.

Entonces estuvimos seguros de que lo que nos anunció el tío Pedro era verdad. El extraño ruido no pareció
algo nuevo, un sonido al que nuestros oídos no estaban
acostumbrados, sino que resultó hasta familiar, como el
chirrido de los goznes de una puerta que hemos de abrir
varias veces al día. Fue un desgarramiento de entrañas.
No resultó un verdadero choque, sino una superposición
majestuosa: el barco se remontó y se posó sobre las rocas,
como si quisiera, por fin, descansar en ellas. Podría pensarse que la sola fuerza del viento lo había levantado.
Saltaron varias planchas y el carbón se desparramó como
el pus negro de una herida reventada.

1   Nerea

Allí están los tres gatitos, en el rincón de la cocina,
cerca del fogón, calentándose. ¿Por qué la madre les deja
que se hagan ilusiones de vivir? Dice que no estamos en
condiciones de satisfacer los caprichos de una chiquilla
llorona, como yo. Que con la leche que tendrían que tomar diariamente se puede llenar el tazón de uno de
nosotros.

Uno es blanco, completamente blanco. El otro, también blanco, aunque con ligeras manchas oscuras. El tercero, negro como el carbón que se saca de la playa. Parecen tres niñitos pequeños. No he vuelto a coger mi muñeca desde que la gata los trajo a casa. Los trajo uno a
uno, colgados con mucho cuidado de su boca. Y ella va
a mandar a alguien que los ahogue en la playa, atándolos
a una piedra.

—No andes con ellos —me dice, ahora—. Les vas a
tomar cariño y ya te he dicho que los vamos a quitar
de casa.

Ellos no se separan de mí, como si entendieran nuestros pensamientos. Ahora, el negro me está arañando el
zapato y sacando rayas al cuero, pero la madre no le ve.
Luego, se tiende en el suelo y levanta sus patitas, mo-

viéndolas, y parece un molino. Como de común acuerdo, los otros dos se abalanzan sobre él y los tres ruedan como tres pelotas hasta los pies de la abuela, que los empuja suavemente, pero con firmeza, sin abandonar su labor de remendar los viejos y agujereados sacos de carbón. Está haciendo eso desde que el padre e Ismael salieron de casa para ver el barco que se hundía, con el tío Pedro, que trajo la noticia.

—No nos vengas con bromas, Pedro —lloriqueó la abuela, asiendo con demasiada fuerza el brazo de su sillón de mimbre—. ¿Es cierto que ese barco carga carbón? He rezado mucho para no pasar frío este invierno. Aún no me atrevo a gritar que la Virgen me ha escuchado. No podría resistir que no fuese verdad.

—Pues grite, abuela, grite —dijo el tío Pedro, avanzando su enorme nariz colorada—. Y vaya preparando un buen montón de sacos.

La madre trajina en el fogón, preparando la cena. Su pelo castaño lo tiene recogido por detrás, en un moño. Yo siempre me quiero peinar así, pero ella nunca me deja. Sus manos, largas, delgadas y nervudas, con dedos que pueden coger muchos cacharros a la vez, no cesan un momento. Se mueven con seguridad, como quien no ha hecho otra cosa en toda su vida. Sé lo que está pensando: a quién va a encargar de ahogar a los gatitos.

En el rincón de la ventana, en la mesita pequeña, Cosme está llenando sus cartuchos. Delante de él tiene la máquina rebordeadora. Hace más de una hora que no levanta la cabeza. Ni siquiera ha interrumpido su trabajo cuando llegó el tío Pedro, lleno de agua y sudando. Se limitó a alzar la cabeza, sin ningún interés. Y en cuanto vio quién era y, sobre todo, en cuanto supo a qué venía, bajó la cabeza y siguió manejando sus cartuchos. A su derecha, tiene el saquito de la pólvora y el paquete de los perdigones. A su izquierda, los cartoncillos redondos y los tacos de fieltro. Toma un cartucho vacío del montón que tiene delante, y mete en su fondo una porción de pólvora, medida con una cucharilla de las de café. Luego, introduce en el cartucho uno de los cartoncillos, sobre él un taco de fieltro, y encima otro cartoncillo. Finalmente, con la misma cucharilla de antes, recoge del saco de los perdigones una

porción y la mete en el cartucho, de modo que todavía
quede libre un pequeño trozo. Luego, tapa todo con
otro cartoncillo, lleva el cartucho a la máquina rebordeadora, acciona la palanca, se oye un ruidito como de cartón
retorcido, y lo saca. Cosme mira el cartucho por un lado
y por otro, y sopla encima de él, y se lo pasa por la pechera de la camisa, frotándolo suavemente. Cuando lo deja
sobre la mesa, junto a los que están hechos, ya está cogiendo con la otra mano un nuevo cartucho. Lleva así
más de una hora, pero yo no me canso de mirarle. Solamente los gatitos hacen que, de vez en cuando, aparte la
vista de él. Es que los gatitos me gustan más que estar mirando a Cosme hacer sus cartuchos.

Ahora, se han enredado en el rollo de cuerda que la
abuela tiene para coser los sacos, y lo han desparramado
por la cocina, envueltos ellos en el cordel. La abuela
gime: "¡Dios! ¡Dios!", y empieza a cobrar el cordel y
consigue arrastrar al gato negro hasta su mano. Trata de
soltarlo, pero el gato cree que quiere jugar y se revuelve
graciosamente. Los otros dos parecen esperar a que la
abuela los arrastre también. La abuela habla de nuevo,
ahora para que la madre la pueda oír. Quiere, estoy segura, llamar su atención sobre los gatos. También los
aborrece. Quiere que la madre no se arrepienta de su decisión de matarlos. Y es por la leche. Teme que le mermen
sus dos tazones diarios, el del desayuno y el de la cena.
Los llena hasta los bordes, y luego echa sopas. Pero las
va echando según va vaciando el tazón con la cuchara.
Lo hace muy bien. Siempre me quedo mirando cómo lo
hace. Jamás se le cae una sola gota sobre la falda. Y ahora tiene miedo de que le mermen sus tazones. Sé que si
la madre le preguntase si ella querría matar a los gatos,
lo haría gustosa. Es una bruja.

2   Cosme

Tengo hechos ya veintisiete cartuchos, pero quiero llegar a los cuarenta, porque en toda la vuelta del cinturón
de caza caben todos esos, alineados en forma perfecta,
cada uno en su casilla, vueltos hacia abajo, semejando una

hilera de pequeños bolos inderribables. Vuelvo a sujetar a la mesa la máquina rebordeadora de cartuchos; he de hacer en el taller un nuevo tornillo para reemplazar al que tiene, ya gastado, y conseguir que la máquina no se mueva en todo el tiempo que dure el trabajo. Es agradable el sonido que produce el casquillo al oprimir la boca del cartucho para cerrarlo, volviéndola hacia dentro. Es como encerrar la muerte; como cubrir una fosa ocupada. El ruido de la tierra al chocar contra la madera del féretro del abuelo fue terrible e inolvidable, pero el del cartucho al ser oprimido por la máquina, no. Se trata de un roce ligero, pero firme, irresistible: una vez que el casquillo de la máquina se pone en movimiento, nada lo puede detener, excepto si yo dejo de manejar la palanca; choca contra el borde del cartucho y lo dobla fácilmente, cerrando por completo a la muerte, que queda allí, en apacible amenaza. Luego, saco el cartucho de la máquina y lo coloco junto a los que están hechos, sobre la mesa. Contemplo todos, alineados. Son de color marrón, como las columnas de una iglesia; aunque no sostienen nada. Las columnas son más bonitas cuando no sostienen nada, como estos cartuchos.

Sobre mi cabeza, en el desván, Fermín sigue construyendo traineras de regatas. Lleva catorce meses así, sin apenas bajar, fabricándolas él solo, una tras otra, y rompiéndolas como un endemoniado. Después, con el mismo material de la destruida, hace la siguiente. La madre lleva catorce meses dirigiendo su angustiada mirada hacia el techo, como en este momento, sin que por ello interrumpa su labor de pelar las patatas para la cena. Esto empezó a raíz de la regata de traineras de San Sebastián del pasado año, en la que triunfó la nuestra, la del puerto de Algorta. Fermín era uno de los remeros, y al final, el alcalde de San Sebastián entregó al patrón la copa de vencedor y una medalla a cada uno de los bogadores. Aquel día, de regreso al pueblo, en la cena que celebramos en el bar de la playa, Fermín no hacía más que sonreír a unos y a otros y limpiar su medalla con la manga de la camisa. Doce horas después, ya era otro. Fue a la mañana siguiente, sin haber dormido nada, cuando subió al desván y empezó a construir las traineras y a romperlas. Precisamente, cuando más contento debía estar, al saber que valía para algo. Empezó varios oficios y los tuvo que dejar. Se afanaba por aprender. Más de una noche le oí llorar. Y también a la madre, hasta que el padre le decía que se callara, todo en el silencio de la casa. Y ahora, que debería sentirse orgulloso por saber hacer algo, sube al desván y se pone a trabajar en las tablas como un loco, gimiendo frecuentemente.

La abuela está cose que cose los sacos, acercando el trabajo a sus ojos sin casi vista, a pesar de las gafas que lleva. Ya ha remendado, por lo menos, dos docenas, con una aguja especial de sacos e hilo-bala. A veces, parece como si la punta de la aguja fuese a clavarla en uno de sus ojos, tan encima de ella se pone. Se muerde la lengua, al tener que realizar un trabajo superior a sus fuerzas, pero el caso es que lo hace, y aunque su mano tiembla exageradamente y toda ella parece que fuera a deshacerse de un momento a otro, la verdad es que todos sabemos que acabará por coser cuantos sacos haya rotos en casa. Mañana voy de caza y no pienso ir a las peñas a recoger carbón.

II

Recuerdo que recorrí todo el camino de vuelta al caserío entre el padre y el tío Pedro, con la cabeza inclinada, como ellos, como queriendo abrir brecha en el temporal. Retrocedimos, ya de noche, por toda La Galea, paralelamente a la costa, rebasando el viejo molino abandonado, hasta llegar al camino que desciende a la playa y conduce a nuestra casa. El ventarrón no nos abandonó un solo instante, ni la lluvia, azotándonos implacables. Creo que el padre me situó entre los dos para evitar que el viento me derribara, como lo hizo con el tío Pedro. Fue una racha de vendaval que le cogió desprevenido, quiero decir, que se estaba acordando entonces de algo ajeno a lo que estábamos: cayó hacia adelante, quedando con las rodillas y las palmas de las manos apoyadas en el barro blando, en el que se hundieron. Su rostro reflejó la mayor de las sorpresas. Pero como el padre no se detuvo, yo continué a su costado y el tío Pedro se levantó al punto y dio unas largas zancadas hacia nosotros, hasta alcanzarnos. Tuvieron que pasar varios días, al llegar el fin de aquello que acababa de empezar, cuando me pude reír al recordarle caído sobre el barro, resoplando y mirándonos con sus ojos enrojecidos y adormilados, sobre aquella nariz grande y colorada, mientras el viento luchaba por hacer volar del barro la boina que ya había conseguido desprender de su cabeza. Después, los flecos de la trinchera no flotaron en el aire, como antes de caer, pues el barro mojado adherido a ellos los convirtió en excesivamente pesados. Tampoco se puso la boina, sino que la llevó en la mano, sin preocuparse de limpiarla ni de limpiarse las manos ni las perneras del pantalón.

Nuestro caserío era viejo, de más de cien años. Eso decía el padre, por lo menos. Sus abuelos lo habían tomado en arriendo por una miserable cantidad, y con él las tierras que lo circundaban, alrededor de diez mil metros cuadrados — sólo el padre sabía exactamente el número — de huertas y campos de hierba para el ganado. La mitad de su planta estaba ocupada por la vivienda, y la otra mitad por la cuadra. El desván tenía, bajo la cumbre del tejado, altura suficiente para que un hombre se desenvolviera sin tener que inclinarse. Sus paredes eran de un metro de espesor, de piedra cogida de la playa y subida en carretas de bueyes, para lo que no tuvieron que recorrer mucho trayecto, pues la nuestra era la vivienda más próxima a la playa de todo Algorta.

Llegamos al amplio portalón y nos despojamos de las pesadas botas. El padre abrió la puerta de la casa, y un agradable ambiente tibio y un delicioso olor a patatas cocidas nos recibieron. La madre abandonó el fogón y vino presurosa hacia mí, no pudiendo evitar que su boca dibujara un rictus de desagrado al ver mi aspecto. Me despojó en un santiamén de la capa de hule con choto, la colgó de una percha detrás de la puerta y salió de la cocina para regresar con un par de secos y remendados calcetines de lana, que me entregó. Entonces fue cuando me fijé en la mirada de la abuela.

Estaba clavada en el padre, pero la mano seguía moviéndose con la aguja, aunque no para coser el saco, sino para gastar en el movimiento la energía que habría empleado en hablar, en ordenar algo, y que no podía retener dentro de su cuerpo. Toda ella temblaba.

El padre y el tío Pedro se quitaron la trinchera y el abrigo y la madre se adelantó a recogerlos. El tío Pedro se apresuró a sacar del bolsillo del abrigo la media botella de vino y a guardarla en el de la chaqueta, quedando visible todo el largo morro. Las prendas fueron colocadas por la madre extendidas sobre los respaldos de dos sillas, y pronto se formaron sendos charcos bajo ellas, como ya se había formado otro, más pequeño, al pie de mi capa.

—No debisteis salir en un día como éste — dijo la madre —. Seguro que fuisteis los únicos en asomar la nariz por La Galea.

Iba yo a responder, pero el padre se me adelantó.

—Había más gente —dijo, pasándose la mano por la cabeza, ya despojada del sombrero de lona, que descansaba sobre su trinchera, en la silla—. Y todos ellos van a volver en seguida a por carbón.

Oí a la abuela cómo hacía chocar su lengua contra las encías vacías de dientes. La madre me miró, y luego al padre.

—Y él también vendrá —agregó éste—. Iremos los cuatro. Si queremos recoger el carbón suficiente para no tener que pasar frío este invierno, no podemos faltar ninguno. Quisiera que Bruno no estuviera cumpliendo el servicio militar.

Del lugar que ocupaba Cosme nos llegó un roce; todos volvimos la cabeza hacia él y vimos cómo se levantaba y salía de la cocina en silencio. Instantes después, volvió, con su escopeta de caza en la mano. Se sentó nuevamente, puso el arma sobre sus rodillas y miró al padre de un modo que no era ni duro, ni retador, sino apacible, casi diría risueño. Por unos momentos, él y el padre se miraron en silencio y, de pronto, oí la voz de la madre:

—Ya está la cena en la mesa.

No era eso ciertamente verdad, pues si bien se hallaban los platos sobre ella, estaban vacíos, y la fuente de las patatas cocidas aún se veía sobre el fogón, cerca de la chapa; pero el padre se dirigió a la mesa y toda la familia se movió. Ayudé a la abuela a levantarse de su sillón y a sentarse a la mesa, en su sitio de siempre, ante el hule a cuadros azules y blancos, agrietado por varias partes, viéndose por esas ranuras las negras uniones de las tablas de la mesa. Los demás, ocupamos los sitios de costumbre: el padre, a la cabecera; yo, a su derecha; a mi lado, Cosme; frente a mí, Nerea; y frente al padre, la abuela. La madre, aunque naturalmente tenía su silla —junto a Nerea—, casi nunca se sentaba en ella durante nuestras comidas, ocupada en trajinar de la mesa al fogón: comía cuando todos habíamos acabado y la mayoría abandonado la cocina. Ahora, su silla fue ocupada por el tío Pedro que no sacó de su bolsillo la media botella, sino que, al parecer, decidió servirse de la que la madre nos puso delante, el litro de vino tinto habitual.

Durante aquella cena, el padre me convirtió en un hombre. Dijo, simplemente: "Ismael es ya capaz de hacer lo de uno de nosotros". La madre volvió la cabeza y me miró. Todos los demás tenían sus rostros sobre los platos de patatas humeantes y no se fijaron en la madre, aunque habría sido lo mismo, porque era una mirada sólo a mí dedicada. Me miró largamente, de un modo que consideré nuevo. No comprendí entonces lo que aquello significaba; tuvieron que transcurrir varios años y casarme y tener hijos, para saber que contemplaba, no sólo mi estatura, mi incipiente vello casi transparente sobre el bozo, la osamenta que, en algunas partes, todavía se adivinaba perfectamente y que no tardaría en cubrirse de músculos y de carne exigente, sino también la distancia a que ya me encontraba de ella y la implacable dirección que ya había tomado, empezando a abandonar una generación que me amaba para buscar en la mía los mismos triunfos y derrotas, pero conmigo como ejecutor. Mecánicamente, dijo:

—Acabad con las patatas, antes de que se enfríe la leche.

Luego, nerviosamente, mientras daba la última vuelta a los talos de harina de maíz, agregó:

—Esta es una noche terrible. Es una locura ir por carbón con un tiempo así.

—Es una noche como cualquier otra de invierno — gimoteó la abuela, retirando el plato vacío de las patatas para colocarse delante su tazón —. No esperaréis a que el carbón se lo lleven otros.

Cosme giró levemente la cabeza, al tiempo que la madre le colocaba el tazón lleno de leche y un talo, y miró su escopeta, que había dejado apoyada en el respaldo de la silla que ocupara mientras hacía sus cartuchos.

—Si alguno se niega a acompañarnos, lo consideraré un cobarde y un mal hijo — dijo el padre —. Necesito todos los brazos. Si Bruno no estuviera en el servicio militar...

Entonces, Cosme se levantó, todavía sin empezar su tazón de leche y sopas, y se sentó en la misma silla de antes, frente a la mesita con sus cartuchos y la máquina rebordeadora, y tomó la reluciente escopeta con ambas manos, alzándola a la altura de su pecho.

—Es una "Aya", ¿sabéis? — dijo suavemente, con la cabeza levemente inclinada sobre el arma, sin dejar de mirarla con sus ojos brillantes hundidos en aquel rostro demacrado —. Una "Aya" especial. La mejor escopeta de Algorta. Vale los jornales de tres meses y no he hecho más que empezar a pagarla. Los turnos de la fábrica me dejan mañana libre, después de cuatro semanas sin domingos para mí. Hace varios meses que estoy soñando con el día de mañana: estoy libre y tengo mi escopeta... y esta noche hay tormenta. ¿Sabéis lo que significa? Las aves tienen que interrumpir su migración hacia el Sur, por la tempestad. Las barre del cielo y las abate sobre la tierra. Hace seis días que empezaron a pasar. Esta noche es uno de los pases plenos. Y la tormenta las ha sorprendido y las está dando una paliza. Durante toda la noche estarán cayendo sobre los árboles, las zarzas y las huertas, atontadas, desconcertadas, creyendo en el fin de su mundo. Y tengo que dormir esta noche para madrugar.

Cosme jamás había hablado tanto, y se detuvo bruscamente, como había empezado. La madre miró al padre y dijo:

—Es una locura salir ahora de casa.

—Es una noche como cualquier otra de invierno — dijo la abuela, buscando en su tazón las últimas migas de talo empapado y luego mirándonos a todos casi con un reto en sus ojos apagados.

—Necesitamos un carro — habló el padre, tras un breve silencio, apoyando sus codos en la mesa, después de apartar su tazón, que había tomado sin, al parecer, escuchar a Cosme lo que dijo, que, por otra parte, era un hecho conocido de todos —. Un buen carro de bueyes.

—Podríamos traer los sacos de carbón sobre vuestro burro y el mío, en varios viajes — indicó el tío Pedro.

—No — rechazó el padre —. Es necesario traerlo pronto y de una vez. Los carabineros se pueden presentar de un momento a otro.

—Aquella gabarra, hace quince años, que quedó también sobre las peñas, pudimos vaciarla sin estorbos.

—Son cosas que nosotros no entendemos — prosiguió el padre —. Por un lado, hay compañías armadoras de barcos; por otro, compañías de seguros marítimos. Unas

veces, las compañías armadoras quieren salvar el barco
y su cargamento, y tratan de salvarlo; otras, prefieren que
se pierdan, y se cruzan de brazos. En el otro lado, las compañías de seguros marítimos mandan a gentes listas a es-
tudiar el asunto, sobre el terreno; de lo que estas gentes
listas digan, depende el que las compañías de seguros marítimos paguen a las compañías armadoras, o no. Pero, en
el fondo, es todo cuestión de papeles, y de hablar y hablar
para poder llenar los papeles. Los hechos importan menos
que los papeles escritos. Yo mismo puedo decir una cosa
de mil formas, y hacer que parezca otra; y tú, Pedro. Por
eso, no sabemos si esta vez se presentarán los carabineros,
o no. El hecho de que ya debieran estar junto a ese barco
inglés, no indica que no vayan a aparecer después. Son
los papeles, Pedro, que, a veces, tardan en escribirse; esos
papeles de los que ni tú ni yo sabemos nada, y que por
ello tenemos que ir a por carbón en una noche como ésta.
La verdad es que necesitamos un carro.
    —Esta es una noche como cualquier otra de invierno
— dijo la abuela.

                                    3   Josefa

    Como Sabas se llevó a Ismael a ver el barco, yo misma
he ordeñado las dos vacas. La parte que queda arriba de
la leche, la nata amarilla, la recojo y aparto para subírsela
a Fermín, echándola en una taza con asadera, que he comprado solamente para él; como también una marmita de
aluminio, con tapa que se cierra, para llevarle la comida.
    Lleno la marmita con las patatas, cojo un trozo de
talo, una cuchara y la taza de leche y salgo de la cocina
cuidando de que esos tres dichosos gatos no se me enre-
den entre los pies y me hagan caer. Nerea no deja de
mirarlos. Cree que no la he visto que les ha guardado
casi la mitad de su tazón de leche.
    Subo al desván. Allí le veo a él, inclinado sobre la cor-
ta trainera de madera blanca y fina, que tiene sobre el
banco de carpintero del abuelo, un banco tosco y viejo,
con tantos años como el propio caserío. Ahora está curvan-
do con las manos una de las tablas de la proa, uno de cu-

yos extremos ya ha unido al armazón. Se alumbra con un farol de carburo, que tiene colgado de un clavo embutido en un cabrio del tejado. El viento hace bailar las tejas, que chocan entre sí en continuo repiqueteo, y se cuela entre ellas, llevando las virutas de madera del suelo de un lado a otro. La lluvia golpea con furia el tejado, y parece un milagro que no se quiebren más tejas de las que ya lo están, que dejan que se cuelen varias goteras, una de ellas reciente, pues cae en chorrito continuo y fino a la derecha de él, sobre unas tablas que tiene en el suelo, destinadas a terminar de cubrir el armazón de la trainera.

Trabaja mecánicamente, con la mirada perdida, a pesar de que sus movimientos son seguros. Cuando fija aquella tabla con una punta, da dos pasos hasta colocarse en la proa y mira, cerrando un ojo, a todo lo largo de la embarcación, comprobando sus proporciones. Después, la acaricia con ambas manos, pasándolas suavemente por las maderas pulidas, blancas y olorosas, y el rostro pierde su aire de ausencia, adquiriendo expresión. La fláccida mandíbula deja de moverse tontamente y se inmoviliza; todo el gordo rostro se esfuerza por adquirir rigidez, no consiguiendo más que redondearse más; los ojillos se pierden en ese rostro; y da comienzo ese silbido ronco, que se escapa por entre sus labios entreabiertos. Es el lloro de su pecho, de muy adentro, pues jamás sus ojos vierten una sola lágrima. Después, en brusca transición, abre la boca, cesa el silbido ese, y, en vez de acariciar, golpea con sus manos la pequeña y rudimentaria trainera. Yo le contemplo con temor, hasta que de los nudillos de su mano derecha empieza a salir sangre. "¡Fermín! ¡Hijo!", le grité. Y él me ve entonces y yo me acerco con su cena.

A las dos semanas de haberse recluido en el desván, Sabas subió conmigo y quiso hacerle desistir de aquella locura. Ya tenía comenzada la primera trainera y dormía sobre un montón de paja. "¿Por qué no bajas?", le preguntó, clavando en él su decidida mirada. "No", contestó sencillamente Fermín. "Por lo menos, dinos por qué no bajas." Pero aquella vez ni siquiera contestó, aunque levantó la cabeza y quise creer que sostenía la mirada de su padre, pero no fue así. ¿Cómo iba a serlo, si no miraba a parte alguna? Quedó inmóvil su enorme cuerpo,

un poco más alto que el de Sabas, ancho, fuerte y fofo a
un mismo tiempo, el cuello carnoso, lleno de pliegues, y
las abultadas formas de su pecho y estómago empujando
a la camisa hacia fuera, tensando la tela, recordando a una
mujer. Entonces, Sabas alzó la mano y le golpeó el rostro; y siguió haciéndolo con ambas manos, furioso y demasiado excitado, haciendo temblar los carrillos mofle-
tudos y palpitantes, hasta que me acerqué gritando. Se
detuvo y quedó frente a Fermín — que no se había movido — respirando entrecortadamente, con los brazos colgando a todo lo largo del cuerpo. Fermín habría sido capaz de derribarlo de un solo golpe, pero se limitó a emitir
ese sonido ronco que le salía del pecho y a mover la barbilla imperceptiblemente. "No", dijo, con una determinación que no se hacía patente por el tono de su voz, sino
por ser lo único que entonces era capaz de decir.

Dejo la marmita (el talo sobre ella), el tazón y la cuchara encima del banco de carpintero, cerca de la proa
de la trainera, y espero a que cene.

4   Abuela

Acuérdate, María, de cuando Tu Hijo estaba pasando
frío en el pesebre. "Dios te salve, Reina y Madre..." Josefa ha subido la cena a Fermín. Sabas, Pedro e Ismael
han salido. Cosme limpia su escopeta. Nerea tampoco
está en este momento en la cocina. Y yo me levanto de mi
silla en la mesa y me acerco al fogón, a echar más carbonilla, de la que sacamos en la playa, en la orilla del agua.
Remuevo la brasa para que caiga la ceniza y tire bien la
chapa. Tengo que hacer un gran esfuerzo para agacharme
a coger la pala, raspar con su borde el montículo de carbonilla que está en un balde y recoger la suficiente para
echarla sobre la brasa y que el fuego no se me apague.
"...de misericordia; vida, dulzura y esperanza nuestra..."
Esta noche hará mucho frío en la cama. No he conocido
una noche como ésta en todos los inviernos de mi vida.
Echaré encima, sobre las mantas, todos los trapos que encuentre por casa. ¡Gracias, Dios mío, por haberme traído
hasta esta playa ese barco con carbón! "...Dios te salve..."

Ellos no saben lo que es tener frío a los ochenta y siete años. Se siente la muerte en los huesos. Cuando tengo frío, creo que es un aviso del cielo, que me habla, así, de cómo es la muerte, de lo parecida que es a este frío. ¡Odio con todas mis fuerzas al frío! "...A Tí llamamos los desterrados hijos de Eva..." Acerco mi sillón al fuego y me siento con cuidado. Cosme ha de hacer a este sillón un arreglo cada semana, y cualquier día se romperá y me caeré. Pero a ellos no les importa. En vez de comprarme uno nuevo, Cosme se ha comprado una escopeta cara. Una odiosa escopeta con la que va a cazar mañana temprano y por eso no irá por carbón. "...a Ti suspiramos gimiendo y llorando, en este valle de lágrimas..." Le pido que me acerque los sacos de carbón que quedan por remendar, y la aguja y el hilo-bala, y él deja la escopeta con cuidado en el suelo, apoyando el cañón en el respaldo de la silla, se levanta y coge varios sacos del rincón de la cocina donde están amontonados y el rollo de cuerda con la aguja atravesándolo, y me lo trae todo a los pies. "...Ea, pues, Señora, abogada nuestra, vuelve a nosotros esos tus ojos misericordiosos..." Puedo tomar el rollo sin doblarme, pues lo ha puesto sobre los sacos y éstos forman un alto montón. Después, se sienta nuevamente y sigue limpiando su escopeta, aunque los paños que emplea para ello quedan tan limpios como antes de pasarlos por el interior de los dos cañones. "...y después de este destierro, muéstranos a Jesús, fruto bendito de tu vientre..." Corto un trozo de hilo-bala, enhebro la aguja y empiezo a coser. "...¡Oh, clementísima, oh, piadosa, oh, dulce Virgen María..." Los tres gatos se me acercan ronroneando, y uno de ellos, con desagradable rasgueo de uñas, trepa por el saco que tengo entre manos y llega hasta mi regazo. Yo sigo cosiendo, sin hacerle caso. "...Ruega por nosotros, Santa Madre de Dios..." La punta de la aguja roza frecuentemente su cuerpo, y él no la evita, al contrario. Pienso que si el Señor no quisiera que le pinchara, haría que saltara al suelo o, simplemente, se apartara. Yo no desvío la aguja cada vez que la llevo hacia mi derecha. "...para que seamos dignos de alcanzar las promesas de Nuestro Señor Jesucristo..." Como parece que el Señor ha decidido que suceda, saco la aguja del saco, arrastrando la cuerda, tiro de ella hacia la derecha y pincho al gato, que lanza un maullido horrible y cae al suelo dando vueltas. "...Amén".

5   *Nerea*

Tengo que dar con un escondrijo para los tres gatitos, y con una cesta, o algo parecido, para que estén recogidos, sin poder salir, y así no me los maten.

6   *Berta*

Pedro llega a casa y me dice que era verdad que el barco traía carbón, y que va a ir con Sabas a las peñas, esta misma noche, a coger lo que se pueda. Está ya calado hasta los huesos. Se quita el abrigo, me lo tiende y saca la botella de vino del bolsillo de su chaqueta y bebe de un trago todo el que queda en ella. Abre la boca y lanza el aliento, que llega hasta mí. Vuelvo el rostro y voy a colgar el abrigo.

Por una causa o por otra, siempre tengo que estar sola en casa. Los días de trabajo, sale a las seis de la mañana, para llegar a la fábrica a las siete. Cuando sale por la tarde, se mete en la tasca de Cuatro Caminos y no le veo por casa hasta las doce o la una de la madrugada. Y yo, aquí, sola, pensando y pensando, oyendo el silencio del pueblo o a la lluvia azotar los cristales. Sola, sin sentir a nadie en casa, como en un panteón. Todo lo soportaría: el no poder hablar, ni escucharle; su pestilente olor a vino; el jornal escaso; la monotonía que me rodea... si tuviera a ese hijo que buscaba cuando tomé a Pedro por marido, a mis treinta y un años, cuando la única ilusión que me quedaba era la de un hijo y temía que, si no me unía a Pedro, ni eso me sería concedido en esta vida. Pero él no me pudo dar ni eso poco que pedía de él. Sé que no es culpa mía. Fui al especialista sin que lo supiera. Ahorré, peseta a peseta, durante un año, hasta reunir lo que una vecina me dijo que cobraba. Y me miró y así supe que la culpa era de él. "¿Bebe?", me preguntó. "Sí", le contesté. "¿Cuántos años tiene?". "Cuarenta y seis". "¿Y al casarse?". "Cuarenta y dos". "¿Bebe mucho?". "Sí", le contesté.

Siempre sospeché que estaba alcoholizado. Se contuvo dos meses de beber, después de casarnos, pero luego volvió a la tasca. Su hermana ha tenido cinco y pudo tener cuantos quisiera. Hoy mismo, sería capaz de dar a luz algunos más. Todos los que quisiera. Tres chicas y tres chicos. Una chica y diez chicos. Veinte hijos, mezclados. ¡Qué derroche! Llega la noche y los hijos están dormidos y el hombre dice: "Hoy es sábado". Y treinta y seis sábados después, otro hijo.

Me pregunta si hay vino o coñac en casa, pues quiere llevarse la botella llena esta noche. "El trabajo será muy duro y el tiempo es de prueba", me dice.

Me consuelo pensando que la pobre Josefa también tiene su castigo. Sabas casi no bebe, pero su casa no marcha bien. Y él, ahora, ha tomado a Ismael un cariño anormal, como si se sintiera culpable de algo. Creo que Pedro tiene razón cuando me dice que si él hubiese tenido hijos, no le habría sucedido eso. "Sabas es demasiado serio", me suele decir. "No se hace simpático ni a sus propios hijos. No piensa más que en su trabajo. Se le ha olvidado reír, si alguna vez ha sabido". Y luego, ese pobre idiota que no quiere bajar del desván. Fermín. El simple Fermín, que jamás pudo aprender un oficio. Lo único que sabe es remar. No sabe ni "puede" hacer nada más. Nada, nada, nada... Pero he jurado que ya no voy a pensar más en eso.

Pedro se ha cambiado de ropa, incluso de la interior. Desde la cocina, le veo en nuestro dormitorio, tendido en la cama.

—Cuando oigas el chirrido de la carreta del viejo Lecumberri, me llamas —me dice, y se queda adormilado, con su respirar pesado y ronco, escapándosele del estómago el eterno olor a vino tinto y a coñac mezclados, como todas las noches.

Si no quiero volverme loca, no debo pensar más en Fermín.

III

No era un secreto para nadie que la carreta del viejo Juanón Lecumberri era la más antigua, no sólo de Algorta, sino de todos los demás municipios de los alrededores. Su dueño la había mandado construir allá por la última década del pasado siglo, y se la entregaron robusta, excesivamente recia y pesada, propia y exclusivamente para ser arrastrada por bueyes descomunales. La empleó en el acarreo de arena de la playa, con destino a las obras de la zona. Esa fue la misión de la carreta y ese fue el oficio de Lecumberri que, ciertamente, no necesitaba de él para vivir, ni siquiera para saciar su insondable estómago. Fue; porque ya estaba retirado — si no de ir todavía por delante de los bueyes, con el palo con un clavo en su extremo para estimular las ancas de los animales y, en accesos de ira, sus voluminosos vientres —, por lo menos de transportar arena. La cuesta de la playa y el empuje que había que dar a los bueyes a base de gritos y blasfemias agotadores, era ya demasiado para él. Ahora, alquilaba su carro — y su persona, cuando el reuma se lo permitía — para el acarreo de hierba de las campas a los caseríos o, cuanto más, para llenar los desvanes de leña para el invierno. Locuaz, cauto, con su filosofía aldeana, sabiendo todo, y más, cuanto puede llegar a saber un hombre que durante setenta años ha dirigido a los bueyes tantas palabras como a sus semejantes. Fuerte aún, con el rostro surcado de tantas arrugas que era un milagro que alguien pensara que aquello eran facciones humanas. Risueño, autoritario, sin saberse patriarcal; solamente considerándose padre de los dos bueyes que aún conservaba en la vieja cuadra de su caserío, como residuos de sus pasadas apoteosis de blasfemias y pinchadas irascibles.

Cuando murió su padre, le dejó el enorme caserío en que ahora vivía. Dicen que se las arregló para que el viejo no nombrara en su testamento a ninguno de sus otros hijos — tres, y los tres casados y con hijos, a su vez —, y quedar él único heredero de casa y tierras. Jamás logró nadie saber exactamente de qué manejos se valió para excluir a sus parientes. Se habló de un juramento prestado en la misma cabecera del enfermo, con el cura como testigo, por el cual Juanón Lecumberri se comprometía a vender la mitad de las tierras, y con su producto pagar las misas necesarias para salvar el alma del padre; y en caso de gastar el capital sin que el cura recibiera señal del cielo anunciándole que el alma ya estaba en las alturas, vender el resto de las tierras hasta convencer al Señor de que aquel su siervo poseía méritos suficientes para recibir el Gran Premio. Luego se supo que no hubo necesidad de vender más que doscientos metros cuadrados de terreno, y ellos al Ayuntamiento; conociéndose más tarde que existía el proyecto municipal de hacer pasar una carretera a través de esos doscientos metros cuadrados, y que el Ayuntamiento, por ley, derecho y demás, iba a apropiarse — a bajo precio — de la citada extensión, con lo que Juanón se habría quedado sin ella. Una duda quedó a todos: si el cura recibió el correspondiente aviso divino después de las misas pagadas con esos doscientos metros, o si Juanón envió a su padre al infierno.

El padre llamó a la puerta del caserío, y tuvo que hacerlo tres veces más, aporrear más bien las gruesas tablas, antes de que se oyera la recia voz de carretero de Lecumberri, y el padre pronunciara su propio nombre y el otro abriera la puerta. A la luz vacilante de la vela que sostenía a la altura de su rostro, las arrugas de éste aparecieron profundas y multiplicadas. Sus ojillos nos observaron vivamente desde las profundidades de las grietas de aquella faz ancha y resquebrajada. Advertí que no le habíamos levantado de la cama: sus abarcas estaban perfectamente atadas y vestía su eterno pantalón de pana y una camisa de franela a cuadros blancos y negros. Siempre, hiciera el tiempo que hiciese, iba en mangas de camisa. Una ráfaga de viento apagó la vela y Lecumberri nos dijo que pasáramos. En la desordenada cocina, raspó una cerilla contra el hierro de la chapa y encendió nuevamente la vela, colocando luego la palmatoria sobre el armario. Sin mirarnos, dijo después:

—Todavía está en la cuadra.

Y tres segundos más tarde:

—Sí, la carreta.

El padre empezó a mover la pajita en su boca y pasó un buen rato antes de que Lecumberri hablara nuevamente.

—No se la han llevado.

—¿Quiénes? — preguntó el padre.

—El viejo Antón, el contramaestre retirado, y sus hijos.

Lecumberri hablaba sin entonaciones, con palabras de idéntico énfasis, y hasta sílabas; más aún: como si repitiese una sola sílaba una y otra vez, tal como al pretender cantar una canción cuya letra se desconoce y, no obstante, se quiere meter ruido. Ahora se hallaba de costado, sentado en una banqueta de madera, liando lentamente un cigarro. Sostenía entre sus gruesos y amorcillados dedos de su mano derecha el pequeño y leve rectángulo de papel blanco, sobre el que vertió el oscuro tabaco de una petaca grasienta de cuero, de color indefinido. Al acabar de echar la correspondiente ración — siempre la misma, con exactitud de miligramos —, cerró la boca de la petaca ahorcándola con una cinta, operación que llevó a cabo haciendo girar la petaca sobre el cordón, en vez de éste sobre aquélla, con una sola mano. Entonces, el padre se sentó también, en la única silla que, con el banco que ocupaba el carretero, constituían los solitarios asientos de aquella cocina, no sólo de soltero, sino del hombre que se las ha ingeniado para no ser molestado por cuñados ni sobrinos, no digamos ya de vivir con ellos.

—No me importa lo que ofrecieron — dijo el padre —. Yo le doy medio metro de altura de carbón cubriendo todo el fondo de la carreta. Es más de lo que le han ofrecido ellos, más de lo que nadie puede ofrecer.

De los enormes dedos del carretero salió un tosco cigarro, arrugado y marcándosele en el papel las estaquillas del tabaco, una de las cuales lo había atravesado. Alargó el brazo para tomar la palmatoria con la vela, pero la llama no llegó a tocar jamás aquel cigarro, aunque el primero

que salió corriendo de la cocina fue el padre... Yo fui tras
él, algo aturdido —pues el ruido que también había percibido del otro extremo del caserío aún no lo había relacionado con nada—, pero coincidí en la misma puerta de
la cocina con Lecumberri, que ni me vio: bastó su sola
humanidad y el furor ciego que la impulsaba, para echar-
me a un lado sencillamente, sin él pretenderlo, y tomar como
un bólido traquetreante el pasillo hacia la cuadra, con la
palmatoria en alto. Más tarde había de recordar que vi,
sobre la pechera de su camisa, el tabaco desparramado
de su cigarro frustrado.

El familiar olor a cuadra se mezcló con la visión del
padre sujetando de las solapas de su abrigo a un hombre
pequeño, que reconocí al punto: el viejo Antón; impidiendo que siguiera azuzando a los dos bueyes para que
traspasaran de una vez el ancho vano de la puerta de la
cuadra, tirando de la carreta, a la que ya estaban unci-
dos. El hijo mayor de Antón —un hombre alto, de largas piernas, cubierto casi por completo con una capa negra de hule— sostenía un farol de carburo y en aquel
momento lo dejaba en el suelo para correr en ayuda de
su padre. Atacó por la espalda. El sombrero de lona del
padre rodó por el suelo de la cuadra, produciendo el mismo ruido que si cayera una porción de agua —dos o tres
litros— si fuera posible que en la bajada la masa líquida
conservara intacta la forma del recipiente que la contenía.
Después, el hijo pequeño, que contaba casi seis años más
que yo, corrió también y sujetó al padre de la cintura, y
ahora el viejo Antón le golpeaba el rostro, pues el hijo
mayor había conseguido sujetarle los brazos por detrás.

—¡Malditos! —rugió Lecumberri, buscando algo por
el suelo; luego me enteré que buscaba un palo, pues entonces lo único que supe fue que los dos hijos del viejo
Antón calzaban botas de goma, y hasta llegué a conocer,
no solamente cuál era su olor, sino también su sabor, porque cuando abrí los brazos para asir las cuatro piernas caí
algo más abajo de lo que había calculado y mi rostro se
cubrió del barro de aquellas botas, y mi boca, entreabier-
ta a causa del esfuerzo, no sólo rozó varias veces con los
labios la negra y eternamente olorosa goma, sino que quedó oprimida más de tres y más de seis veces contra las

botas que, ahora, se debatían frenéticamente arriba y abajo. El padre lanzó una imprecación y logró librar un brazo, con el que derribó de un solo golpe a Antón; y luego se volvió, porque yo estorbaba a los dos hermanos y ya no podían agarrarle como antes, y de dos empellones se vio libre, alzándome rápidamente del suelo y llevándome hasta el costado de la carreta, contra el que se apoyó, manteniéndome a su lado.

Lecumberri ya había encontrado, por fin, su estaca, y con ella en la mano se plantó delante de Antón y sus hijos.

—¡Malditos! — exclamó —. ¡No teníais derecho a hacerme esto, después de haber regateado tanto hace poco!

—¡Nos llevaremos este carro al precio que ofrecimos! — chilló como una rata Antón, recién levantado del suelo, con su abrigo torcido.

—Por lo menos, ahora habláis de algún precio. Antes estabais dispuestos a llevároslo por nada — dijo el carretero, con voz ya blanda y apacible. Pero su boca temblaba.

—¡Sacad la carreta! — ordenó Antón a sus hijos —. ¡Sacadla, he dicho!

Pero fue el padre el que se movió. Dio dos pasos hacia los bueyes, colocándose a su costado, justamente cortando el camino que deberían recorrer ellos para tirar de los animales y sacar la carreta. Se quitó la trinchera, la chaqueta y el jersey de lana, y dejó todo sobre las tablas de una conejera, arremangándose los brazos y quedando a la espera, mirándoles tranquilamente. Sus antebrazos — no demasiado musculosos, sino más bien secos y nervudos — colgaban apoyados en las caderas delgadas, pero no inertes, sino llenos de vida, como dos caballos pura sangre a punto de oír el disparo para echar a correr, sin necesidad de que les piquen espuelas. Su rostro anguloso y, en aquel momento, con barba de dos días, podría haber parecido tan inmóvil como el de una estatua, si no fuera por las dos luces inquietas que llenaban de sombras vivientes la cuadra entera. Y nuevamente chocamos Lecumberri y yo aquella noche, cuando ambos tuvimos al mismo tiempo la misma idea de colocarnos al lado el padre. El carretero no cesaba de agitar su tranca, pero el padre se la arrebató de la mano y la arrojó lejos, cayendo bajo un pesebre. Miró Juanón al padre, asombrado, y así, con la cabeza vuelta, permaneció hasta que todo concluyó. Las blasfemias del viejo Antón — las más expresivas y contundentes que recogió del poso del único lenguaje que, al parecer, ha hecho andar a los barcos durante varios siglos — se fueron debilitando con la distancia, según se alejaban de la cuadra los tres, bajo la fuerte lluvia, él detrás de sus dos hijos, que fueron los primeros en salir y a los que insultaba con terrible furia.

El padre se puso nuevamente el jersey, la chaqueta y la trinchera, y recogió el sombrero del suelo, plantándoselo en la cabeza. Sin decir nada, cogió el largo palo que Lecumberri empleaba para azuzar a los bueyes, que se hallaba apoyado contra la pared de piedra de la cuadra, y se colocó delante de los animales, fuera de la protección del edificio, de modo que la lluvia cerrada empezó a caerle de nuevo encima, sordamente, pesada e insistente, como una maldición esperada de todos y resignados a soportarla por toda la eternidad. Entonces vi que Lecumberri se acodaba en una cartola y miraba al padre con sus ojillos semicerrados.

—No se puede transportar mucho carbón en una carreta sin bueyes — dijo.

—¿Qué? — preguntó el padre.

—Nuestro trato sólo...

Más tarde me dijo el padre que siempre había estado preparado, aquella noche, para cualquier jugarreta que quisiera gastarle Lecumberri, pero no ya a esas alturas. Ni yo mismo oí al carretero concluir su frase explicativa: supe, como el padre, lo que su cerebro había estado reservando hasta entonces, la burda trampa que nos había tendido — trampa de principiantes en cualquier negocio, de los que no irán muy lejos, pues hasta los engaños han de tener su moral —, el juego de palabras que él tomó al pie de la letra al nombrar "la carreta", cuando todo el mundo habría entendido que el trato era a base de "la carreta y sus bueyes".

—La carreta no bajará hasta las peñas — dijo el padre, sereno, a pesar de todo —. Sólo transportará; no escalará montes.

—El carbón que seréis capaces de sacar de las rocas lo conseguiréis si sabéis que la carreta os está esperando arriba. La carreta lo mueve todo. Tengo derecho a exigir lo que considero justo. Medio metro más de carbón. No tengo muchos deseos de que mis bueyes se medio ahoguen en esta tormenta.

—Estuvo a punto de tener que conformarse con lo que le diese Antón, si llega a conseguir sacarla de la cuadra. Y eso, suponiendo que no la dejase ante su puerta, una vez acabado el trabajo, y se largase sin saludarle, dejándole solamente el carbón que no pudo sacar de entre las juntas de las tablas.

—Con tu intervención —insistió pesadamente Lecumberri, en aquel duelo en el que ganaría, no el más ingenioso, sino el más paciente, el que fuera capaz de hacer aceptar al otro lo que no quería; no convenciéndole, sino, sencillamente, imponiéndose: la sonrisa burlona, los ademanes que fingen disimular una burla que no se siente; todo, para expresar al otro que no pisa seguro y que uno lo sabe— no conseguiste más que adquirir un derecho a negociar sobre la única carreta que queda libre en el pueblo, por no mencionar que es la mejor.

—Las cartolas miden un metro —adujo el padre—. Si esa es la altura de carbón que me exige, sólo podré llevar a casa unos pocos sacos llenos de remiendos, los que cargue encima de su carbón. No puedo aceptar ese metro.

Se introdujo en la cuadra, chorreante, y el agua dejó de chapotear en su sombrero y en sus hombros, y dejó el palo que había tomado, en el mismo sitio, apoyado en la pared. Después, me indicó con un gesto de la mano que le siguiese. Pero no tuve oportunidad entonces de dar un solo paso. Lecumberri se movió imperceptiblemente (más tarde dudé de si se había movido realmente), carraspeó y dijo:

—No he hablado nada sobre las cartolas que te iba a colocar a la carreta. Tengo otras, las de la hierba, de más de dos metros. Te devuelvo el metro completo. Es como si dispusieras de una carreta con cartolas de a metro, propiedad tuya.

—Estos bueyes son capaces de arrastrar, además, todos los sacos de carbón que puedan sostenerse encima —dijo el padre, en el mismo tono suave en que había llevado aquella conversación, sin descubrir que sabía que había

ganado, recogiendo el palo que yo jamás dudé que aca-
baría manejando aquella noche —. Será menester darles, al regreso, una ración suplementaria de pienso durante
una semana o un mes, pero ese gasto extra entra en la
cuenta de lo que se alquila. Como también debería haber
entrado, si existiera, el sueldo del secretario que le con-
venía tener, o el precio del libro de anotaciones, y así no
se habría olvidado de cuántas clases de cartolas guarda en
su cuadra.

Lecumberri, impenetrable, hizo un gesto con el brazo
y luego empezó a sacar el papel de fumar y la petaca.

—Díle a tu hijo... ¿Se llama Ismael? Díle a tu hijo Ismael que nos pida permiso a los viejos antes de dar otro
estirón a ese cuerpo, o que lo avise, para que estemos preparados a admitir que tenemos unos años más encima.

7   *Cosme*

El padre ha ido por la carreta, con Ismael. Todas las
familias de Algorta que tengan agallas para acercarse esta
noche a la ribera a coger ese maldito carbón, están ahora
preparando sus carros, o sus mulas, o sus burros, o bus-
cándolos si no los tienen. Pero el padre no se quedará sin
uno, y precisamente el que haya elegido de antemano.
Siempre consigue lo que se propone. Es como la máquina
rebordeadora de cartuchos, que, una vez puesta en marcha, se sabe doblará infaliblemente el borde de cartón, sin
que nada la detenga. La explanada rocosa de La Galea,
próxima al bosque de pinos, seguía tan abandonada como
desde el principio del mundo; no había arado que aguan-
tase el recorrido de un solo surco; una delgada capa de
tierra negra cubría piedras y peñas. Pero el padre fue y la
limpió. Él solo, pues nosotros éramos por aquel entonces
todos pequeños. Y la sembró de patatas y así no pasamos hambre los siguientes inviernos. Trabajó como un endemoniado, domingos y días festivos, e incluso muchas de
sus noches, durante un año, sacando enormes piedras con
la palanca, con las que formó alrededor de aquella huerta
surgida de lo imposible un ancho muro de más de un metro de altura. Todos los que apostaron que no lo consegui-

ría, pagaron antes de que acabara, en cuanto le vieron limpiar los diez primeros metros cuadrados, pues comprendieron que el resto se hallaba también sentenciado. Y ahora sé que no tardaré en oír el chirrido del eje de una carreta, y veré al padre, no ufano, no orgulloso de sí mismo, sino impasible, mirando fijamente hacia adelante, esperando él solo sabe qué, quizá más dificultades, y deseándolas.

Sencillamente, le diré que no. Ya sabe que no quiero ir, pero ahora le diré que no; que no le acompañaré a coger carbón. Es difícil oponerse a lo que propone el padre: mira de una forma que suple a todos los gritos. Además, todos sabemos que es capaz de hacer, y bien, todo lo que nos ordena. Nunca le hemos podido echar nada en cara. Trabaja con la furia de los desesperados, como si no supiese hacer otra cosa en su vida. Y eso es lo que nos derrota: que no le hemos podido echar nunca nada en cara. Es como si se amparase en su trabajo.

La abuela me lanza reojadas continuamente, vigilando mi operación de limpiar la escopeta, sin dejar por eso de coser sus sacos de carbón. Está ya agotada. Se advierte que le faltan las fuerzas cuando ha de dar a la aguja un tirón fuerte, más que los demás, para que atraviese el saco. Tiene que coger la aguja con ambas manos y torcer la boca, concentrando sus escasas fuerzas en sus sarmentosas manos. Sería capaz de apoderarse de mi escopeta y arrojarla dentro de la chapa, en pedazos. Estoy seguro de que lo haría, si yo me descuidara.

8   Pedro

Cuando abro los ojos, me doy cuenta de que Berta lleva algún tiempo tratando de despertarme. Me duele la cabeza. Ella está erguida, cerca de los pies de la cama, y por eso sé que me ha zarandeado de las piernas, como lo viene haciendo hace mucho tiempo, cuando me despierta las madrugadas de los días en que debo ir a trabajar, como si me tuviera miedo o le repugnara acercarse a mi cabeza.

—La carreta está pasando en este momento por debajo de la ventana — me dice.

Entonces, la oigo. Me levanto y corro a los cristales chorreantes. Por la grieta del que está rajado y por las aberturas entre marcos y hojas, penetra un viento húmedo y helado. Me encojo de frío y cruzo los brazos sobre el pecho, oprimiendo el grueso paño del interior de invierno. Allí veo a Sabas, con el palo con un clavo en la punta, delante de los bueyes, animándoles con voces y suaves golpes del palo sobre el yugo. La lluvia le cae encima, sobre el sombrero y la trinchera, que están empapados desde hace dos horas. Tanto cuerpo como el conjunto que forman él y la carreta, lo tiene la densa cortina de agua, resultando que no se sabe cuál recorta a cuál, aunque indudablemente la línea de contacto se halla perfectamente definida y acentuada por el chapoteo de las pesadas gotas al chocar contra los obstáculos: las altas cartolas, la lona extendida en el fondo, las macizas ruedas, el lomo de los dos bueyes cubierto con la manta a rayas rojas y negras, el sombrero y los hombros de Sabas, y hasta el palo que maneja. Dentro de la carreta veo un bulto bajo la lona gris; apenas se mueve; pero sé que ese bulto pertenece a Ismael, soportando lo que no debiera soportar un chico de catorce años, cuyo lugar en este momento era su cama caliente. Pero Sabas necesita de toda su gente y teme que sus otros hijos le abandonen. Creo que no le importaría demasiado. En cambio, si fuera Ismael el que le dijera que no... Sí, no le importaría demasiado. Tendría que trabajar más. Trabajar, trabajar; eso es lo único que Sabas sabe hacer. Estoy seguro de que le gustaría que todos, excepto Ismael, le abandonasen.

Empiezo a vestirme las prendas que Berta me va entregando, desde las que quedan pegando a la carne. Tiemblo de frío y he de echar un trago de vino para reaccionar.

—No bebas más — me dice ella —. Debes tener esta noche la cabeza despejada. Es peligroso el trabajo que os espera.

Exhalo el aliento y ella abandona el dormitorio. Yo soy así y ella no quiere acostumbrarse. Si supiera la muy zorra que íbamos a tener un hijo, se quitaría el vestido y se acercaría a mí caminando de aquel modo de las pri-

meras semanas de matrimonio, en que se esforzó por no
mostrarse como la solterona ñoña de pueblo que era, y me
echaría los brazos al cuello y con sus labios limpiaría el
vino de los míos.

9   *Josefa*

Salgo al portalón a partir unas leñas y les veo llegar.
Corro hacia la carreta para ver dónde está Ismael.

—No te acerques — me dice Sabas —. No es necesario que tú te mojes.

Llego junto a la carreta y veo la cabeza de Ismael
asomar por encima de una de las altas cartolas. Pedro se
coloca debajo y lo recoge cuando se descuelga por fuera
de una de ellas. De los bordes de su capa le chorrea el
agua. Me mira como diciéndome que está bien, pero yo
sé que tiene frío. Le llevo al portalón y le quito la capa.
Su rostro aparece blanco y sus ojos azules resaltan extraor-
dinariamente sobre aquella blancura. De sus cabellos, sólo
el mechón rubio que siempre le cae sobre la frente está
mojado, pues ha sido lo único que el choto ha dejado al
descubierto, pero resultó suficiente para que su rostro se
halle cubierto de gotas de agua, que le resbalan por párpados, mejillas y labios como un sudor excesivo.

—No dejaré que salga otra vez esta noche — le digo
a Sabas, que se ocupa, bajo la lluvia, con Pedro, en za-
randear las enormes cartolas y comprobar si podrán resistir todo el carbón con que piensan cargar la carreta. No
me hace caso. Llevo a Ismael a la cocina y le siento a la
mesa y le hago beber otro tazón de leche caliente, el de
mi almuerzo de mañana. Después, me asomo otra vez al
portalón y aún siguen Sabas y Pedro golpeando diversas
partes de la carreta, para conocer su resistencia, y hablando casi en monosílabos. La lluvia ya no hace ruido
natural al caer sobre sus ropas: parece, realmente, que
choca contra la superficie de un lago o charco: suena man-
sa, monótona, exasperante, eterna...

—¡Entrad! — les gritó —. Nunca creí que podríais olvidar tan pronto que sois personas.

Los bueyes, inmóviles, resisten espatarrados el viento
y la lluvia. Las mantas que los cubren ya están empapadas

y sólo les pueden dar frío; sus flecos gastados chorrean incesantemente, formando el agua que de ellos se desprende pequeñas lagunas entre sus pezuñas. Sus cabezas, muy bajas, apuntando al barro, quietas como máscaras, no parecen sólo sumisas y pacientes, sino que, además, ofrecen la visión sobrecogedora de hasta dónde puede llegar la desesperanza de la carne viva, vencida y humillada, y obligada a seguir moviéndose para realizar lo que no comprende, no porque no sea capaz de discernir, sino porque lo que hace es hasta incomprensible para el mismo dios que la manda.

Por fin, se apartan de la carreta y se cobijan en el portalón, si bien pudiera decirse que eso no es resguardarse de algo sino desplazarse, simplemente; el irracional cambio de postura de un cuerpo con el mínimo bagaje de sensibilidad necesaria para poder suponer que está vivo. Aún vuelve Sabas la mirada a la carreta.

—Llevaremos unas cadenas para sujetar las cartolas por arriba — dice — y evitar que se abran.

—Ellas nos marcarán hasta dónde puede llegar el carbón suelto y desde dónde empezaremos a amontonar los sacos — indica Pedro, serio, contagiado de la decisión de Sabas.

Éste pasa a mi lado y entra en la cocina. Su semblante no da señales de advertir el agrado con que sus sentidos han tenido que acoger el templado ambiente. Del desván se sigue oyendo el ruido de los martillazos que da Fermín.

—Cierra la puerta, Josefa — me ordena la madre, afanándose por concluir de coser los sacos.

Sabas recorre con su mirada la cocina, deteniéndola el mismo tiempo (es decir, no deteniéndola ninguno) en Ismael, la abuela, los cacharros dispersos, Nerea y Cosme, que no ha levantado la cabeza de su escopeta.

—Hay que subir al desván para bajar el aparejo con el cable corto, las cadenas y la cuerda, y ayudar a sacar por la ventana la viga que subimos de la playa el año pasado — dice Sabas —. Yo iré recogiendo todo desde abajo.

Cosme se encoge y levanta la cabeza bruscamente.

—¡Tengo derecho a gastar mi tiempo como me da la gana! — exclama, sujetando frenéticamente la escopeta reluciente.

A pesar de que estoy deseando, desde hace unos años, que estalle de una vez lo que ha de suceder por fuerza entre Sabas y sus hijos, no puedo resistir la situación: me quito la boina y el abrigo, que dejo en una silla de la cocina, y tomo por el pasillo el camino hacia las escaleras del desván.

—No he dicho nunca que ayudaría —oigo exclamar nerviosamente a Cosme.

Temo que la voz de Sabas me detenga de un momento a otro: "No vayas, Pedro; no te corresponde", pero llego al pie de las escaleras, las subo y empujo la vieja puerta del desván, que parece una esponja, de tan carcomida que está por la polilla. Allí veo a Fermín, bajo la lámpara de carburo, embutiendo a golpes de maza tacos en las tablas de la trainera. No hace falta ser muy lince para saber que todo su trabajo es una chapucería. Está tan embebido, que ni me oye. Su frente se halla empapada en sudor, a pesar del viento helado que se cuela por entre las tejas, y su camisa a cuadros se pega a su cuerpo amplio y redondo, marcándole femeniles formas. Cuando paso a su lado, por delante del banco de carpintero, le oigo respirar con dificultad, vasta y pesadamente, como una vaca enferma por tener la tripa hinchada de hierbas y aires. La insignia que le entregó el alcalde de San Sebastián, al finalizar la regata, luce sobre su pechera.

El desván tiene tres ventanucos, que dan a la fachada del caserío, por encima del portalón; una reja vertical de hierro, en el centro de cada uno de ellos, basta para impedir que se pueda sacar la cabeza. Acerco mi cara al hierro de la ventana del centro y miro hacia abajo. Puedo ver la carreta; sobre la lona extendida en su fondo se han formado, siguiendo sus duros pliegues, tres lagunas, en cuyas superficies la lluvia, más fuerte cada vez, levanta canutos brillantes. Junto a la carreta, está Sabas, mirando hacia los ventanucos, sin preocuparle el aguacero que, ahora, cae de lleno en su rostro. Me ve.

—A tu derecha está la viga —le oigo decir—. Sobre el montón de paja. Trata de hacerla asomar por la ventana.

Retiro la cabeza. Fermín sigue trabajando como si yo no estuviera allí. Empleo varios segundos en habituarme a la oscuridad de aquel rincón del desván donde se halla el montón de paja. Sobre él, veo la viga, que yo les ayudé, el último febrero, a sacar del agua hasta la arena y luego alzarla para colocarla cruzada sobre el lomo del burro, subiendo después la cuesta pedregosa sujetando los extremos salientes del madero para evitar que cayera de un lado. Todavía conserva algo de esa humedad pegajosa que adquiere lo que ha estado semanas o meses flotando en el agua. Tiene más de cuatro metros de largo, y es grueso, de sección rectangular. Lo empujo con ambas manos para hacerlo girar sobre la cumbre del montón de paja y colocarlo en posición favorable.

Oigo la voz irritada de Cosme, abajo, en la cocina:

—No sé por qué debo ir —protesta, y adivino también el semblante de Sabas, impasible, sin dar señales de haberle oído, pues ni siquiera le miró cuando antes habló pidiendo ayuda.

Cuando consigo mover la viga, trato de alzarla por un extremo, para tirar de él y llevarla hasta la ventana, como me ha indicado Sabas. La levanto un instante, pero las duras aristas se me hunden en la carne de las manos y retiro éstas precipitadamente. La viga golpea el piso de tablas resquebrajadas.

—Aún no queremos demoler la casa —oigo gritar a Sabas.

¡Maldito Sabas! Si no fuera por él, no me encontraría ahora intentando llevar este tablón del demonio hasta esa ventana. ¡Y qué noche nos espera! Si no bebo un trago, seguramente no podré ni moverlo. Pero la botella de vino la he dejado en el bolsillo del abrigo.

Fermín sigue embutiendo sus tacos. Estoy a punto de decirle: "Acércate a ayudarme", pero no le digo nada, no solamente porque su imbécil impasibilidad me impone, sino por la coleta que todo esto traerá: el pueblo entero hablando, desde mañana, en las tabernas y cocinas y maizales, sobre lo sucedido esta noche, hasta conseguir averiguar los más pequeños pormenores de quienes se movieron bajo la tormenta por culpa de ese barco, y no quiero que comenten que no pude con la viga de Sabas.

La levanto nuevamente. Mis brazos, desde el hombro a la punta de los dedos, empiezan a temblar, pero la viga se desliza lentamente por sobre el montón de paja y llega al suelo con una suavidad increíble, sin un ruido. Mis piernas también tiemblan, como si alguien las estuviera dando masajes. No, no puedo resistir más. La dejaré caer.

—¿Te has dormido sobre ese montón de paja, Pedro? — oigo preguntar a Sabas.

¡Maldito! ¡Maldito! Si para él no representa nada el transportar esta condenada viga, ¿por qué no sube y...? Sí, lo haría. Claro. Es fuerte. No bebe. Oigo ahora los pensamientos de Berta, que jamás me ha comunicado, pero que sé existen: "Si fueras como él. Es un hombre como toda mujer desea". ¡Maldito Sabas! ¡Como él! Hasta con un hijo idiota y los demás que no le quieren... ¡Ese es Sabas! ¡Yo sé lo que Berta desea de Sabas!

—Tengo mis planes y no voy a cambiarlos por salir en una noche como ésta — exclama Cosme, bajo mis pies.

Ya ni siento dolor en las manos. Parece que la carne se ha fundido con la madera y formen ahora un solo cuerpo con voluntad de avanzar, pues hasta la viga parece que se doblega, vencida, aun cuando todavía faltan dos metros para alcanzar la ventana. Aunque lucho contra ello, no puedo evitar el avanzar al compás de los martillazos de Fermín, que, ahora, son lentos, espaciados. Avanzo de espaldas, arrastrando la viga; de pronto, aparece el ventanuco a mi izquierda, cerca de mi codo. Un instante antes de que el madero resbale de mis manos, consigo alzarlo lo suficiente para poder apoyarlo en el borde de la ventana, y cae pesadamente antes de que me dé tiempo de retirar la mano, y me aplasta los dedos.

¡Maldito Sabas! Él hizo que le acompañara a La Galea a comprobar si era cierto lo que yo le decía sobre el barco. Él me obliga a buscar carbón entre peñas en una noche como ésta. No me dijo nada, pero él iba a ir y yo no me pude negar, por no dar más motivos a Berta para que siga pensando lo que piensa de mí.

Sabas oye mis gemidos y pregunta:

—¿Qué pasa, Pedro?

La sangre me baja por la mano en tres hilos hacia la muñeca. "¿Qué pasa, Pedro?", vuelve a preguntar Sabas.

Intento levantar un lado de la viga, con la mano libre, la derecha, pero no puedo. La piedra contra la que están aplastados los dedos parece un hierro al rojo. Alzo la rodilla derecha, hasta tocar con el muslo la viga, y aplico la mano a ésta, junto al muslo, al mismo tiempo que hago fuerza hacia arriba con ambos, el muslo y la mano. La presión cede y saco la mano ensangrentada.

—Estoy esperando ver asomar el extremo de la viga por esa ventana — oigo a Sabas —. ¿Le has tomado miedo?

Voy hacia el lado que se apoya en el suelo, mientras envuelvo la mano en mi pañuelo. Noto un alivio al coger el madero con ambas manos y hacer fuerza hacia arriba; es como si la mano herida se encontrara mejor cuando se la oprime sin contemplaciones, ciegamente, como lo estoy haciendo ahora todo. Por fin, la coloco en posición horizontal y me pongo tras ella y la empujo con el estómago para que se deslice por el antepecho del ventanuco, pero he de darle media vuelta, pues el hierro del centro impide que pase en la posición que ahora tiene. Luego, empiezo a empujar otra vez y oigo decir a Sabas:

—Ya la veo... Sigue, sigue...

El roce de la viga contra la piedra de la ventana hace que se desprendan trozos de ésta, que oigo cómo golpean la carreta. Las gruesas gotas de lluvia martillean el tablón con sonido de redoble de tambor.

—Sigue... Sigue... — habla Sabas —. Trata de sacarla hasta la mitad, pero cuida de que no te venza el peso del trozo que sale.

—No dije que ayudaría — exclama Cosme, con voz más aguda.

De pronto, Sabas me ordena:

—¡Quieto! Ahora, despacio... Que caiga poco a poco. Notarás cuando la recojamos.

Ya está llegando el centro de la viga al centro del grueso muro. No puedo dejar que ni siquiera la media mitad que sale del desván inicie una caída, pues luego no la podría controlar. Sin embargo, debo hacer que caiga, aunque de modo que no me saque ventaja. No puedo ver lo que pasa abajo, pero sé que Sabas estará en el lugar debido, quizá con alguien que le ayude.

El extremo que sujeto empieza a levantarse; lo abrazo furiosamente, pero se me escapa hacia arriba. Voy a gritar para advertirles que les va a caer encima, pero entonces oigo a Sabas decir:

—Ya la tenemos... Lo estás haciendo bien, Pedro. Sigue... Sigue...

—Yo no dije en ningún momento que ayudaría —vuelve a exclamar Cosme.

Ahora está muy inclinada, cruzada en el ventanuco y rozando en dos puntos de éste, arriba y abajo, y con el doble contacto la caída queda más frenada. Estoy ya lo suficientemente cerca de esa ventana para ver lo que sucede abajo. Sabas e Ismael se hallan sobre la carreta, asiendo desesperadamente el extremo de la viga, que justamente alcanzan. El chico lleva otra vez su capa, y la cerrada lluvia los envuelve en su manto húmedo, blanco y viscoso.

—Deja apoyada la viga en la ventana y coge la cuerda para que puedas seguir sosteniéndola cuando la apartes por completo del muro —me dice Sabas, luchando por apoyarla lo más suavemente posible sobre el borde de las cartolas.

Puedo soltar el tablón y busco la cuerda, que encuentro cerca del montón de paja. Se trata de un buen rollo, muy largo y casi nuevo. Allí están también el aparejo, las cadenas y el cable que luego he de bajar. Me acerco con la cuerda a la ventana.

—Da varias vueltas a tu extremo con esa cuerda —me orienta Sabas, cuando le muestro parte del rollo sacando el brazo por la ventana —; anuda, y luego larga la viga y la vas aguantando con la cuerda, mientras desciende.

Le veo otra vez. No ha querido que el tablón descanse sobre ninguna de las cartolas, seguramente por temor a que las doble, al actuar el peso en dirección oblicua. Su rostro se contrae por el enorme esfuerzo, pues ahora son sus brazos los que sostienen todo el peso de la viga, ya que Ismael bastante hace con impedir que se vaya a un lado u otro.

—Yo nunca dije... —empieza Cosme otra vez.

—¿Quieres callarte ya? —le grita Sabas, sofocado—. ¿Quieres callarte ya?

A uno le llamo Cuarto Oscuro, a otro Baldosas de Colores, y al tercero, Flor de Peral.

Lo peor es que no quieren quedarse quietos en el rincón de la cocina, y llaman la atención, y la madre y la abuela les miran de vez en cuando. Y yo no quiero que nadie les mire. Quiero que nadie se acuerde de ellos para que no les entren deseos de matarlos antes de mañana. Así, pues, ahora que todos —incluso la abuela, que está de pie a la entrada de la cocina, mirando hacia afuera, aún con la aguja de coser sacos en la mano— se hallan en el portalón: la madre y Cosme, como la abuela, observando cómo el padre e Ismael, bajo la fea lluvia, colocan ese tablón tan pesado en el carro, y ahora que ya lo han apoyado en las cartolas y sujetado con la larga cuerda que el tío ha empleado para hacer bajar la viga, y han recogido la polea que él también les ha echado y la han guardado bajo la lona del fondo de la carreta, pienso que es el mejor momento para hacerlo.

Cojo a Cuarto Oscuro, a Baldosas de Colores y a Flor de Peral y los pongo sobre mi falda, que agarro del borde y la vuelvo, ocultándolos así. Cojo con la otra mano una de las tres velas encendidas y salgo de la cocina, pasando junto a la abuela, rozándole la falda, pero ella está con sus rezos de siempre y no siente nada. Me pongo contenta cuando echo a andar por el pasillo oscuro, hacia la cuadra. Las pequeñas uñas raspan mi falda, pues se ve que los gatitos no pueden estar quietos un solo momento. Introduzco la mano entre ellos y siento en seguida sus afilados dientes y sus ásperas lenguas, pero no me hacen ningún daño.

En seguida veo en la cuadra la cesta de los huevos que voy buscando. Está bajo los nidales, pues a la madre se le ha olvidado recoger los huevos de hoy para guardarlos con los otros que están en el armario y llevar luego todos a la plaza, los jueves o los sábados. Es una buena cesta para tener en ella a los gatos sin que se puedan escapar, pues tiene hasta tapas.

Las dos vacas mugen continuamente, porque sus pese-

bres están vacíos. Hoy, en casa, no se piensa más que en
ese carbón. Y oigo que las destartaladas puertas de la
cuadra se mueven, y no es sólo por el viento. Entonces me doy cuenta de que el ruido que producen lo
estoy oyendo desde que bajé los tres peldaños de piedra
que hay a la entrada de la cuadra. No quiero pensar que
alguien está empujando desde fuera. Las maderas crujen
y busco la compañía de Cuarto Oscuro, Baldosas de Colores y Flor de Peral, acariciándolos fuertemente.

—No tengáis miedo, pobrecitos —les digo, y trato de
creer que es sólo el viento el que intenta, a fuerza de
empujones, abrir la puerta; la tranca que la cruza por
dentro y la mantiene cerrada, parece que se va a partir
a cada empellón que recibe.

Y veo ahora una mano que se esfuerza por introducir
sus dedos a través de la abertura entre las dos hojas, consiguiendo apenas tocar la tranca, no pudiendo hacer que
corra hacia un lado y caiga del soporte.

—No es nada, gatitos, no es nada —les consuelo, pasando mi mano por sus huesudos lomos templados, sin
apartar los ojos de la entrada de la cuadra, donde aquella
mano sigue rascando con sus uñas el borde inferior de la
tranca—. No temáis, que no os llevaré otra vez a la cocina. ¡Os quiero, os quiero, os quiero! Ya no me importa
lo que a mí me pueda pasar. No os llevaré a la cocina,
a que os aten una piedra al cuello y os arrojen al mar.

Entonces, oigo su voz.

—¿Eres tú, Nerea? ¡Abre! Abre...

El último "abre" lo pronuncia quedamente, al comprobar que el primero fue demasiado fuerte. Me acerco
a la puerta, después de dejar la vela sobre una de las tapas cerradas de la cesta, y hago que la tranca se deslice
hacia la derecha y la aguanto cuando está a punto de salir del apoyo de la izquierda, para que no caiga al suelo
de golpe; hago que descanse en él suavemente, desviada
del paso, para que las hojas puedan abrirse hacia adentro, sin tropiezos, por lo menos una de ellas, y pueda entrar Bruno.

Al principio, a pesar de tenerlo a dos metros de mí, no
veo más que el blanco de sus ojos, que no parpadean durante un buen rato. Cuando su alta figura cruza el vano

de la puerta, descubro que viste el uniforme de soldado, cuyo grueso paño sé que tiene que ser de color caqui, aunque ahora el agua que lo empapa le hace parecer muy oscuro, casi negro. Me mira fijamente, con los brazos colgantes, y la borla roja que pende de la punta superior del frente de su gorro estaría completamente inmóvil si no fuera porque el viento la hace oscilar. Tapo bien a los gatitos con la falda para que no llegue hasta ellos el viento. Bruno sacude los brazos para que salten de las mangas las gotas de lluvia que aún no ha absorbido el paño.

—¿Te han...? ¿Te han...? —empiezo a preguntar, pero Bruno no me corta sino que yo misma me interrumpo al no encontrar la palabra.

—No, no estoy licenciado —habla él, bajando mucho la voz, lo que no impide que me haga recordar que es gruesa y potente.

—Entonces...

—Me he escapado del cuartel. Sólo quiero pasar en Algorta una noche y en casa unos minutos; saldré de nuevo a la madrugada para tomar el tren de las seis y media en Bilbao. No se te ocurra decírselo al padre.

Le estoy mirando tan fijamente que él cree que no le he oído y repite:

—No se te ocurra decírselo al padre.

—Entonces... ¿por qué has venido aquí?

Bruno se vuelve y empieza a cerrar la puerta de la cuadra, después de que el viento ha apagado la vela.

—Una persona, aunque sea un soldado, necesita comer, por lo menos una vez cada doce horas, ¿no? Y cambiarse de ropa interior, si la que lleva está mojada y le hiela la carne. Y descansar, aunque sea oculto bajo los pesebres, donde su pequeña hermana le pueda llevar algún plato caliente con los restos de la cena de los demás, y un interior y un calzoncillo secos, y todo ello sin meter ruido, sin que el padre se dé cuenta de nada. Y ver a la madre, a quien no pasará inadvertido tanto jaleo. Pero no al padre; a él, no.

Estoy aún preguntando: "¿Por qué? ¿Por qué?", cuando oigo pasos a mi espalda, unos pies que descienden por los tres peldaños de la cuadra.

—¿Con quién hablabas? — me pregunta el padre.

Un instante antes estábamos a oscuras, pero ahora hay de nuevo luz (la vela que ha traído en alto, que escudriña tanto o más que sus mismos ojos). Bruno ha desaparecido: no le veo, pero le siento cerca, escondido, agazapado, conteniendo hasta la respiración.

—¿Con quién hablabas? — vuelve a preguntarme el padre.

Puedo responder dos cosas; sí, dos cosas; pero una es mala para los gatitos. Sus uñas siguen arañando mi ropa. El padre no se ha dado cuenta de que los tengo.

—Con Bruno — le digo —. Ha venido mi hermano.

IV

Me extrañó ver al padre regresar sin las cadenas que había ido a buscar a la cuadra (cuando el tío Pedro le dijo que no las encontraba en el desván). Su rostro, al penetrar en la cocina en la que ya nos encontrábamos los demás, no nos reveló que algo anormal sucedía. Seguía con la trinchera atada a la cintura, aunque sin el sombrero de lona, que lo había visto sobre la mesa del portalón. El tío Pedro acababa de bajar del desván y la madre le había desinfectado con alcohol sus dedos machacados y después se los envolvió en una venda improvisada con una tira de sábana vieja pero limpia. No cesábamos de oír los martillazos de Fermín.

El padre, al llegar al centro de la cocina, se volvió y extendió un brazo en dirección a la puerta y dijo:

—Mirad. Parece que es tu hermano, ¿eh, Ismael?

Y entonces le vimos: alto, con sus anchos hombros tapando casi por completo la entrada de la cocina, sus ojos negros recorriéndonos uno a uno a todos los que allí estábamos, con una mirada entre desconcertada y curiosa, y quizá algo irónica; su grueso y pesado uniforme de soldado de infantería, empapado como el enlodado fondo de un río, feo y arrugado, con el ancho cinturón ciñendo a su esbelta cintura el tosco chaquetón, dentro del cual apenas se podía mover libremente. Y su rostro: enérgico, como el del padre, con barba de dos días, por lo menos, pálido y demacrado, sin perder por ello sus duros rasgos: su cuadrada mandíbula, sus labios gruesos siempre apretados, su recta y firme nariz. Aunque tenía yo otros dos hermanos mayores que él, Bruno había sido siempre para mí no un hermano, sino "el hermano mayor" que todos los muchachos desean y exhiben ante sus amigos; el ejemplar macho dotado en grado óptimo de todas las virtudes de la especie; la meta final del interminable proceso de infancia y adolescencia; que respira y come a nuestro lado y, a veces, hasta duerme en la misma cama, pero que, sin embargo, llegamos a pensar que tiene algo diferente a nosotros, y que acaso ello sea la sangre, de modo que nos llena de estupor cuando descubrimos que es roja como la nuestra; pero ni aún entonces cambiamos de parecer; buscamos una explicación y la hallamos en el razonamiento de que al héroe, al superhombre, al "chico bueno" de las películas del Oeste, cuando cae en plena lucha — no herido gravemente, sólo hasta el punto de dar un motivo a su rostro para que se contraiga — lo que sale de su pecho defendiendo la justa causa contra la maldad poderosa y numerosa, es también de color rojo.

La primera en moverse fue la madre: se secó las manos en el delantal y con paso apresurado se dirigió hacia él, exclamando: "¡Bruno!", y luego: "Bruno", tratando al mismo tiempo de preguntarle con la mirada qué había sucedido.

Él le sonrió y dijo:

—No es nada, madre.

—¿Te han dado permiso antes de ascenderte a general? — preguntó el padre.

—Ni para eso — habló el tío Pedro —. Nadie sale del cuartel durante los tres primeros meses de instrucción. — Miró a Bruno moviendo su cabeza —. No me gusta nada este asunto. No sería difícil que hubiera matado a un sargento bruto.

Los ojos de la madre lanzaron destellos húmedos. Sus manos sujetaban la manga derecha de Bruno.

—Algo ha pasado — exclamó —. Tienes que contárnoslo.

Bruno, con esa seguridad que siempre había admirado en él, se separó de la madre y dio dos pasos hasta detenerse ante el fogón y extendió las robustas manos abiertas sobre él, para calentarse. La abuela le sonrió y murmuró quedamente: "Bruno", pero ya el padre estaba hablando de nuevo.

—No quiso que le viéramos. Entró en el caserío por

la cuadra, como un ladrón. Creo que tenemos derecho a
saber qué es lo que sucede. Además, tenemos prisa; hemos de salir en seguida.

Bruno se volvió al oír aquéllo y fue a mí a quien miró,
con un relativo asombro reflejado en sus ojos, pues seguramente ignoraba lo que aquella noche se estaba fraguan-
do en casa y, más ampliado, en todo el pueblo. No habría
visto u oído, al salir de la estación y dirigirse a nuestro
caserío, a la gente moviéndose frente a sus portales o fa-
chadas, bajo la lluvia, realizando los preparativos o ya en
marcha hacia La Galea con sus carretas, o caballos, o, simplemente, burros, silenciosos, apresurados por llegar a
tiempo y coger los mejores sitios, aislados unos de otros
por espacios prudenciales y recelos particulares y egoístas,
sabiendo que aquel vecino que marchaba delante o detrás era un contrincante tan poderoso como la lluvia o el
viento, pero al que, al menos, había una posibilidad de
vencer. Ni, seguramente, habría observado, al llegar al
caserío, la carreta detenida frente al portalón, si bien al
instante pensé que no habría pasado por delante, pues
para llegar a la puerta de la cuadra bastaba con tomar
el sendero de atrás. Ni había tenido tiempo de observar
nuestros semblantes apurados, ni de darse cuenta de que
aún estábamos todos levantados a aquella hora tan avan-
zada (eran cerca de las once y nunca — excepto, que yo
recordase, cuando el velatorio del abuelo — daban las diez
sin que hasta el padre se hallase ya acostado).

Y entonces el padre empezó a repetir casi lo mismo que
dijera últimamente, y con idénticas palabras, aunque no
le dio tiempo de concluir y, acaso, agregar alguna idea
nueva, pues Bruno gritó:

—¡No sé por qué he venido! ¡No lo sé!

—Eso quiere decir que te has escapado — dijo el padre —. ¿Te has escapado?

—Sí.

Lo declaró sencillamente, sin moverse ni apartar sus
manos de encima del fogón, con la firmeza que hacía que
pareciese que lo que hacía era lo único que se podía hacer o decir en cada momento. Evidentemente, sintió clavadas en su nuca nuestras miradas, pero sus hombros no
se agitaron con desasosiego; aunque su espalda no lanza-

ba ningún reto, por amplia, robusta y adusta que se nos mostrase. Y supe eso cuando él se volvió y, después de recorrer su mirada todos nuestros rostros, se desabrochó el chaquetón y extrajo del bolsillo de la camisa un trozo de cartulina — que al principio no pude apreciar lo que representaba — y se la tendió al tío Pedro. Éste apartó la vista de Bruno y tomó lo que le entregaba; su rostro había adquirido una seriedad de circunstancias, que nunca llegaba a ser total a causa de esa nariz grande y colorada y de esos ojillos adormilados; y por eso, en tales momentos, en los que el tío Pedro deseaba mostrarse digno y envarado, me hacía mucha gracia.

—Esta es la Pepita — exclamó, levantando los ojos de la cartulina y abriéndolos todo lo que podía. Se había dirigido al padre.

Me acerqué a él y averigüé qué era lo que tenía en la mano: la mitad de una fotografía, de la que había sido arrancado bruscamente el otro trozo, en la que se veía el busto de una muchacha que reconocí al punto: Pepita, la hija del alpargatero de Algorta, una chica vivaracha y morenita, que se destacaba por su modo atrevido de vestir y, según todas las mujeres, de andar, y a la que ninguna muchacha casadera del pueblo perdonaba el que constituyera el tema principal de las conversaciones de los hombres cuando se reunían ante los mostradores. Bruno la había ganado; esa era la verdadera palabra que explica lo que sucedió entre ellos y los demás jóvenes del pueblo. Se la disputaban como perros en celo, rondando su puerta y haciéndose los encontradizos, cuando ella salía a por el pan, o a por la leche, o a realizar el resto de las compras para alimentar dos estómagos: el de su padre y el suyo propio, que exigía bien poco, pues no ignoraban que su esbeltez era lo que la diferenciaba de casi todas las demás muchachas, aldeanas robustas en su mayoría. Por la tarde, eran ya numerosos los que la aguardaban por las calles que solía recorrer en su paseo diario, bien sola o con alguna amiga, elegida por ella y nunca siendo ella la elegida, pues la otra era siempre la más fea de las dos.

No es que Bruno estuviera enamorado. Eso era lo de menos. Ninguno de los que la seguían lo estaba. ¿Cómo, si oían constantemente que nadie se podía enamorar de

una chica como ella, sino, tan sólo, desearla? Pero alguien
tenía que ganarla, porque era una mujer y ellos eran hombres y vivían todos en un pequeño pueblo lleno de testigos. Constituyó una especie de campeonato federativo,
con sus jugadores, su público, sus jueces y su premio final
al ganador. Para inscribirse no se exigía más que ser soltero y esconder en la sangre la suficiente fuerza animal
para enfrentarse a los restantes machos de la especie.

Desde el principio, Bruno fue uno de los favoritos. Pepita fue deshaciéndose de atletas, hasta dejar un corto grupo de sobrevivientes, entre los integrantes del cual tuvo
lugar la prueba final. Cualquiera de ellos habría sido aceptado por Pepita. El acompañante de cada domingo debía
pasar la prueba del sábado precedente, que consistía en
darse de puñetazos con el galán del domingo anterior. Así,
se llegó a un sábado en que Bruno tuvo que combatir con
el último pretendiente, al que dejó tendido ante el portal
de Pepita, quien seguramente contempló todo desde la
ventana, tras las cortinas, para saber, al fin, quién la llevaría a pasear a las afueras del pueblo, a los viejos pinares y a contemplar puestas de sol en la playa, no por lo
que tuvieran de bello, sino por constituir la infalible señal que indica la llegada del anhelado reino opuesto al
de la luz.

También el padre, la madre y la abuela un poco más
tarde, y hasta Cosme, se acercaron al tío Pedro a que les
mostrara aquella cartulina. Y después, una vez vista, nos
quedamos mirando a Bruno, esperando su explicación y
pensando: "Todo, sea lo que sea, ha sido por ella, esa
chica..."

Y mientras la madre le despojaba del pesado tabardo
militar y le obligaba a cambiarse también de pantalones,
allí mismo, en la cocina, delante de todos, como si todavía
fuera un niño pequeño (algún día llegué a saber que
para las madres sus hijos carecen de edad, están fuera del
tiempo, asignándoles una a capricho), Bruno nos fue contando lo que queríamos saber desde que entró en aquella
cocina.

—Ellos, los amigos del cuartel — empezó diciendo, ayu-
dando a la madre a desvestirle y vestirle, tranquilo, sencillamente, como si refiriera su última pesca en las peñas

de la ribera —, siempre hablan de chicas, de sus novias y amigas, y sacan sus fotografías y sus ojos se agrandan al seguir hablando con más ardor cada vez. Alguien se enteró o me vio la que yo guardaba... la de Pepita, y me obligaron a que se la mostrara. Está en traje de baño...

Vi a la abuela santiguarse y a la madre morderse los labios.

—...y ellos empezaron a soltar exclamaciones, gastándome bromas y hablando como unos malditos. La verdad es que llevamos casi tres meses sin ver chicas. "Esta muñeca no es de las que pueden estar solas todo el tiempo que tú llevas aquí", dijo uno. Era de noche, estábamos en el dormitorio, todos alrededor de un catre, formando un grupo que era el único despierto en toda la compañía. Ardíamos, allí apretados unos contra otros. Las fotos seguían pasando de mano en mano. Cogí de pronto la mía, tiré de ella, y el que la tenía en aquel momento la sujetó, y entonces se rompió, quedando un trozo en su mano y el otro en la mía, y salí del pabellón corriendo, oyendo: "Te dejas el mejor trozo", derribando al sargento de guardia en el pasillo, que empezó a dar gritos. Llegué al patio y, siempre corriendo, atravesé el portal, ante el cuerpo de guardia, derribando, pero esta vez a propósito, al centinela que se cruzó en mi camino con el fusil cruzado sobre su pecho. Era la hora de la salida de un tren hacia Bilbao y conseguí esconderme en el furgón. Llevo más de doce horas sin comer. Y ahora que estoy aquí... no sé a qué he venido.

Ya estaba vestido con sus ropas de civil, su pantalón negro y su chaqueta gris, con la camisa azul a rayas delgadas. Las prendas militares pendían sobre el fogón del alambre que lo cruzaba por encima.

—Por lo menos, has llegado a tiempo de poder negarte a acompañarme a coger carbón esta noche — dijo el padre.

El tío Pedro explicó a Bruno la situación con todo detalle: el barco inglés encallado, nuestro propósito de salir a La Galea con una carreta... Cuando acabó de hablar, Bruno se volvió al padre y no habló esta vez hasta haber escogido bien las palabras.

—¿Qué haría cualquier hombre que sabe que han trans-

currido varias horas desde que ya le han debido declarar
desertor, por el motivo de abandonar el cuartel para estar con una chica, y antes y en lugar de poder verla, le
proponen que recoja unas paladas de carbón?

Me imaginé el diálogo que tendría lugar después de su
apresamiento: "Soldado Jáuregui: ¿por qué huyó del cuartel?". "Para coger carbón". "Soldado Jáuregui: no queremos bromas; ¿por qué huyó del cuartel?". "Para coger carbón". "Soldado Jáuregui: se le condena por desertor y, sobre todo, por burlarse de este tribunal".

—Entonces —quiso saber el padre—, ¿qué piensas
hacer?

Pero ya sabíamos todos lo que respondería Bruno, no
solamente por causa del momento que su autoritaria e invencible carne había estado aguardando durante casi tres
meses de impaciencia, sino porque debía ofrecer a su conciencia un motivo cumplido que justificara su conducta,
y con una sangre de sólo veintiún años en sus venas no
encontraría nada más contundente ni definitivo que el im-
perativo del sexo, y ello sin tener en cuenta que, precisamente, era el verdadero.

—Tengo que estar con ella, ¿no lo comprendes?

—Estás a tiempo de rectificar y ennoblecer tu fuga.

—No puedo. ¿No te das cuenta que hasta unos minutos después de entrar en esta cocina ignoraba a qué había venido al pueblo? Y ahora que acabo de averiguarlo,
cuando, por lo menos, sé lo que me corresponde hacer para
que la lógica quede bien parada...

—Tengo tres gandules por hijos —dijo el padre.

Bruno volvió a mirarme, sin comprender, es decir, asombrado de lo que estaba comprendiendo, pues en ese momento se dio cuenta de que Cosme, por no hablar de Fermín, se había negado a salir aquella noche.

—De todas formas —agregó el padre—, no podrás
estar con ella esta noche y tendrás que esperar a que...

—Su padre es sordo.

Así que (pensé en ello años más tarde, no entonces, en
que no solamente por mis catorce años oficiales y, con respecto a mi mente, aún más joven, era incapaz de darme
cuenta del extraño mundo en que se movían y actuaban
mis mayores) no debería aquella noche explorar una re-

gión desconocida, sino recordar, tan sólo, cuál era la secreta llamada convenida entre los dos; dónde era necesario que se situara en la acera para que la llave cayera justamente a sus pies; hacia dónde giraba la cerradura; cuál era el peldaño que crujía...

—¿Y luego? —quiso saber el padre.

—Saldré de madrugada, en el tren de las seis.

Y el padre hasta tuvo un rasgo de humor, seguramente para ocultar, bajo una película de brillante papel opaco, su disgusto; más que eso: el hecho de comprobar que la culpa de que sus hijos no quisieran acompañarle aquella noche a la ribera a por carbón para la casa, para la abuela y para la madre, para ellos mismos, la tenía él, por haber cometido el pecado de iniciar el primer movimiento, y así, atribuirse como obra propia, no solamente la organización y dirección de la conjunta acción familiar, sino hasta el destrozo del barco inglés contra las peñas e, incluso, la misma tormenta.

—Te hará falta un despertador —le dijo a Bruno—, y te lo prestaría, pero su timbre es demasiado fuerte y a las cinco y media despertaría también al alpargatero.

Y eso fue todo, por lo que a Bruno se refiere. Después de todas las palabras que allí se habían pronunciado y oído, era, al parecer, el menos avergonzado. La abuela, hacía un buen rato que se había metido con sus rezos y se santiguaba con anormal velocidad; y la madre gemía cada dos o tres minutos: "Hijo... Hijo... Hijo...", con una regularidad cronométrica, que me dediqué a observar y medir, a pesar de que no puse ningún empeño en ello; casi no podía resistir el cruel contraste entre el hijo al que momentos antes ponía ella misma hasta los pantalones, y el de ahora, convertido en un monstruo adulto fuera de su control. E, incluso, debió de comprender entonces que un chico de catorce años, como yo, no debería estar escuchando aquellas cosas, y más si se referían a su propio hermano, porque, de pronto, miró a su alrededor y preguntó:

—¿Dónde está Nerea?

La cocina empezó a llenarse de murmullos, de voces monocordes, que tan pronto nacían de un rincón como de otro, aunque no parecían encerrar intención de hacerse oír, de imponerse o exigir algo, como si solamente fueran

sonidos vacíos, sin ideas ni propósito, que lo mismo daba
que se produjeran o no, que se escucharan o no, como
leves y diminutas plumas flotando en el aire, de las que
ni el viento se preocupa, advenedizas y soñadoras, que alguien contempla un momento y, al siguiente, han volado,
no sólo de la vista, sino también del recuerdo, y si se dis-
pone de un infinitesimal instante de tiempo sobrante se
piensa en que deben posarse en algún sitio, aunque ni la
indiferente superficie que las ha de soportar se llega a
enterar de ello, y más tarde llega otra ráfaga... Alcé bruscamente la cabeza, aunque no con tiempo suficiente para
impedir que la barbilla se me clavara en el pecho, aplastada por el inerte peso de la cabeza. Ahora hablaba la
abuela, repitiendo de nuevo sus "...tanta desvergüenza
en un nieto mío...", "...y se habla de ello en la cocina,
como si..." Y luego le tocó el turno otra vez a la madre,
a quien oí vagamente llorar en pie, dándonos la espalda:
"...esa chica recibiendo a hombres...", "...y tú diciéndo-
nos que esta noche..." Y yo pensaba que estaba soñando,
que todo lo que allí sucedía entonces era una pesadilla y
mis familiares, fantasmas; pero ignoraba que ellos mismos pensaban de modo semejante de sus personas, considerándose inexistentes intérpretes de una escena que no
tuvo desarrollo porque carecía de nacimiento, ya que el
primer fantasma era el propio Bruno, recién aparecido allí,
surgido de aquella región, si no de sombras, por lo menos
provocadora de evidentes o posibles desconciertos y con-
fusiones en los que en ella se inician: los reclutas, llegando
a su cuartel de destino con las maletas de madera colgando sosamente de sus brazos estirados, llenas de calcetines,
hogazas de pan, tocino y fotografías de la novia, dispuestos a soportarlo todo: el cansancio y el aburrimiento, la
nostalgia y el compañerismo, incluso la marcha al frente de
batalla (una vez adiestrados convenientemente, durante
tres meses, en el arte de matar), después de escribir dos
cartas apresuradas, una a la madre y otra a la novia, con
la estilográfica que recibieron como regalo de despedida
de la segunda; los reclutas: aturdidos y sumisos, sonriendo
y saludando precipitadamente a cualquier cosa en movimiento que ostente algo parecido a unos galones, agrupán-
dose instintivamente por pueblos o provincias o, simple-

mente, por el grosor de las callosidades de sus manos, que saben, desde que son capaces de comprender vagamente el significado de las palabras "servicio militar", que sus años veintiuno ya no les pertenecen y que nada ni nadie podrá restituírselos, pues sus padres y los padres de sus padres, y los de éstos, los han perdido, a su vez, calladamente; los reclutas: que con el rapado de cabeza a la llegada del cuartel no solamente pierden sus fuertes cabellos, sino también toda memoria o noción clara de su vida anterior, acaso por dejar de ser tratados por vez primera como niños y convencerse de que pueden obrar libremente como hombres, entrando en un mundo desvinculado por completo del que dejaron en sus pueblos o ciudades, cuajado de normas y gentes insospechadas (aunque presentidas), increíbles, sin advertir que cada uno de ellos entra a formar parte de esas gentes insospechadas, convirtiéndose en increíbles para los otros, así como éstos lo son para él; de tal forma, que se origina una lucha feroz y con resultado fatal y previsto, entre uno y cien, uno y doscientos, uno y trescientos, para, respectivamente, resistir y envilecer, siendo cada uno, a la vez, resistente y envilecedor, sin recapacitar ni asombrarse por el hecho, absorbidos, tan sólo, por la marea que sienten subir de la propia carne exigente, con el ímpetu con que escapa el agua por el aliviadero de un pantano rebosante.

Luego empezó a hablar el padre, y su voz parecía provenir de algún sitio lejano. Decía:

—Esta es nuestra gran ocasión, la gran señal que nos puede alentar a seguir viviendo y sufriéndolo todo. Porque un hombre debe recibir, de vez en cuando, señales procedentes de algún lugar que le indiquen que lo está haciendo bastante bien, con arreglo a lo que de él se esperaba, y que se puedan considerar como una especie de premio a su labor como hombre. Todos las necesitamos; de otro modo, aunque siguiéramos adelante — ¿qué otra cosa nos cabe hacer o elegir? —, nos moveríamos como muertos, entre sombras y voces acusadoras...

Se detuvo bruscamente, porque algo había cambiado allí. Tardé unos segundos en saberlo: eran los martillazos de Fermín, en el desván, que habían dejado de sonar.

—...Y si un premio suele significar descanso (El mismo

lo tuvo, después de seis días de Creación), y éste nuestro
encierra trabajo, más intenso aún que el diario que nos
reparten, no es menos premio por eso, pues si bien resultaría un acto monstruoso para "ellos" (muchas gentes
del Norte, del Este, del Sur o del Oeste, que desde el principio de los tiempos se alzaron sobre algo para ver mejor
y vigilar a los que trabajaban, y que entonces ese algo fue
una simple piedra y que hoy es una mesa alargada y só-
lida, con tantos ceniceros con la muestra de la Sociedad
como accionistas, consejeros y demás que se sientan a su alrededor), no lo es para nosotros, que descendemos de quienes debían su supervivencia al sol, el primer benefactor
de los trabajadores, que desaparecía y traía la noche sobre
la tierra para obligar a "ellos" a permitirles que descan-
saran junto a sus cadenas, ya que no podían hacerles trabajar a oscuras; pero se empeñaron en remediar este error
y vencieron hasta a la Naturaleza, creando el fuego y las
teas y las velas de sebo y los quinqués y los faroles de petróleo y carburo y las bombillas (que aún no hemos podido
poner en este viejo caserío, pero que también lo consegui-
remos algún día, para lo que tendremos que trabajar más
y, cuando nos alumbre por fin, podremos seguir trabajando
muchas más horas), y así ellos hicieron razonar a nuestros
hermanos mayores y les convencieron de que ya no tenían
excusa para descansar; y yo, y todos vosotros, que consti-
tuimos el final de esa cadena, que hemos llegado a depen-
der del trabajo — honrado, sano, purificador y demás —, debemos pensar que su abundancia significa bienestar, por
lo que hemos de gritar hasta enronquecer cuando recibimos esa bienaventurada señal procedente de algún lugar, que nos alienta a persistir, y encender el fuego, o la
tea, o la vela, o el quinqué, o el farol (no la bombilla,
aún) y abandonamos el lecho, preguntando en tanto nos
ponemos los pantalones de faena: "¿Dónde toca esta
noche?".

De pronto, me sorprendí a mí mismo exclamando, casi
gritando: "¡Yo tampoco puedo ir!", mientras luchaba porque no me aplastara la fabulosa e invencible noche que
llenaba la cocina, ocupando hasta los últimos rincones de
ella, porque acababa de recordar la bajamar de aquella
misma tarde del sábado — que me parecía se hallaba a

semanas o meses de distancia en el tiempo —, en que dejé
en uno de los canales rocosos de la izquierda de la playa
un palangre con siete anzuelos. La pita me la había prestado Cosme y los anzuelos los había soltado de unos apa-
rejos viejos del padre. Cogí siete. La pita era demasiado
gruesa para seis de ellos, pero conseguí empatarlos bien.
El otro, el mayor, estaba destinado al Negro. El único que
había logrado ver al Negro era Félix, el del Puerto Viejo,
el mejor pescador de la ribera. Lo vio un día, a las cinco
de la madrugada. El Negro se hallaba tendido cuan largo
era en un canal apenas sin agua, evidentemente dormido,
descansando o lo que fuese. Félix contó luego que era no
solamente el congrio más grande que jamás viera, sino que
también el único que pensaba como una persona, como
una persona lista. Lo vio y se aproximó despacio por las
peñas. "¡Dios, era tan largo como un cable submarino!"
Fue hacia él empujado por su vergüenza y su miedo; habría deseado tomar otra dirección y dejar de ver aquel
monstruo y adivinar sus dientes de perro dentro de aquella
cabezota, porque había visto cómo el Negro abría sus ojos
y le miraba fijamente; esperó con agobiante tranquilidad
a que el hombre se acercase, sin cesar de mirarle, sabién-
dose dueño de la situación, pues había descubierto que el
hombre avanzaba sin advertir siquiera que no llevaba ningún utensilio en las manos crispadas; todo lo había dejado
en la orilla. Llegó un momento en que ni el miedo ni la
misma vergüenza pudieron obligarle a avanzar más, y lo
peor de todo es que el Negro se dio cuenta de eso: supo
que el hombre lo había hecho ya todo, que ya no se move-
ría ni menos atacaría, y así fue porque, sencillamente, lo
olvidó, saliendo de su letargo y avanzando suavemente,
como una serpiente, con ondulaciones elásticas y poderosas
de aquel tremendo cuerpo brillante y grueso, terso, temible, de fenomenal longitud, pues transcurrieron varios interminables segundos antes de que pasase todo él por delante de las narices del hombre, sin prisa ni recelo, majes-
tuoso e inolvidable, como si se considerase el único ser
viviente del mar y de la tierra, pues había no solamente
despreciado al hombre que tenía delante, sino también
olvidado.

Y ese era el Negro, la codiciada presa de todo pescador

de la ribera, en honor del cual había yo colocado aquella tarde del sábado mi palangre con un anzuelo a él destinado exclusivamente. Y, mientras esperaba a que la marea subiese y lo tapase por completo, viendo el negro horizonte amenazante y pensando si la fuerte resaca que se advertía a pesar de estar en bajamar, no destrozaría mi aparejo, lo vi: los negros cabellos desapareciendo tras un montículo de arena un instante después de que yo los descubriera; aquellos cabellos que habría reconocido entre un millón, no por su color u otra característica propia, sino por el modo de estar siempre despeinados, que su dueño, un muchacho un año mayor que yo, Teodoro, parecía considerarlos aparte de su persona, si bien de ésta tampoco se preocupaba demasiado; un pequeño diablo que no me dejaba vivir, la menor de cuyas trastadas había sido la de encerrarme en el molino viejo de La Galea toda una noche, hasta que mis gritos pudieron llegar al padre, que había salido con el resto de la familia en mi busca, y al fin se abrió la puerta a las tres de la madrugada. Y él había visto cómo colocaba el palangre en el canal y yo sabía lo que eso significaba: que los anzuelos (y acaso el Negro prendido del mayor de ellos) serían recogidos por el que primero de los dos bajara a la playa la siguiente madrugada, antes incluso de que la bajamar dejara al descubierto los anzuelos, cuando fuera posible llegar a ellos introduciendo todo el brazo en el agua. Y la recogida del carbón nos llevaría toda la noche y, suponiendo que quedara libre a una hora razonable, tenía que contar con la prohibición de la madre a que siguiera sin dormir más tiempo. Así, que ya veía los negros cabellos de Teodoro bajando la cuesta de la playa muy de madrugada, danzando al compás de los saltos de su dueño, pues alguien le diría que me había visto negro de carbón en La Galea durante la noche...

Y luego el padre siguió hablando como si yo no hubiera dado aquel grito, y pensé que eso era lo que había pasado: que no emití ningún sonido que hiciera vibrar el aire, aunque sí uno que pudiera registrarlo mi propio cerebro; además, advertí que no transcurrió apenas tiempo, solamente el imprescindible intervalo entre una palabra y la siguiente.

—...Es la gran oportunidad de los que vivimos por estos alrededores, de los que recogemos los restos del desmenuzado y desvirtuado carbón que los Altos Hornos arrojan con su ganguil al mar, frente a La Galea. ¡Y gentes de mi misma sangre, que yo he visto afanarse por atrapar esa escoria de entre las olas, se niegan ahora a apoderarse de dos o tres toneladas del mejor carbón que se iban a tragar esos malditos Altos Hornos, que esta vez ni siquiera nos suplantarán en el puesto de segundones, pues lo que dejemos nosotros de ese carbón apenas servirá para que las gallinas se despiojen a gusto! Es nuestro gran premio y nadie lo quiere ver así, ¿verdad, abuela?

Los pasos en el pasillo se empezaron a oír momentos antes de que el padre concluyese de hablar. Luego, Fermín se recortó en el umbral de la puerta de la cocina, después de subir el único escalón, y se quedó allí plantado, no completamente inmóvil (sí que sus pies no se alzaban de las baldosas y sus piernas se mantenían entreabiertas y rígidas, pero sus hombros se estremecían suavemente, como aislada muestra exterior de su emoción), abarcándonos con una mirada lejana y turbia, todavía sudoroso, con la camisa a cuadros pegada a su abultado abdomen, hasta que empezó a mover torpemente sus piernas y a avanzar, pasando por delante de varios de nosotros y, al llegar ante el padre, se detuvo, y entonces oímos su extraño llanto de alternativas modulaciones roncas y afalsetadas, y le vimos adelantar su cabeza de revueltos cabellos negros, sin mover para nada los pies, hasta apoyar su rostro de ojos lacrimosos en el hombro derecho del padre.

12   Bruno

¡Maldita chiquilla! ¿Qué tiene contra mí para que me descubriera? Si no le hubiera dicho nada al padre, ahora estaría yo junto a ella, empleando el tiempo en algo bueno, sacando el fruto a estos instantes en que aún estoy vivo, porque viviendo uno en casa no se acuerda, ni siquiera sabe nada, de esas voces que hablan continuamente de próximas guerras, como sucede estando en el cuartel y viendo emerger esas caras duras de esos uniformes militares. Porque uno tiene un cuerpo, ¿no? Y si al llegar a los veintiún años me he encontrado con un cuerpo así, que ruge dentro de mí y sus gritos me enloquecen... Y si en estos momentos estuviera con ella no habría visto a Fermín bajar del desván y llorar ante el padre, ni me encontraría ahora en mi cuarto echándome encima estos pingos viejos para que me resguarden de la lluvia.

Cosme y yo siempre hemos dormido en la misma habitación, en una misma cama. Ahora le veo entrar silencioso, con su escopeta en la mano derecha, que sujeta como si se tratase de una barra de plata, y en la izquierda la máquina rebordeadora de cartuchos. Se dirige al arcón, levanta su tapa con el codo hasta que queda apoyada en la pared, y luego introduce el brazo izquierdo y lo saca en seguida, ya sin la máquina. Toma después del fondo del arcón la caja de la escopeta, de madera forrada en tela negra, y la lleva hasta la cama. Abre su alargada tapa y sopla en su interior, para hacer desaparecer el polvo que haya podido posarse. Antes de meter en ella la escopeta, con un paño nuevo y grueso la frota con cuidado. Luego, extiende el mismo paño en el fondo de la caja y deposita encima el arma, encajándola suavemente en el hueco en el que ajusta perfectamente. Al abuelo no lo colocaron tan cuidadosamente, pues a uno de los hombres que le sujetaban se le escapó su hombro y la cabeza chocó con espantoso ruido contra la madera de pino pintada de negro. Ahora veo cómo cierra despacio la tapa de la caja, accionando después el ingenioso mecanismo de cierre, la chapita dorada sujeta a la madera de la tapa con una bisagra, que encierra en un hueco el vastaguillo de la otra mitad de la caja. He visto bastantes escopetas en mi vida, pero ninguna con una caja, y menos con una caja como ésta. Cosme, una vez cerrada, la levanta de la cama con ambas manos, con el mismo cuidado que si se tratase de un niño, y la introduce en el arcón. Después, se incorpora y la contempla.

—Por fin, has podido comprar la escopeta que querías — le digo —. Es una "Aya", ¿no?

—Pero no la podré estrenar hasta dentro de un mes, cuando tenga otra fiesta — murmura lúgubremente —. Y eso en el caso de que no embarranque otro barco con carbón.

Las partes del muro que rodean la ventana están chorreantes de humedad. Eso no sucede muchas veces al año, solamente cuando el viento es muy fuerte y empuja a la lluvia insistentemente, haciendo que se introduzca por resquicios inverosímiles e, incluso, a través de los mismos muros, en zonas donde la unión entre las piedras no es perfecta y el mortero no la cubre debidamente. Como en esta noche.

Antes de cerrar la tapa del arcón, Cosme sale del cuarto, regresando poco después con las tres cajitas de cartón conteniendo perdigones, tapones de fieltro y cartoncillos, y el paquetito de pólvora, y deposita todo ello dentro del arcón y baja la tapa, cerrándolo. Luego, empieza a desnudarse: se quita el jersey y la camisa, que arroja sobre la cama; después, el pantalón, quedando en calzoncillos. Del cajón superior de la vieja cómoda, saca un montón de ropa usada y arrugada, remendada por demás, compuesta de jerseys, interiores de invierno agujereados, pantalones de trabajo con remiendos y una trinchera: son los pingos que se pone cuando baja a por carbonilla a la playa. Para tal fin, la madre nos guarda la ropa vieja, una vez lavada y repasada hasta donde es posible y colocados los plastones correspondientes en los desgarrones y partes gastadas. Todos poseemos un equipo semejante. Todos los del pueblo lo tienen. Hace muchos años, una de las mujeres que recogen carbón bajó a la playa cubierta con un enorme chaquetón viejo, procedente Dios sabe de quién y de dónde, quizá de algún pariente marino o del ejército, y desde entonces se le llamó la "Chaquetona", y a su marido, "Chaquetón", y a sus hijos, los "Chaquetones".

Cosme está de espaldas. Bajo el interior de invierno se adivinan sus huesos; está muy delgado. Sobre ese interior se planta otro, y luego una camisa gruesa y un jersey, y encima de todo el que antes se ha quitado. No abulta, con todo, gran cosa. Se vuelve y me ve desnudo de medio cuerpo para arriba y, durante unos instantes, no puede apartar sus ojos de mi fuerte tórax ni de mis musculosos brazos. En aquel momento, chirría la puerta al abrirse y entrar la madre. Ella también se me queda mirando.

—No has adelgazado en el cuartel — me dice.

Nos trae más ropa; jerseys, que no sé de dónde ha

sacado. Cosme los ve y da la vuelta, para recoger una
chaqueta vieja. Pero la madre le dice:

—Ponte éste encima de los otros.

Y Cosme deja la chaqueta y toma el jersey que ella
le alarga. Para mí también hay otro. Son mucho más viejos
que los que guardamos en los cajones de las cómodas;
creo que la madre los ha ido almacenando según los recha-
zábamos como inservibles, incluso para bajar a la playa,
aunque fuera de noche. Todas las cosas tienen una medida. Pero ella los ha ido guardando, trapos que ni el trapero
ha querido, y poniéndolos en las mejores condiciones posibles, en reserva de que algún día los pudiéramos nece-
sitar, como ahora. Porque, realmente, esta noche toda la
ropa que nos echemos encima va a parecernos poca.

La madre ha salido, todavía con algunos jerseys bajo
el brazo, que irá repartiendo por los cuartos. Miro los trapos
que me he de poner, que se amontonan sobre la cama, y
creo resultará imposible quedar encerrado en todos ellos.
Pero cuando Cosme se pone la gruesa chaqueta sobre los
tres jerseys de lana, y luego la trinchera, y parece un hombre de cuerpo gordo y cara flaca, veo que puede ser, recuerdo que lo ha sido en otras ocasiones antes de mi
marcha al cuartel, y sigo vistiéndome.

Cosme estira los brazos hacia arriba y atrás, para aco-
modar sus apretadas ropas a sus movimientos. Coge luego
una boina con manchas rojas de pintura y se la planta en
la cabeza, metiéndosela hasta las orejas. Se queda un instante inmóvil y, como si recordase algo, se vuelve al arcón,
levanta su tapa, saca la caja negra, alargada y reluciente,
abre la cerradura, levanta la tapa, sacando la escopeta y
moviéndola a un lado y otro por delante de sus ojos, hasta
fijarse en un punto.

—Quería saber qué número de fabricación tiene —
me dice.

13   *Nerea*

Se había escondido bajo los pesebres, de modo que
cuando yo he dicho al padre con quién hablaba, ha salido
de allí y su sombra parecía una sombra más de las de la

cuadra, y se han mirado por primera vez desde que salió del caserío hacia el cuartel.

—Ven a calentarte —le ha dicho el padre, y los dos han salido de la cuadra, Bruno detrás.

"Cuarto Oscuro", "Baldosas de Colores" y "Flor de Peral" no cesan de agitarse dentro de mi falda y les he tenido que acariciar y entretener con mis dedos durante todo el rato para que no maullaran de hambre o aburrimiento y el padre los descubriera. Ahora recojo la cesta y hago que de mi falda pasen a ella y los cubro en seguida con la tapa. La cesta, ahora, pesa más que mi falda cuando en ella estaban los gatitos. Salgo de la cuadra y subo las escaleras del desván, desde donde me llegan los martillazos que da Fermín. Le veo trabajando sin parar, y no me ve ni me oye. Procuro que no sepa que he subido, porque ya he pensado dónde esconder la cesta, y va a ser detrás del montón de paja, en el rincón más oscuro, y no quiero que nadie me vea dejarla.

Doy un rodeo para no pisar las patatas que hay esparcidas por el suelo, las de la última cosecha, y llego al montón de paja, subo por un lado y bajo por el otro, sentándome en el suelo, apretando la cesta contra mí.

—Aquí viviréis desde hoy —digo muy bajito a los gatitos—. Os traeré todos los días comida. Lo único que tenéis que hacer es no ser revoltosos.

¡Si les pudiera meter un poco de formalidad en el cuerpo! He levantado la tapa de la cesta y les veo revolcarse y les oigo lanzar grititos como de fiera, mordiéndose unos a otros. Me pongo de rodillas y miro a Fermín. Sigue con su maza de madera en la mano, martilleando bajo el farol de carburo. No ha oído nada. Es tan grande que la sombra que produce parece la de un gigante, y como la llama del farol no está quieta por culpa del viento, la sombra también se mueve y parece viva, y me entra miedo y cierro los ojos, acurrucándome junto a los gatitos.

Cuando abro los ojos, me asusto al ver dónde estoy. A lo mejor me he dormido. Los gatitos siguen en la cesta y ya están más quietos. Deben tener también sueño. Me levanto y miro por encima del montón, pero ya no está Fermín. Pero en seguida oigo sus sollozos y miro mejor y le veo tendido en el suelo con la oreja pegada a las tablas del piso. Entonces oigo la voz del padre, que habla en la cocina; le oigo perfectamente, por lo que no sé por qué se ha de echar Fermín sobre ese suelo lleno de polvo y de pulgas y apretar contra él su oreja. De pronto, se levanta lentamente, colocándose primero de rodillas, para luego apoyar las manos en el suelo y alzarse del todo. Da la vuelta y se dirige a la puerta, a zancadas largas y lentas, como si necesitase pensar previamente los movimientos, los brazos colgantes, sin apenas moverlos, con las palmas de las manos vueltas hacia atrás, como las de los monos que suelen traer los comediantes a la Plaza. Sale del desván y yo miro a mis gatitos dormidos dentro de la cesta.

—Sois muy bonitos — les susurro —. Os quiero mucho. Soy vuestra madre.

Bajo la tapa de la cesta y, para que no la levanten los gatitos cuando se queden solos, coloco sobre ella una cazuela rajada de barro que tengo a mi lado y está llena de telarañas. Salgo del desván, desciendo las escaleras y entro en mi cuarto y el de la abuela, y veo que ella está guardando en un cajón el rollo de hilo-bala con la aguja atravesándolo, y me mira y dice:

—La madre te está buscando.

Sobre la almohada veo mi muñeca de cartón. Espero a que salga la abuela y luego la cojo y voy con ella hasta la puerta, que abro por completo y meto la muñeca en el hueco que queda entre el marco y la hoja, junto a una bisagra. La empujo y la cierro. Luego, la abro otra vez y cae la muñeca al suelo, aplastada. Vuelvo a colocarla en el mismo sitio y cierro la puerta nuevamente. Y esto lo repito muchas veces. Ahora, la muñeca es fea, porque no quiero que me guste más, porque quiero que sólo me gusten los gatitos.

14   *Pedro*

Yo digo que si una persona no es normal, por muy hijo que sea de uno, hay que llevarla a que la vea el médico, aunque cueste dinero. Pero Sabas y mi hermana jamás se han preocupado de eso, cuando, si hubieran puesto remedio a tiempo, siendo él aún niño, quizá ahora estaría curado y no mirando y siguiendo a su padre a todas partes,

como un perro fiel. Y escapándosele de la boca esa especie
de lamento apagado, que frecuentemente apenas se oye, y
moviendo su cabezota pesadamente, como un buey.

Claro que, hasta hace algo más de un año, no nos pareció tan imbécil; solamente algo diferente a los otros niños,
pues, a veces, se quedaba jugando horas y horas con un
palo y una lata vieja, golpeando ésta y causándole, al parecer, su sonido monótono y exasperante un placer inmenso,
ya que sonreía bobaliconamente. No, antes no era así el
chico; se hacía querer incluso. Pero, de pronto, cambió:
subió a ese desván y se puso a hacer chapuceras traineras.
Cuando pregunto a mi mujer si sabe qué le ha podido
pasar, me responde que no lo sabe.

—Deben llevar a ese pequeño al médico —he venido
diciendo toda la vida a Berta—. Ya sé que no es un verdadero idiota, pero algo funciona mal en su cabeza. Deben
llevarlo a que le vea un médico.

—¿Por qué no se lo dices a ellos a la cara? —me con-
testaba ella siempre.

Pero nunca lo hice. Siempre he pensado que cada uno
debe meterse en sus cosas, porque los consejos, aunque
vayan con la mejor voluntad, suelen molestar. Y si alguna
vez, hablando con los amigos en la tasca sobre este asunto,
casi me empujaban a que lo dijese, y tomaba el último
trago y bajaba por la carretera hacia el caserío de Sabas,
dispuesto a todo, encontraba a mi cuñado mirándome de
tal forma que parecía que adivinaba a qué iba, y yo le
empezaba a hablar de pesca. Y ya, ni me atrevía a decírselo a mi hermana, por temor a que ella se lo dijese
a Sabas.

Cuando Sabas vuelve a la cuadra a por las cadenas de
las vacas, Fermín va con él, casi pegado a sus talones.
Resulta raro verle andar por la casa, después de permanecer tanto tiempo sin bajar del desván, hasta durmiendo allí
y construyendo esa porquería de embarcaciones y destro-
zándolas después. Es como si le hubiesen tocado el nervio
que hacía falta que le tocasen para conseguir que reac-
cione y abandone de una vez el desván.

Después, vuelven los dos, Sabas con las dos cadenas
de las vacas al hombro y Fermín detrás de él, sosteniendo
solamente el extremo de una de ellas, mientras la otra, con

el balanceo, le golpea la mano. Josefa no deja de mirarlo, y mientras Sabas sale al portalón y se acerca a la carreta, ella lleva a Fermín a la cocina.

—¿Quieres que te ayude? — preguntó a Sabas.

—Ya puedo arreglármelas solo — me contesta, trepando, con las cadenas, por una cartola, de nuevo bajo la lluvia.

Josefa ha llevado a la cocina toda la ropa vieja que debe ponerse Fermín, y ahora le empieza a vestir, mientras la abuela, Ismael, Nerea y yo contemplamos la transformación que se efectúa en aquel enorme cuerpo, cómo va aumentando de volumen según caen sobre él jerseys llenos de agujeros, chaquetas arrugadas — no completamente limpias, sino lavadas todo lo posible, pues Josefa es única para eso — y, por fin, las dos trincheras que ha reservado para él, en las que, por lo menos, no coinciden los rasgones de una con los de la otra. Fermín mueve los brazos lenta y mecánicamente y es indudable que no habría podido vestir esos trapos sin la ayuda de su madre. Luego le obliga a sentarse en la silla baja y le pone unos calcetines gruesos y oscuros de lana y le calza unas botas de cuero como gabarras.

—No debiera ir. No sé por qué le visto — me dice ella.

—Sabas ha querido que fuera. Lo dijo — le recuerdo —. Y él también quiere, ¿verdad, Fermín?

Parece que ha percibido algo y nos mira hasta de un modo expresivo. Abre la boca, pero tarda unos segundos en poder articular alguna palabra.

—¿Eh?... Sí — medio gime, medio susurra roncamente, con aquel su vozarrón —. Yo voy también... con todos. Sí. Con el padre. Quiero ayudar. Quiero ayudar... al padre.

Vuelvo la cabeza y veo que los ojos de Ismael están húmedos, y recuerdo que yo no soy ningún niño como él y me sobrepongo. Josefa acaricia el rostro de Fermín, con barba de muchos días.

—Quizá mi hijo se haya salvado — le oigo decir apagadamente, mientras Fermín recoge de la mesa la insignia que lleva desde que quedó campeón en San Sebastián, y se la prende de la trinchera.

Ahora oímos los pasos de Sabas en el portalón y su

cabeza con el sombrero chorreante asoma a la cocina.
Dice casi suavemente:

—Se está haciendo tarde.— Y se queda mirando a
Fermín.

La abuela empieza a sacar al portalón los sacos que ha
cosido, tres o cuatro cada viaje, y yo me pongo a ayudarla.
Cuando vuelvo, después de haber arrojado los primeros
por encima de las cartolas al interior de la carreta, me
cruzo con Fermín e Ismael, también ellos con sacos, el
primero con una brazada abultada de lo menos diez, cu-
briéndole el rostro.

—Esperad, esperad — dice en aquel momento Sabas,
saliendo algo precipitadamente de la casa y del portalón,
dirigiéndose a la carreta —. No dejéis que se mojen. —
Lleva dos faroles de carburo en una mano.

Y trepa de nuevo por la cartola, ahora ayudándose de
una sola mano, y una vez en el fondo de la carreta, aparta
la lona, levantándola por un extremo, que pasa por encima
de la viga, haciendo que caiga por el otro lado, de forma
que improvisa una especie de tienda de campaña.

Le alzo los sacos que van trayendo mis sobrinos y él
los va plegando bajo el resguardo de la lona. Estoy en-
tregándole la última brazada cuando aparecen en el portalón Cosme y Bruno, inflados con todas aquellas ropas
que llevan bajo las trincheras, silenciosos, el primero con
una boina con manchas rojas sobre la cabeza y el segundo
con un gorro viejo de marino, de lana azul, roto por la
parte de una oreja.

—Ya no es necesario que te lleves a Ismael — dice mi
hermana a Sabas, desde la puerta de la cocina, tiritando de
frío —. ¿No viste cómo se dormía de pie?

—No voy a privarle de que tenga un motivo para sentirse orgulloso, porque a última hora a sus hermanos se
les ha ocurrido venir — habla Sabas, desde arriba de la
carreta, quitándose con la manga de la trinchera el agua
que le chorrea por el rostro.

¿Los ves, Señor, los ves a todos en la carreta, sin preo-ocuparse ya de la tormenta ni de ninguna otra cosa? Gracias, Señor; es lo que Te pedía. "Bajó Él y redimió a los hombres". Le susurro a Josefa: "Como Cristo, como Cristo. Recé y Él dijo que hiciera como Cristo". Pero ella, sin dejar de mirar cómo trepa ahora Fermín por la cartola, ayudado desde arriba por Bruno, lloriquea: "Oyó al padre hablar y eso fue todo. Aún se puede salvar. Y sus hermanos no tuvieron más remedio que seguirle".

Ya no veo más que a Sabas, delante de los bueyes, pues todos los demás: Fermín, Cosme, Bruno, Pedro e Ismael se han agazapado dentro de la carreta, bajo la lona que, ahora, pasa por encima de la viga, dejando un buen hueco para que se cobijen. Ya están en la carreta, también todos los sacos que he remendado. Yo he acabado mi parte, Señor; ahora, que ellos cumplan la suya. No ha sido mucho, es verdad, pero teniendo en cuenta que la próxima primavera —si el Señor lo quiere— cumpliré ochenta y cuatro años, hacer pasar por mis débiles manos más de dos docenas de ásperos y pesados sacos sucios, creo que está bien.

Quiero verles partir y resisto en el portalón el intenso frío y las ráfagas de viento que se cuelan por la puerta hasta la misma cocina. Sabas levanta el palo y luego descarga un par de golpecitos suaves sobre el oscuro yugo. Los bueyes arrancan, chapoteando con sus pezuñas en los charcos embarrados. Al llegar a la esquina del caserío, dan la vuelta, y la carreta desaparece de mi vista, entre ráfagas de viento y lluvia. ¡Qué Dios les bendiga!

Josefa cierra la puerta. Como esta noche ellos no se acostarán, entro en el cuarto de Cosme y Bruno, cojo las dos mantas de la cama y las llevo a la mía. "Acuéstate de una vez", casi grita Josefa a Nerea, nerviosamente, mientras con su toquilla negra sobre sus hombros se dirige a la cocina a sentarse en la silla baja junto al fuego.

16   *Cosme*

Debí haber tenido en cuenta que nuestro dormitorio
es muy húmedo. El mejor lugar para guardarla era el cuarto
de al lado de la cocina, el de la abuela. Los metales se
enmohecen con la humedad, aunque estén dentro de una
buena caja.

17   *Josefa*

Por fin se ha llevado a todos: a Fermín, a Bruno, a Cosme, a Pedro y a mi pequeño Ismael, sin tener en cuenta
que uno está enfermo y el otro es un chiquillo que se cae
de sueño. ¡Malditos trabajos! ¡Malditos trabajos de Sabas!

V

EL padre dispuso los sacos, en dos pliegues, de forma que cubrieran todo el fondo de la carreta, y así, cuando saltamos la cartola y nos metimos bajo la lona, nos encontramos con un piso mejor del que podíamos esperar, y sobre él nos acurrucamos, unos junto a otros, y era un consuelo oír el golpeteo de la lluvia sobre las dos vertientes de la lona, por encima de nuestras cabezas. Más que juntos, apretados, y más que las dos cosas, poseídos de la terca necesidad de formar un solo cuerpo, con un calor uniforme y un afán de lucha también idéntico, pues para entonces yo ya había despertado por completo (nunca llegué a estar del todo dormido), pasado el inevitable momento en que la cronométrica exactitud de la cama lo reclama a uno y ceja solamente de insistir cuando se convence de que los mejores primeros minutos para salirse con la suya han pasado, y entonces podemos abrir los ojos con cierta seguridad, y así los mantenemos hasta que la causa que nos ha obligado a vencer el sueño, pasadas unas horas, desaparece, utilizada o, simplemente, olvidada, y volvemos a acordarnos de que tenemos una cama que nos está esperando desde hace varias horas. Porque estábamos convencidos de que acabábamos de comenzar algo importante y necesitábamos constituir una Unión de fuerzas; si no importante en sí misma, por lo menos en apariencia, considerando lo que teníamos que vencer para llegar a ese algo: el viento y la lluvia, el sueño, el disgusto y hasta nuestros individuales y verdaderos deseos de hacerlo, porque, ¿acaso alguno de nosotros dudó en un solo momento de que lo llevaríamos a cabo?

Recuerdo que apenas hablamos durante todo el tiempo

que duró nuestro viaje hasta el extremo de La Galea, ni siquiera cuando empezamos a advertir que los sacos del fondo se estaban empapando, al absorber el agua que, empujada por el irresistible viento, penetraba por debajo de la cartola izquierda — cuando la carreta abandonó la estrada de acceso al caserío y dobló y se colocó paralela a la línea irregular que podía considerarse que formaba la rompiente en la playa, para subir la cuesta que arrancaba de la misma arena —, que nos obligó a no seguir ya sentados, sino en cuclillas, para librar nuestros traseros de la humedad.

Luego, el tío Pedro me dijo que me sentara sobre el abultado rollo de cuerda que llevábamos y apoyara los pies en el aparejo, y entonces mi cabeza tocó la lona y ya no solamente oí, sino que también sentí el deslizarse del agua por ella, del otro lado.

Continuamente alzábamos la cabeza para asegurarnos de que la viga seguía en su sitio; pero el padre también había previsto aquello, y con los dos extremos de la cuerda había sujetado a las maderas de las cartolas el madero, que bailaba, no obstante, de un lado a otro, limitado por la cuerda, pero aún temible.

Tardamos cerca de quince minutos en alcanzar el punto alto de la cuesta — que estaba yo cansado de subir en menos de la tercera parte —, pero el bramido del mar lo seguimos oyendo a nuestra izquierda no solamente durante esos largos minutos que duró la ascensión, sino también después, cuando, ya arriba, el padre hizo dar a los bueyes un giro de noventa grados, de modo que seguimos marchando en dirección perpendicular a la que trajimos, por la meseta de La Galea que corre sobre los acantilados y que arranca a ochenta metros medidos en la vertical sobre la misma playa, para dirigirse, en levísima pendiente ascendente, hasta Punta Galea y el faro, cuyos destellos pasaban sobre nuestras cabezas rasgando la cortina de lluvia y la impenetrabilidad de la noche, aunque lo más admirable de ellos no era su esfuerzo por atravesar la negrura y la tormenta, sino los calculados segundos de intervalo entre unos y otro — tres destellos seguidos con separación de un segundo, pausa de ocho segundos, y vuelta a empezar —, que conocían miles de marinos en todo el mundo, cosa que me dijo el padre hacía mucho tiempo y constituía para mí no solamente motivo de admiración, sino también de confraternidad.

El primero en hablar al cabo de esos interminables minutos fue él, y su voz sonó como si acabara de ser creada por segunda vez, clara y nítida:

—Si mi familia no me hubiera obligado a hablar tanto en la cocina, podríamos estar ocupando ya el mejor sitio de toda la costa.

Se refería al lugar para el emplazamiento de la viga que llevábamos. Y entonces yo también oí el murmullo como de un ejército en marcha, sus sonidos irreparables y concluyentes: el arrastrar de botas, chirridos de ejes viejos sin engrasar, sordas maldiciones, gritos sin sentido, roces de metales, pisadas de animales cansados o atemorizados y, dominándolo todo, el compendio: la indefinible mezcla, no tanto de ruido como de sensaciones, pasiones contenidas, proyectos, que flotaba sobre el todavía para nosotros invisible ruido, y que era (la mezcla) también invisible, pero evidente, como el aliento que sale de la boca de un buey cuando la temperatura es cálida o sólo templada, que no necesita más que algo de frío para que se manifieste en forma de vapor.

Sentí, bruscamente, que algo se movía en el interior de la carreta, y un bultó pasó a mi lado, alzó la lona, subió a la cartola y la salvó ágilmente, todo con arrebatado movimiento, con un arranque súbito.

—Déme el palo que lleva —oí cómo decía Cosme al padre, cuando llegó a su lado, cuando cayó, mejor dicho, al saltar desde la carreta. Y me levanté y miré, justamente al tiempo que el padre le entregaba su palo con el clavo en la punta que venía usando para guiar y animar a los bueyes. Una vez el palo en su poder, Cosme echó a correr y desapareció vertiginosamente en la noche.

Ahora, el padre tuvo que servirse de la misma mano para acariciar a los animales, y eso es lo que éstos salieron ganando.

—Métete bajo la lona —me gritó.

Pero yo acababa de verlos, pues estábamos ya en la cumbre de la cuesta y segundos después engrosaríamos la extraña caravana: carretas de bueyes como la nuestra,

carros tirados por burros o mulos, incluso animales sin
arrastrar nada: mulos y burros, especialmente, con cestos
cayendo a uno y otro lado de su cuerpo, gachas las orejas,
soportando el aguacero como sus dueños: gentes de Algorta, Guecho, Berango, Sopelana, Neguri, acostumbradas a
bajar a la playa a por carbón desde que casi supieron andar,
no precisamente al principio para empuñar la redaña y
meterse en el agua helada hasta la cintura, sino para ayudar
a amontonar en la parte alta de la playa el carbón que
arrebataban sus mayores al mar, cargarlo después en el
burro y llevarlo hasta el caserío; gentes ganadas por las
fábricas al campo, al cual, no obstante, dedicaban sus buenas dos o tres horas diarias, después de concluida la jor-
nada ante el torno o la fragua o la fresadora, y en verano
más, eso sin contar que debían dejar arreglados los animales de las cuadras antes de salir de sus casas por las
mañanas con tiempo suficiente para que el cuerno de la
factoría lo oyeran sonando casi sobre ellos; recios, más
bien pequeños, robustos, con esa solidez, viveza de reflejos
y agilidad propias de quienes no solamente viven al aire
libre, sino que les entusiasma, habiendo comprobado alguna vez que se ahogan en la ciudad; acostumbrados desde
niños a ir a pescar y a saltar entre peñas, como cabras,
siendo capaces de desarrollar sobre ese accidentado piso,
y descalzos, tanta velocidad como un mocito de la urbe
sobre su familiar asfalto; que hasta sus nueve años no
han hecho otra cosa que robar nidos de pájaros, cazar a
éstos con tiragomas, recoger moras de las zarzas, organizar
furiosas batallas a pedradas entre barrios rivales y, naturalmente, pescar, generalmente en solitario, marchando con
la larga y resistente caña de mojarras, o el gancho para
escarras y sabayos y pulpos, recibiendo en las partes del
cuerpo que la ropa deja al descubierto el yodo que la
brisa barre de la superficie del mar, tostándolas hasta hacer
parecer que la piel no solamente no pertenece a un ser
de raza blanca, sino tampoco de raza catalogada en los
libros, pues es un color que no desaparece con la llegada
del invierno (lo que les acercaría, tanto a los otros hombres
como a los animales, pues los veraneantes ven cómo se
clarea nuevamente su piel al regresar a su ciudad, y algunos animales mudan de color con las estaciones), siendo

una mezcla de moreno, negro y cobrizo, inalterable, que
el ardiente sol de agosto ya no puede quemar más; gentes
que desde esos nueve años hasta los catorce debieron ir
a la escuela y sus padres luchaban para conseguirlo, y hasta
los alguaciles del pueblo, pero en vano, pues la atracción
del campo era invencible para aquellas exuberantes natu-
ralezas que sentían que los músculos les saltaban bajo la
piel, y hacían más que frecuentes novillos para jugar al
fútbol en alguna alejada campa, o a la pelota a mano en
el frontón de la Plaza, hasta que por un lugar u otro aparecía el furibundo padre de alguno y la partida se suspen-
día y todos huían y el interesado debía prepararse a recibir
por la noche sus buenos golpes en las orejas, después de
que el padre le saliera a la misma puerta de la que él no
se atrevía a pasar, pues ni para merendar se había acercado a la casa en toda la tarde; gentes que acababan de ver
frustrada su tarde y su noche del sábado, y hasta su esperado domingo, por culpa de aquel barco inglés encallado
en las mismas peñas a las que casi todos pensarían ir en la
madrugada del domingo a la hora de la bajamar; que
cuando acababan de dejar la cesta conteniendo las marmitas
de aluminio en las que se llevaban al trabajo la comida
hecha en casa para no tener que volver al mediodía (no
por comodidad, sino por falta material de tiempo y, especialmente, por economía, y así las alubias las debían tomar
frías) les comunicaron lo de ese barco; que, ahora, los
jóvenes, deberían estar preguntando a sus madres o her-
manas si la camisa de los domingos estaba ya planchada,
así como el pantalón (el ritual uniforme para el ritual
vertiginoso del domingo), soñando en acudir a los bailes
de las plazas y sujetar entre sus brazos a las aldeanas con
trajes de subidos colores y lazos en los cabellos y carmín
escandaloso en los labios e innecesario colorete en sus encendidas mejillas, hablándolas todo cuanto han estado acu-
mulando durante los seis días de rumia precedente ante sus
máquinas de trabajo, que de tan pensado no les resultaba
ya atrevido u obsceno, por mucho que lo fuera; muchachos que también estarían ocupándose en engrasar sus
botas de tacos, o inflando el balón de fútbol, o metiendo
ambas cosas y las camisetas y pantalones con los colores
del equipo, en la gran cesta colectiva que sería llevada al

siguiente día a la estación, o a la parada del autobús, relevándose en la tarea los once titulares y los tres o cuatro suplentes, mientras hablaban de la táctica a seguir, o de las chicas con las que habían quedado citados a la tarde; los de veinticinco a cuarenta y cinco años, en aquellos mismos momentos, se hallarían acostados, solos, en la enorme cama matrimonial, tosca y heredada, silbando o leyendo la página deportiva del diario, para elegir el encuentro futbolístico para la tarde del domingo, mientra oían a su mujer dar los últimos toques a la cocina, recogiendo los restos de la cena, una vez acostados los hijos pequeños, sabiendo ella que aquella noche no encontraría dormido a su esposo cuando se acostara; unos y otros silenciosos, castigando innecesariamente a los animales, como si ellos tuvieran la culpa de que se hallasen en aquella noche fuera de casa, soportando el agua y el viento y teniendo que permanecer en aquel acantilado hasta que una y otro se harían tan familiares que llegaría el momento (y ellos lo sabían de antemano) que ya no importaría que siguieran azotando o no...

—¿No te he dicho que...?

Introduje la cabeza bajo la lona y el padre guió la carreta por lo que se llamaba carretera de La Galea, que no era más que una vía más ancha que un sendero y menos que una carretera secundaria, limitada a un lado y otro por la abundante argoma erizada de pequeños pinchos, y eso era precisa y únicamente lo que hacía posible distinguir que allí existía algo parecido a una carretera: la falta de esa argoma, pisada, aplastada, hundida en la delgada capa de tierra que cubría la peña de la explanada por el rodar de las carretas que cargaban los pinos abatidos en los inacabables pinares que se extendían desde La Galea a lo largo de toda la costa, por Sopelana y Barrica y Plencia, kilómetros y kilómetros.

Delante nuestro marchaba un mulo grande, del que tiraban dos hombres impacientes; los tres eran los únicos seres vivientes que podía distinguir, aunque el rumor sordo llegaba ininterrumpido y yo sabía que, delante, serpenteaban más hombres y bestias, y detrás también, y entonces ocurrió que me di cuenta de que ya no tenía ni pizca de sueño.

Uno de nosotros se movió, se revolvió, y momentos después un fuerte olor a vino llenó el espacio bajo la lona.

18   *Cosme*

Si no fuera por esta maldita trinchera que se me mete entre las piernas, podría correr mucho más; y por estas pesadas botas de clavos, las de ir a cazar; y por este maldito viento, que casi me echa hacia atrás.

Ya he perdido de vista la carreta, pero ahora aparece un bulto por delante. Lo alcanzo y paso por su izquierda. He reconocido a la familia de Chacartegui, el pregonero, a sus hombres. Su hijo Manolo me ve y salta del carro de mulos y me sigue, me alcanza, porque yo no me he dado cuenta, pero ahora que aprieto de firme le voy a pasar

—No sé para qué corremos, Jacinto — me dice, tratando también de averiguar quién soy, pues entre el cuello de la trinchera levantado y la boina hasta las orejas, no ha visto todavía mi rostro —. Está todo ocupado.

Pero ni él ni yo dejamos de correr, y ahora veo cómo su palo, con el que antes arreaba a los mulos, se acerca a mis pies; quiere derribarme al suelo, lo sé, lo veo en sus movimientos llenos de malicia; cambio mi palo a mi mano derecha y descargo un buen golpe con él sobre el suyo, que sale por el aire, y él se detiene como herido por un rayo. Poco después, le dejo muy atrás.

Oigo un chirrido de poleas y me detengo. Ya estoy cerca del lugar. Sí, ya han instalado un trípode con unos maderos, en la misma orilla del monte; los han hundido en el suelo, separados, y atado con un cable por arriba a los tres juntos; de la unión cuelga una polea enorme, que gira sin cesar, aunque todavía no puedo ver qué trabajo han realizado. Era el mejor sitio, junto al muro del viejo fuerte. Las voces de los hombres suenan como endemoniadas.

Por fin, encuentro otro lugar adecuado, detrás de una enorme peña que avanza hacia el abismo. Coloco el palo en el suelo, de modo que salga algo del monte, me siento, recojo los pies bajo los faldones de la trinchera para que no se me mojen, y espero.

Siento la caza: las palomas, las avefrías, las sordas y demás. La siento por allí, arriba y a mis lados, luchando contra la tormenta, cayendo abatida sobre la argoma del monte, sobre las zarzas, sobre los árboles, los pinos. Estos bandos que bajaban hacia el Sur han tenido mala suerte esta vez. O quizá, para algunas aves, era la única vez y esta mala suerte ha sido la mala suerte de toda su vida, la única oportunidad que han concedido para que la mala suerte se cebe en ellas. No es agradable ver sufrir a las aves. Lo que más siento en el mundo es dejar herida a una. Quiero luchar noblemente contra ellas. Las tengo que matar porque ellas son aves y yo soy un cazador.

¿Cuánto pesarán, ahora, sus cuerpos, tan lleno de agua su plumaje? Quizá un tercio más. ¿Soportaríamos nosotros, de repente, un peso de carne nuestra de veinticinco kilos?

Las siento volar a ras de tierra, temerosas, aterrorizadas, huyendo inútilmente de lo que están rodeadas por completo. Y mañana es domingo y algunos podrán ir a cazar. Pero no yo, que debo vigilar este palo, al que he de poner el pie encima para que no se lo lleve el viento que choca contra este borde del monte y agita las matas de argoma y hasta mueve las piedrecillas, que se desprenden sin ruido y caen monte abajo...

No he oído acercarse a nadie y oigo de pronto una voz:

—No querrás burlarte de nosotros. No pretenderás hacernos creer que vas a subir carbón con ese palo. ¡Largo de aquí y déjanos este sitio! No tienes material para obligarnos a que lo respetemos.

Me pongo en pie y empiezo a gritar. No sé quiénes son y ellos tampoco me conocen.

—¡Fuera, cabr...! ¡Fuera de este sitio! ¡Este maldito palo puede valer para hundirlo en cualquiera de vuestras sucias tripas!

Son tres, pero se van.

Sí, veo allí abajo el barco, al fulgor de los rayos.

19 **Pedro**

Por fin, Sabas ha encendido uno de los faroles de carburo, para ver mejor cuando saca a los bueyes de la carretera y los dirige por la accidentada explanada hacia el viejo fuerte, hacia la fila de esparcidos faroles que señalan los lugares donde trabajan grupos de hombres dando gritos, en el mismo borde del monte, bajo el sonido de la sirena de niebla del faro y de los destellos que cruzan el espacio como una espada manejada por un gigante.

Y allí le vemos, acurrucado tras un montículo que no tapa ni sus hombros, sujetando con el pie derecho el palo que sobresale en el abismo, solitario y oscuro, como el último ser viviente del mundo, empapado y chorreante, de tal modo que parece que sus ropas transpiran agua en vez de absorber la de la lluvia, como un pellejo agujereado que alguien intentase llenar tercamente sin esperanza, pues todo el líquido que en él entra escapa al exterior.

Sabas detiene la carreta y todos salimos de bajo la lona y salvamos las cartolas para caer sobre la encharcada argoma del monte. Sin que él me vea, saco la botella de vino del bolsillo y bebo un trago y me siento mejor.

Da miedo encontrarse abandonado, como nosotros ahora, entre la tormenta de arriba y los estampidos de las olas, abajo. Da miedo. Miro a los demás. Bruno se ha acercado al borde del monte y, puesto de rodillas, con las manos apoyadas casi en la pedregosa pared del exterior, mira hacia abajo. Por detrás y por encima de sus piernas, los faldones de la trinchera danzan al son del fuerte viento. Cosme se ha levantado y, con el palo en la mano, va hacia los bueyes y lo coloca sobre el yugo. Después, se queda mirando la viga y se acerca a ella y la toca con ambas manos, alzándola un poco, separándola por un momento del borde de la cartola, desde el radio de la rueda donde se ha tenido que subir. Su rostro está impasible, sin que, al parecer, le importen los hilillos de agua que corren por él, desprendidos de su boina. Sabas, seguido de Ismael, al que habla algo, recorre el borde del monte, buscando un punto a su gusto para instalar la viga.

—El mejor sitio es donde yo tenía puesto el palo —le grita Cosme, sin volverse.

Pero Sabas no le hace caso y sigue mirando, aunque sin apartarse mucho, pues hacia la derecha hay un grupo de hombres con una polea, y por fin se detiene en el lugar elegido por Cosme y dice:

—Aquí la colocaremos.

Me acerco y miro hacia abajo. No veo el barco, pero sí las llamitas titilantes de los faroles de carburo que se hallan sobre las peñas ennegrecidas: quince o veinte o treinta, acaso, y por ellos descubro que el clásico color de peña ha desaparecido (el blanco de las que están en la orilla del monte o el verde musgoso de las que toca el agua). Ahora, todas son negras, y los faroles se extienden por un largo trecho porque el carbón ha saltado de las tripas del barco llegando hasta peñas alejadas, y además las enormes olas lo han ido esparciendo, y de ese modo todos podremos trabajar cómodamente, con sitio suficiente. Pero no veo el barco, porque en este rato no cae ningún rayo.

Cuando me dispongo a seguir a Sabas, que ahora camina hacia la carreta, seguido de Ismael y Bruno, casi tropiezo con Fermín, y me doy cuenta entonces de que no se ha movido del primer sitio que ocuparon sus botazas al caer de la carreta. Mira fijamente hacia la izquierda, hacia la playa, que se tendría que ver también, como el barco inglés, pero no se ve. Mira y mueve los labios, sin emitir sonido alguno, o, por lo menos, la tormenta lo apaga. Luego, alza pesadamente su brazo izquierdo, señala con él la playa y susurra roncamente, de uno modo apenas audible:

—Allí... allí... allí...

Le agarro de la trinchera y le pregunto:

—Allí... ¿qué?

—Allí... allí fue — agrega, pero no es una contestación a mi pregunta, pues la primera noticia que tiene de mi presencia a su lado es el tirón que le doy de la trinchera. De un manotazo, no solamente me arranca la mano de la tela, sino que me aparta dos pasos de él, tambaleándome. Está furioso. De su garganta empieza a brotar ese sonido suyo tan desagradable. Está furioso. Como cuando rompe sus chapuceras traineras.

—¿Qué pasó allí? — le grito, acercándome de nuevo. ¡Dios, creo que si me dijese eso, tan sólo eso...!

No fue el grito de Sabas, llamándonos, el que interrumpió sus ronquidos, los anuló, como si hubiese accionado la llave que los controlara; un instante antes, ya Fermín había callado y me miraba con expresión, como una persona.

20   Bruno

La noche está dura, sí, pero llena de vida. Es soberbia esta batalla al aire libre: el poderoso viento esforzándose por levantar titánicamente el invencible mar y convertirlo en montañas líquidas y, ambos juntos, carcomiendo la costa y destrozando las obras de los hombres; la tenaz lluvia, que el viento vuelve furiosa, cayendo sobre las cosas como una ola más; amplia, incontenible; los rayos y su eléctrica luz, atronando y permitiéndonos ver mejor la fabulosa escena; y nosotros aquí, tratando de competir con esa vida que nos rodea por todas partes, que llama obstinadamente a la que llevamos dentro, de modo que parece que ésta, la nuestra, atiende la llamada y quiere escaparse de nuestros cuerpos, y se mueve dentro, imperiosa y exigente, quemándonos la sangre y obligándonos casi a gritar, a lanzar aullidos inexplicables, aunque no totalmente ininteligibles, pues en ellos va envuelto un balbuceo, no de palabras, sino de sensaciones, que clama: Vida, Vida, Vida. Sólo por encontrarme ahora aquí, sobre estas argomas que también tiemblan llenas de deseos, merece la pena haber dejado aquella tumba que era el cuartel.

Esta noche nadie duerme. Casi la veo a ella en su cama, revolviéndose entre las sábanas, contagiada de esta agitación, cubriéndose cuidadosamente con las mantas, no porque sienta frío (su cuerpo es todo vida y no puede sentirlo) sino por costumbre, por reacción mecánica al escuchar la tormenta, el aguacero sobre el tejado, simulando (ella) que tiembla, por pura coquetería femenil, en honor de lo único masculino que entonces siente cerca: el temporal; y Dios sabe en qué estará pensando.

—Aún no he tenido ocasión de decirte que estoy aquí — grito y grito, una y otra vez, sin separar los labios, almacenando todo este deseo dentro de mí, y acabo respirando ahogadamente.

Ahora, el padre dice a Ismael que suba a la carreta y recoja la lona, para dejar libre la viga que deberemos transportar. El chico trepa por la cartola posterior y desaparece

dentro, y nosotros empezamos a soltar las cuerdas que,
por fuera, sujetan la lona a las viejas maderas de la
carreta.

Desanudo la mía e inmediatamente un extremo de la
lona queda en libertad y comienza a dar latigazos en el
aire. Luego, Cosme suelta la suya y la lona entonces se
levanta como una sábana puesta a secar en día de viento,
y el chico no tiene necesidad de pasarla por encima de
la viga, porque el vendaval viene en su ayuda. Y en ese
momento, Fermín y el tío Pedro sueltan sus cuerdas, del
otro lado de la carreta, y ahora la lona, como un inmenso
pájaro enloquecido, se alza y se estremece, unida sólo por
una punta a la carreta, precisamente la que sujeta con
ambas manos furiosamente Ismael; pero se ve que no
puede; sus dientes se aprietan frenéticamente y trepa por
la cartola, esta vez sin ayuda de sus manos, sólo apoyándose en los codos, arrastrado por la lona; ambos, luego, se
apartan de la carreta volando, en descomunal salto, hasta
que los pies de Ismael tocan el suelo y, al punto, cae hacia
delante, quedando de rodillas, siempre con sus dos brazos
estirados sosteniendo la lona, que parece lo va a seguir
arrastrando por el suelo, y entonces Cosme, el tío Pedro
y yo avanzamos hacia él, pero la voz del padre nos detiene:

—Ya la ha dominado — dice —. Es capaz de arreglár-
selas solo.

Y nos quedamos mirando cómo, ahora, trata de pisar
la lona, ya levantada de nuevo, pero a cada paso que da
para acercarse a ella, permite que se aleje un poco más,
pues el viento insiste tercamente y mantiene a la lona en
continua tensión, a pesar de tanto como debe pesar con
toda el agua que le ha caído encima; también la mala
suerte juega su papel, ya que la lona nunca queda extendida sobre el monte, sino erguida, sostenida por la rigidez
de sus pliegues, y parece una vela de bote, inflándola el
vendaval a placer.

—Si la soltase, caería al suelo — oigo decir al padre,
y le miro y le veo sonreír, mientras mordisquea la pajita
que ha introducido en la boca.

Una ráfaga oblicua de viento lanza a la lona sobre el
chico y lo envuelve por completo, cerrándose y dejando

de jugar a regatas, muriendo sobre él, que desaparece. Advertimos las frenéticas patadas que propina desde debajo de la lona, pues a ésta le salen unos diviesos fugaces y, por fin, le oímos gritar, llamándonos.

—Creo que ha llegado el momento de ayudarle —nos dice el padre y, sin dejar de masticar su pajita, se dirige hacia él.

VI

No tenía más que cerrar los ojos (y ni siquiera eso: la oscuridad, sin la ayuda del farol, era completa a más de dos metros; y, en todo caso, la marea aún no había bajado) para ver el palangre tendido de peña a peña, allá abajo en la playa, sumergidos los anzuelos en el agua y soportando algún peso: el correspondiente a varios peces, o el solitario, el de un solo ejemplar, "el pez", el gigante solitario, que no necesitaba ni que se le nombrase cuando se deseaba hablar de él: bastaba la expresión del rostro para saber que eran las letras N, E, G, R y O las que cosquilleaban los labios del narrador; incluso, adivinaba yo lo que el solitario pensaría, allí colgado del anzuelo a él destinado, inmóvil, demasiado orgulloso para debatirse, pero bien vivo, tendido negligente sobre la arena húmeda del fondo, esperando la llegada del que suponía era ya su dueño, esperándome a mí, que sabía (y él lo sabía también) que me presentaría y me contentaría con mirar, sin osar acercarme a desprender ni el primero de los otros peces (suponiendo que los hubiera), sabiendo que de lo único que sería capaz era de dar media vuelta y salir corriendo en busca de ayuda, para regresar, acaso con algo de menos miedo en el cuerpo, y ver que el Negro ya no estaba allí, no habiendo huido, sino simplemente desplazado, retirado sin prisa ni imposición por parte de nadie, pues ni en un solo momento tuvo nada que temer (y él lo sabía también), tratando de expresarme con su desaparición que seguiría siendo siempre libre porque amaba furiosamente esa libertad, y eso era bastante para conseguirla; y si los alambres aparecían cortados limpiamente y los anzuelos se convertían en ingeribles, digeribles y asimilables, no era por obra de sus dientes, vísceras o jugos, sino de ese mismo afán de libertad; por lo que debía comprender de una vez que, al quedarse allí esperándome la primera vez, me quiso indicar que desistiese, que sólo podría esclavizarlo algún ser más libre que él, que no era yo ni ninguno de los que yo conocía o tenía noticia o podía imaginar que vivieran, vivieron alguna vez o viviesen.

Porque todo eso constituía parte del acervo del pueblo, que no precisamente se heredaba, sino que se mantenía en suspensión, flotando, etéreo y evidente, sobre todos nosotros; que lo encontrábamos esperándonos al nacer; no una tradición escrita, y si era hablada, no tenía la forma de consejos o relatos al calor de la lumbre: lo aprendíamos de chiquitos, cuando acompañábamos a los adultos de la familia a pescar y los veíamos actuar con el gancho de escarras y pulpos, o la caña o el palangre, y soltaban espacia damente las breves palabras y frases clave: "Nos está viendo... Ese viejo Negro... No existe aparejo para atraparlo... Sabe que está por encima de todos..." Y, de pronto: "¿Qué te pasa, chaval? ¿Lo has visto?"... y es que habíamos dado un salto para salir del agua y subir a una peña.

Pero la desesperada esperanza de atraparlo no desaparecía, pues sabíamos que alguna vez le era preciso ser joven e inexperto, menos astuto (sus generaciones se sucederían dos o tres o cuatro de él por cada una de las nuestras, y así, existiría un momento —meses o días siquiera— en que inevitablemente coincidiría un Negro infantil con un Hombre adulto, siendo aquella la ocasión para destruirlo). Pero jamás llegó ese momento. El congrio gigante tenía estirpe y sucesores —había que creerlo; no osábamos endiosarlo tanto—, pero sus hijos ya nacían monstruos y poderosos, con la inmoderada herencia de invulnerable libertad.

Yo mismo mantenía la esperanza. Por eso, aquella noche, un palangre mío luchaba por no desprenderse de las rocas, allá abajo, y padecía al recordar que Teodoro acechaba desde algún lugar (su lecho, o allí mismo, buscando carbón, no lo sabía) el momento de la bajamar, para abalanzarse sobre él, cuando a mí se me hubiera obligado a acostarme y dormir de una vez, y tirar (él, Teodoro) del alambre del palangre y alzar, por fin, al Negro; y, en tanto, veía por aquel sendero de cabras del acantilado a los hombres bajar con un saco vacío y subirlo a duras penas, lleno, sobre sus hombros, inclinados hacia el monte para evitar que los golpes de viento les vencieran y arrojaran al vacío, con la negra carga de más de setenta kilos colocada de ese mismo lado, lentos, respirando fatigosamente, empapados, fantasmales, para llegar al fin arriba y echar el saco, o vaciarlo, sobre el montón familiar, o la carreta de bueyes, o el carro de mulas, o el burro con dos cestos, y dar la vuelta, sin cruzar generalmente una sola palabra con el pariente más débil que vigilaba el montón, la carreta, el carro, o el burro, y bajar de nuevo por el sendero, abierto en el monte más por los pies de infinitas generaciones que por instrumentos, quedando colgados casi del abismo, a medio camino, para dejar pasar al que subía cargado, y llegar abajo, a las peñas, echarse a la espalda otro saco, ya cargado por el pariente, o los, que permanecían en las proximidades del barco reventado y así ganar tiempo. Porque, aparte las veintitantas poleas que colgaban del borde del monte (suponíamos que habría unas quince cuando llegamos nosotros y aún pusieron algunas más), existía el sendero ese para poder subir el carbón y, por lo menos, el barco tuvo la delicadeza de destrozarse muy cerca de su arranque; ese camino; que todos lo recordaban existente ya antes del nacimiento de cada uno, que comenzaría, tiempo ha, siendo una ruta alpinista (aunque no deportiva), para convertirse en lo que era actualmente: un sendero para ser hollado por pezuñas afiladas y no por suelas, pero que los dueños de éstas no podían esperar a que las uñas se les transformasen debidamente, pues en las peñas había pesca que luego se vendía en la Plaza, y maderas (cajones de champán arrojados por la borda de los transatlánticos, mástiles de pequeñas embarcaciones, leños y vigas indeterminados) y carbonilla de los Altos Hornos detenida en aquellas primeras peñas que abrían la boca del golfo que formaba la playa.

Más que verlos, presentía y adivinaba los movimientos de todos aquellos hombres, al tiempo que el padre, subido a la carreta, empujaba la viga, haciendo que sobresaliera un extremo por encima de una de las cartolas, para que el tío Pedro, Cosme, Fermín y Bruno lo sostuvieran (yo aún

no alcanzaba a tocarlo) y lo fueran alejando de la carreta,
hasta que el propio peso del trozo saliente la hiciera caer,
realizándose el movimiento suavemente, hasta que tocó el
suelo, quedando en posición muy parecida a la vertical,
y luego el padre la fue deslizando por la cartola en que
todavía se apoyaba, llevándola hasta el extremo e impul-
sándola con una suavidad increíble, casi graciosa, como
si jugara con una pluma blanca. La viga de cuatro metros
se irguió por completo por un fugaz momento, gigantesca,
recordando sus pasadas y definitivamente muertas glorias
de árbol, y se inclinó contra el vendaval, desafiante e invencible, quemando su última oportunidad de autopode-
río; cayó y vibró como una cuerda de arco; luego, el padre, Fermín y yo, en un extremo, y el tío Pedro, Cosme
y Bruno, en el otro, conseguimos alzarla, y así la llevamos
dando traspiés hasta el mismo borde del monte, mientras
en nuestros rostros el agua de la lluvia se confundía con el
sudor. La hicimos girar y, todos ahora en un extremo, la
empujamos hacia el abismo, dejando sobre el vacío la medida que quiso el padre, una tercera parte de ella, quedando las otras dos apoyadas en el monte. Las piedras, las casi
peñas, las fuimos llevando a vueltas, arrancándolas de huecos en los que acaso durmieran desde el último cataclismo
planetario, asegurada su inviolabilidad con su mismo peso,
y la viga las fue soportando a todas, las cuatro o seis con-
que la fijamos, porque no bastaba con plantar peñas sobre
sus dos tercios de atrás, sino que había que asentarlas bien,
de modo que no sólo evitaran que los sacos de carbón la
vencieran: también deberían evitar que oscilara de derecha
a izquierda.

—Otra más — dijo el padre, cuando todos quedamos
en pie, contemplando nuestra obra, empezando a no notar ya ni la lluvia.

—No hace falta — apuntó Cosme.

—Es mejor que...

Pero el padre no pudo seguir, pues ya él se había dirigido al borde del monte, no resuelto ni terco, sencillamente andando, como lo podría hacer al acercarse a la alacena
de la cocina para tomar un poco de sal para su plato de
patatas. El relatarlo lleva tiempo, pero Cosme pisó la viga
antes de que pudiéramos averiguar lo que iba a hacer, en

el mismo punto donde comenzaba su tercio final; luego
casi se dejó caer sentado sobre el madero, limpiamente,
abiertas las piernas, que colgaron a un lado y otro; así
avanzó, apoyando ambas manos, por delante, en la madera y aupándose en ellas y arrastrando sus posaderas, hasta alcanzar el mismo extremo, en el que se puso a dar verdaderos saltos, haciendo temblar la viga, suspendido sobre
el abismo negro. La escena duró más de lo debido (así lo
creímos) y ninguno de los que le mirábamos pudimos ni
siquiera gritar su nombre, aunque vi que el padre, después, se aproximó al borde para recogerle cuando retroce-
diese, y supe que si no abrió la boca no fue de pasmado
que podía estar, como nosotros (que no habíamos acertado
ni a movernos), sino por saber que una o mil palabras no
habrían cambiado la situación, que Cosme dejaría sus saltos cuando lo creyera conveniente.

Retrocedió, pues, por la viga, valiéndose del mismo
procedimiento, y el padre le ayudó a ponerse en pie y a
alcanzar de nuevo el monte.

—Vale —dijo Cosme. Se volvió a mí, casi indiferente, como si no estuviera comprometido en ninguna acción,
lejano—. Tráeme la polea y el cable.

Y corrí, trepé nuevamente por las cartolas y caí al fondo de la carreta, cogiendo solamente la polea, es decir, mis
manos sólo tocaron hierro frío y mojado, pero el cable también vino conmigo, pues estaba arrollado a la polea. Al
retroceder sobre mis pasos, vi una cabeza asomar por una
cartola; un instante después, Bruno estaba a mi lado y se
hizo con el voluminoso montón de cuerda, levantándolo
con ambas manos y lanzándolo, describiendo un arco, fuera de la carreta, sobre las argomas.

—Vamos, aprisa —nos gritó el padre—. Ya se han
llevado medio barco.

Así, que no nos movíamos ciegamente bajo aquella lluvia, con las viejas ropas encima, que ya pesaban varias toneladas, para saber no solamente cuánto tiempo (o peso, o
incertidumbre, o adversidades) éramos capaces de resistir,
sino, quizá también, para averiguar si, al fin, podía llegar
a gustarnos lo que teníamos entre manos; no, es que había
un barco y, dentro de él, un motivo: carbón; así, que, nos
movíamos por algo, y eso ya constituía un consuelo, por-

que desde hacía algunas horas había olvidado el "por qué" para aferrarme al "cómo", y creo que lo mismo les sucedía a los demás; era el olvidar que los hachazos son para partir el tronco y no para sacar solamente buenas y regulares astillas. Aunque en seguida supe que no era eso, o, por lo menos, no era sólo eso; había algo más: el movimiento que suele constituir para la generalidad la única señal de que se está vivo, el olvidarnos hasta de nosotros mismos, la fuga, la evasión, el ruido inevitable que la acción produce y que furiosamente buscamos, necesitamos, exigimos, estremeciéndonos ante la idea de una soledad estática, no porque sepamos que en ella nos encontraremos solos, sino porque nos enfrentaremos al único conglomerado de células que nos causa verdadero pavor: nosotros mismos. Y no sólo eso: la inercia ciega e indetenible de la masa que empieza a moverse en una dirección, sin haberla elegido, sin haberse preocupado de elegirla, pues no le importa, no lo necesita para dejar de ser masa y convertirse sólo en inercia, su fin último y previsto, pues la bola de nieve que cae por la ladera blanca, o el volante regulador de una máquina en movimiento, van perdiendo lo que son ellos mismos, su peso natural, para ir almacenando la fuerza que los hace temibles, siendo finalmente nada más que inercia, suplantado, despreciado y olvidado aquel peso insignificante inicial: el motivo.

Pero el caso es que Cosme, Bruno y Fermín estaban allí, activos y eficaces, junto al padre, por no hablar del tío Pedro ni de mí mismo. Ya habíamos sacado las manos de los bolsillos, habíamos olido la roja sangre recién brotada del primer desgarrón de la carne de la presa todavía viva y veloz; ahora, no podíamos evitar el seguir adelante, ni aunque no lo deseáramos, ni aunque nos gritasen mil voces a la vez que lo del barco se trató de un espejismo.

21   *Josefa*

Lo recuerdo aún muy bien. El cura dijo: "Sabas, ¿tomas a esta mujer por legítima esposa?". Y luego, sin apenas volverse: "Josefa, ¿quieres que te tome este hombre por legítima esposa?".

Eso es lo que oí yo, arrodillada junto a él, atada de pies y manos sin ninguna cuerda, subyugada, vencida y — ¿por qué no? — rendida; acaso no de amor: dominada por una especie de vértigo irracional, furiosamente sometida, capturada y secuestrada ante los ojos impasibles de todo el mundo, sin osar rebelarme ya, aunque lo intenté antes, a pesar de que supe desde un principio que todo sería inútil, contemplando el hacer del cura, con su rostro benévolo y lejano, estibando en el barco una carga con la que no viajaría, murmurando las palabras, implacable, sin leer en mis ojos, que le preguntaban con desesperación: "¿Por qué no hace algo? ¿Por qué no me pregunta a mí, como a las demás mujeres: "Josefa, ¿tomas a este hombre por legítimo esposo?".

Un día, apareció él por Berango, mascando su pajilla, serio, delgado, tranquilo, con las manos en los bolsillos del pantalón de pana, recogido en los calcetines blancos de algodón, abarcas de goma y camisa a cuadros. Y el paraguas colgando de su brazo.

Era día laborable, un lunes, y en la hora del atardecer. Lo vi desde la huerta que mi familia tenía cerca de la carretera, avanzando, procedente de Algorta, a pasos no rápidos, sino seguidos, insistentes, activos, cada uno garantizando un siguiente. Pero para cuando yo me fijé en él, ya tenía puesta su mirada en mí. La distancia a que nos encontrábamos uno de otro no era corta, así que él pudo seguir mirándome por espacio de cuatro o cinco minutos sin parecer que lo hacía, sin apenas volver la cabeza, masticando su pajita sin interrupción. Cuando alcanzó un punto en que le fue necesario girarla, dejó de mirarme, y pasó y se alejó por la carretera y nadie habría dicho que se había fijado en mí.

Al volver a mi trabajo con la azada, caí en la cuenta de quién era: Sabas Jáuregui, el del caserío de la playa de Algorta, que vivía solo después de haberse quedado sin un familiar. La historia la conocíamos todos: familia de padre, madre y dos hermanos, muy trabajadores todos y con tierras suficientes para demostrar su laboriosidad; murió el hermano de Sabas, y el padre, la madre y él apechugaron con el trabajo; poco después, moría la madre, y los dos hombres salieron adelante como pudieron, preparándose ellos mismos las comidas; cuando murió el padre, Sabas ya estaba dispuesto a soportarlo todo, y aguantó sobre sus espaldas el trabajo que antes dejaba exhaustas a cuatro personas. Y allí vivía, abandonado casi al borde de la playa, realizando cada día las labores completas antes de irse a la cama y no oír ya el rascar de la resaca contra las peñas, como antes, cuando vivían todos los suyos y el sueño le concedía una pequeña tregua antes de atraparlo, pues ahora se quedaría dormido sin darle tiempo a alzar el segundo pie del suelo.

Le veía en raras ocasiones, cuando yo iba con los míos a aquella playa a por carbonilla y le sorprendía cortando hierbas con la guadaña para las vacas, o llevando abono de la cuadra a las huertas, o, simplemente, veía salir humo por su chimenea y pensaba que se estaba preparando alguna fritanga para comer.

Seis días después de verle en la carreta, al domingo siguiente, le descubrí entre las parejas que bailaban en el frontón al son de la música chillona de los altavoces. Vestía un pantalón de dril, una chaqueta marrón arrugada y camisa blanca, con el cuello desabrochado, sin corbata, naturalmente. Me buscó, incluso, entre las parejas que bailaban, y por fin me descubrió y se acercó al grupo de amigas, tieso y moderado, la mirada alzada, andando y moviéndose con naturalidad, disimulando la molestia que le producía el duro cuello de la camisa, a pesar de no llevarlo oprimido, al que seguramente había echado demasiado almidón al planchar.

Llegó hasta mí y, sin apenas mover los labios, sin parecer que hablaba, aunque sus palabras no resultaban en absoluto tímidas, sino enteras, decididas, firmes, dijo:

—¿Quieres bailar conmigo?

Habría bastado el "¿quieres bailar?", y hasta simplemente el "¿bailas?", pero quiso dejar bien sentado el "conmigo", y en ese momento presentí vagamente que le descubría, averiguaba cómo era, lo que se proponía, cómo lo llevaría a cabo e, incluso, que vencería.

Me negué a bailar con él, no porque apareciese con aires donjuanescos (habría podido: era bien parecido y esbelto, fuerte, bastante fino si se le comparaba con el resto de todos aquellos rudos campesinos) sino porque ni siquiera abrigaba la esperanza de que bailase con él; incluso sospeché que no lo deseaba entonces; pretendió, tan sólo, que yo comenzase la quema de mi provisión de cartuchos, sabiendo que algún día se me acabarían y quedaría indefensa; que tenía reservado un número determinado de "noes" (no importaba cuántos: él disponía de suficiente paciencia para esperar e insistir) vulnerables. Porque empezó, desde aquella semana, a acudir a Berango, por lo menos dos veces cada siete días: una, en domingo, al baile, a por mí; y otra, un día cualquiera de labor, al caserío del lechero Benito, a por la vaca.

Pronto supo todo el pueblo lo que se proponía. La vaca con la que él soñaba era de un vecino nuestro, un tal Benito, lechero, que se sostenía muy a flote con las siete que alimentaba (y exprimía) en la cuadra de su caserío. Mi difunto padre y la madre decían que no era justo que a un hombre que ya tenía seis vacas le concediera Dios, encima, aquellas ubres inagotables, pasmo hasta de los más viejos, con sus treinta litros diarios de leche.

No la vendía, ni cambiaba, ni alquilaba, ni apenas si la dejaba ver; jamás lo tuvo que decir para que sus convecinos y los habitantes de los demás pueblos del contorno lo supiesen; era algo que se comprendía conociendo a Benito (toda su vida entre vacas y conociendo de ellas todo lo que hay que conocer) y a la vaca. Y si no llegó a constituir un motivo de orgullo para nuestro pueblo, se debió a que parecía que no lo era ni para el propio Benito, receloso, suspicaz, alerta, que sabía mucho de otras cosas aparte de vacas, que sabía que lo bueno es codiciable, y que aunque su tesoro lo poseía del modo más legal y definitivo (la Naturaleza le hizo la donación por medio del parto de una de sus vacas, que, a su vez, fue hija de otra propiedad de Benito, que, a su vez...), presentía que acaso pudiera producirse una fisura en aquel bloque de legalidad y derecho, un fallo, un golpe bajo, en forma de nueva ordenanza municipal o denuncia envidiosa inventando una fútil culpa (brujería, incluso). Lo único que no tuvo en cuenta Benito fue la ciclópea tenacidad de los hombres, de un hombre.

Él siguió presentándose ante mí todos los domingos, en pleno baile, haciéndome la pregunta, y yo le seguí contes-

tando lo mismo. Jamás se dirigió a otra muchacha: llegaba, me veía, me formulaba la pregunta, yo le respondía
y se alejaba sin inclinar un ápice la cabeza, sin querer
darse cuenta de las miradas de todo el baile fijas en él,
las miradas levemente burlonas (leves y a hurtadillas: Sabas tenía algo que imponía respeto) de los que esperaban
durante toda la semana aquel inevitable momento del baile del frontón. A los tres meses, la escena la representába-
mos con toda perfección, sin un fallo, cada uno en su papel, él en el suyo y yo en el mío, y la gente discutiendo
si la última vez nos había salido mejor que el domingo
anterior.

Pero entonces se produjo un pequeño cambio, una pequeña innovación que rompió la monotonía de tres meses.
Aún no había aparecido Sabas por el baile aquel domingo,
y ya había oscurecido y las luces del frontón estaban encendidas. Mas, súbitamente, las bombillas fallaron y todo
quedó a oscuras; sucedía con frecuencia: los chicos cor-
taban los cables de la luz y las muchachas empezaban a
chillar y se oían pisadas presurosas persiguiendo a otras
que huían y, de vez en cuando, sonaba un cachete, y cuando las protestas de las chicas ya iban en serio las bombillas volvían a brillar y mostraban un cuadro de rostros
rientes, sofocados, enardecidos, y más de un carrillo enrojecido. Fue en una de estas ocasiones, a esos tres meses,
cuando, en plena oscuridad provocada, sentí que me to-
maban suavemente de la mano y ceñían mi cintura; jamás pude pensar que existiera contacto más delicado entre hombre y mujer; no me asusté, a pesar de la oscuridad,
ni resistí; la música había cesado también, por falta de
corriente eléctrica, pero empezamos a bailar, en medio de
aquel torbellino de gritos, carreras e insultos; un instante
antes de que él hablase (acababa de preguntarle yo quién
era) advertí que la mano que sujetaba la mía suavemente, no era sólo suave, sino también firme, y el brazo que
ceñía mi cintura era, al mismo tiempo, de goma y de
hierro, y yo me sentí como encerrada en algo, prisionera:
se trataba de una sensación extraña, pero no nueva, ya que
en seguida recordé lo que experimenté cuando Sabas me
preguntó por vez primera si quería bailar...

Y, entonces, habló él, antes de que yo me desprendiera de sus brazos, en cuanto se dio cuenta de que le había reconocido.

—Espera —me dijo—. Te quería decir que mi padre me dejó en el desván unas buenas herramientas y he empezado a hacer la cama y el armario.

Para cuando encendieron las bombillas, él ya me había dejado y se alejaba lentamente por entre el gentío alborotado del baile.

Aquella misma noche, durante la cena, pregunté a mi difunto padre:

—¿La vaca de Benito...?

—¿Qué? —exclamó él, liando su cigarro.

—¿Es posible que ese... ese de Algorta... ese Sabas, consiga...?

—Benito dijo ayer tarde en la taberna que creía que siete vacas eran ya mucho para él...

Lo único que yo pedía en mis oraciones era un poco de tiempo para poder pensar que no era posible que sucediera nada si no lo deseaba. Pero aquella opresión no me abandonaba y todo mi tiempo era para pensar en ella. Caminaba ya por un camino cuya meta no quería que figurase en mi vida. El que él me gustara o no era lo de menos. Claro que me gustaba. (Sabas: joven y viril, lleno de vida, infatigable, habilidoso, protector, capaz de salir de todos los atolladeros, resuelto, suficientemente atractivo y deseable). Pero eso no era el amor, el amor con que yo había soñado desde que me fue dado hacerlo, sin comprenderlo al principio, solamente intuyéndolo, teniendo que creer que debía existir en las relaciones entre un hombre y una mujer para que no se quedaran solamente en la serie de uniones como las que tenían lugar entre los machos y las hembras de los animales que me rodeaban y conocía; no era ese el amor anhelado y, sobre todo, yo quería figurar en él. Pero no era esa tampoco la razón, pues yo podía aceptar a Sabas sin violentar mis íntimos y no declarados deseos, ocultos entonces hasta para mí misma; es que no se contó conmigo para llegar a esa situación; fui lanzada a ella violentamente, sin remisión, y el que lo decidió tuvo que considerar que, acaso, yo no quisiera; pero no lo hizo; simplemente, me envolvió en su vértigo irracional de invencible tenacidad y me convirtió en un instrumento manejable y hasta cambiable, de modo que en aquel momento yo ignoraba si mis deseos de aceptarle eran míos o pertenecían también a él y a esa fuerza ciega.

Busqué la solución y creí hallarla al pensar que, hasta entonces, mis negativas no habrían sido lo suficientemente enérgicas, y traté de que lo fueran. Pero él siguió inmutable, viajando hasta el baile los domingos (aunque, después de que me comunicó lo de los muebles, ya no volvió a repetir la pregunta invitándome a bailar, no porque considerase demasiado ridículo el hecho de seguir haciéndola después de tres meses de fracasos, sino, seguramente, por saber que la primera fase estaba rebasada, las primeras fortificaciones destruidas, y a otra arma correspondía el seguir atacando). Desesperada, confié en el último "no", el de la iglesia (ya me veía en ella, arrodillada a su lado, secuestrada), confiando en que la situación me diera fuerzas. Pero cuando empecé a pensar en la vaca, supe que también había rechazado ese consuelo extremo.

La vaca. Me pregunté: ¿qué podía ser más fuerte: mi voluntad de resistir o las sucesivas negativas de Benito a venderla? Pues él, Sabas, seguía insistiendo tercamente. Aparecía por el caserío del lechero una vez por semana, o dos, hablándole de cosas que se ignoraban, tratando de convencerle o interesarle en algún cambio o venta o promesa; eso creíamos todos; no engaño: él no era capaz de hacer tal cosa. Benito tampoco explicaba en la tasca de qué le hablaba Sabas, ni de qué modo, ni qué le prometía u ofrecía, como si se avergonzase de tener que escucharle, de no poder rechazarle, de declararse vencido antes de realmente estarlo. Y así fue cómo llegué a confiar mi salvación en esa vaca, pensando que si él no la conseguía, si la vaca podía convencerme de que era vulnerable, vencible, existiría para mí alguna esperanza.

Luego, en mayo, llegó al pueblo el vendedor catalán, con sus dos maletones forrados en hule, llenos de telas de colores, puntillas, botones y cintas, que visitaba el pueblo todos los años y en él permanecía alrededor de dos meses, no porque tuviera allí suficiente clientela, sino porque

lo usaba como cuartel general, desde el que iniciaba sus
recorridos de uno, dos o tres días por los pueblos de la
zona, para regresar al punto de partida a reponer fuerzas
en la casa de la estación del ferrocarril, donde se alojaba, comía y dormía. Rechoncho, de rostro colorado, eternamente risueño, hablador, insincero, cuya otra vida (la
que le ocupaba los diez meses restantes del año, allá en
su Barcelona) nos era por completo desconocida, aunque
él se refería a ella con excesiva frecuencia, y por eso mismo jamás le creíamos una sola palabra; seguramente casado y con varios hijos, si bien nunca le vimos un anillo
matrimonial (lo llevaría en algún bolsillo, pues al despedirse de su esposa forzosamente lo tendría que exhibir en
su lugar, en el dedo); esperando en vano la aventura fácil, con casada o soltera, y hacer que, a su regreso, el
relato ante sus amigos de semejantes incidentes resultase
por una vez verdad.

Lo utilicé, sencillamente, porque yo quería también decidir, no quedar a la espera de lo que los acontecimientos
me depararan. Sí, empecé a salir con él, asombrando con
ello al pueblo y a mi familia, pues todos sabían que ninguna muchacha habría hecho lo que yo, dejarse acompa-
ñar por aquel viajante forastero, que quedaba fuera del
círculo de posibles pretendientes por más de doce razones, entre las que se contaban como seguras su forastería
y su insinceridad, y como probables, su estado casado o,
por lo menos, sus promesas desparramadas por tierras ca-
talanas. Lo utilicé. Necesitaba una especie de golpe de
efecto, un fogonazo llamativo, una tormenta que elevase
las aguas y luego se desviasen en otra dirección, alterando lo que yo tenía por inevitable; y no me consideré de-
fraudada porque, al parecer, el único que no se preocupó
de mis relaciones con el vendedor catalán fue él, Sabas,
quien siguió apareciendo los domingos por Berango (aunque, ahora, debía esperar nuestro paso por la carretera,
cuando ese hombre y yo realizábamos el recorrido de todas las parejas del pueblo, por los mismos sitios: el pórtico de la iglesia, las rudimentarias aceras y la carretera
hasta un kilómetro por uno y otro lado del pueblo; cuando nos descubría se quedaba mirándonos, mirándome, mejor dicho, pues en nada se advertía que veía al vendedor,

y hasta me saludaba suavemente, serio, inescrutable, odiosamente tenaz, hasta que nos alejábamos de él, y ya no le volvía a ver hasta el domingo siguiente): es que contaba con otra fuerza, la que me daba la certidumbre de que el primer beso que recibía una muchacha sellaba algo eterno o por lo menos durable en tanto no se demostrase que el hombre rehuía el matrimonio o estaba ya casado con otra, y que, en un caso u otro, contaba con un intervalo de tiempo de precioso valor, una pausa, en tanto se descubría lo que había que descubrir, que aprovecharía de algún modo, que, al menos, no podría aprovechar él, Sabas, y sería un tiempo que correría inútilmente, que se escaparía de su inamovible plan de espera, en el que el tiempo era fundamental.

Luego llegó julio y, en la noche del día 30, cuando regresaba a mi casa con el burro cargado de hierba para la única vaca que teníamos, le vi en la estrada, esperándome. Sólo se movió al estar yo a su altura, después de haber pasado el burro.

—Espera — me dijo, tomando de unas zarzas una pajita y empezando a romperla entre los dedos. Se había colocado en medio del camino, por lo que forzosamente tuve que detenerme —. No me importa nada. Escucha. Necesito hablar contigo. Ya está todo decidido y no hemos todavía hablado una palabra. Te vendré a buscar mañana por la tarde para acompañarte a la romería de San Ignacio.

Al acabar de hablar, introdujo en su boca la pajilla que había partido y dio la vuelta, alejándose silenciosamente en la oscuridad.

Pero yo estaba decidida y me sentía fuerte por vez primera: me respaldaba el único y desagradable beso del vendedor catalán. Pero, cuando a la mañana siguiente, vi a Sabas por la carretera, de regreso del caserío de Benito, con la vaca tras él, conduciéndola de una cuerda, caminando pausadamente, sin que en su rostro se leyese ni asomo de su triunfo, tieso y serio, comprendí que todo había sido inútil y que sólo me restaba mirar al cielo por la parte del mar para saber si a la romería de la tarde debería llevar paraguas.

Quise ver al vendedor y fui en su busca, pero me di-

jeron que no regresaría hasta la noche. Así, que no pude
decirle que rompía con él. Y esperé a Sabas y me llevó
a Algorta, a la romería de San Ignacio. No sabía lo que
me pasaba; no podía pensar, como si él ya se hubiese
adueñado hasta de mi yo interior.

Allí me tenía, no escuchándole sino solamente oyéndole, forzada a hacerlo porque disponía de dos oídos sanos
y estaba a su lado (y aún no podía creer que fuese así),
sin que la algarabía de los tíovivos, los puestos de churros
y patatas fritas, los mostradores sirviendo cervezas y gaseo-
sas, y la banda municipal, con uniforme azul y, en sus des-
cansos, los chillones altavoces, consiguieran interponerse
entre los dos, interrumpir sus frases entrecortadas, por las
que me enteré que la cama y el armario de roble ya estaban concluidos e incluso me explicó qué clase de adornos
labrados llevaban, y que había fijado la fecha de la boda
— el 31 de agosto próximo —, de modo que hasta dejaría de tener un noviazgo como toda mujer sueña, con su
tiempo adecuado y sus formulismos necesarios; que me
arrancaría de mi soltería y, sin transición, me convertiría
en su compañera de lecho, raptada, secuestrada y, en cierto modo, hasta esclava, pues me dijo también que aquella
era una buena fecha para luego realizar los dos juntos la
recolección del maíz en septiembre; privándome también
del viaje de novios, trasplantándome en un mismo día de
mi casa de soltera a la de casada, del convento al lupa-
nar, sin la purificación que es para toda mujer el viaje
nupcial (la primera noche y las siguientes, hasta siete o
quince — o la primera tan sólo — bajo un cielo distinto
y nuevo para nosotras, en la habitación nueva de una ciudad nueva, lejos del pueblo o ciudad nativos, con las nuevas y finas ropas blancas estrenadas aquella misma primera noche, pudiendo con todo ello creer más fácilmente
que hemos entrado en un mundo de fantasía, en el que no
sólo todo es posible, sino hasta lógico y perdonable, incluso la obsesión que nos ha dominado desde nuestros trece
o quince años: el sexo); queriendo purificar lo que no necesita purificación, pues nació ya puro en el mismo instante en que el hombre o la mujer, al admirar a su pareja, admiraron a los hijos no nacidos aún, sobrando todo
lo demás. Tampoco tendría eso.

Estábamos sentados en una campa próxima a la romería, y oscurecía. Me levanté y le dije:

—Me abrazó y me besó. ¿También saltas sobre esto?

—Está bien — contestó él —. Contaba con ello. Pero no más que con ello.

Hablaba convencido de lo que decía, seguro de sí mismo, previsor de todo, dominador, casi con poder para manejar los hilos de las vidas de los demás.

—¿Adónde vas? — me preguntó.

Pero yo ya corría, alejándome de él, desesperada, abriéndome paso a codazos entre toda aquella gente, y supongo que sollozando. En todo el trayecto hasta Berango, hasta la casa donde se alojaba el vendedor catalán — casi una hora —, no volví la cabeza para ver si me seguía. Así, que subí las escaleras y llamé suavemente a su puerta (se alojaba en la buhardilla, solo) y él la abrió y me miró extrañado, pero en seguida sonrió y su rostro se transformó súbitamente en repugnante. Se hizo a un lado, dejándome sitio para que pasara. Pero no me moví. Y, entonces, volví la cabeza atrás, aunque no fue ese precisamente el gesto: miré hacia la escalera, hacia abajo, tratando, al mismo tiempo, de escuchar algo. Él me miró, miró hacia la escalera, me miró otra vez y sonrió, volviendo a ocupar el centro del umbral.

—Es una lástima que él no te haya seguido — dijo, con sus ojillos risueños —. Por lo menos, habrías dado el paso de cruzar esta puerta y yo habría podido cerrarla a tus espaldas. Aunque nada habría cambiado con ello, pues lo que le contases después no podía ser tomado en consideración; simplemente, no te habría creído; y lo que yo le dijese — si elegías este procedimiento — tampoco valdría, porque lo que un hombre cuente acerca de estos asuntos, y especialmente si se trata de uno de vida ambulante, se tiene por fanfarronada. Era necesario que lo viera y luego estar seguro de no haber soñado. Tenía que haberte seguido hasta aquí y verlo por sus propios ojos. Porque un hombre que ha sido capaz de conseguir esa vaca de Benito, aunque sea a costa de pagar todo ese dinero, es capaz de no creer ya en ninguna lógica que se refiera a los hombres...

Así, que era eso: la vaca, la causa de que no pudiese

pensar en un viaje de novios, ni siquiera en una fugaz estancia en San Sebastián; había gastado todos sus ahorros, considerando que para tener una mujer podía suprimir muchas cosas, incluso el dinero, pero si quería una vaca, y más si era como aquélla, debía pagar por ella forzosamente.

Y allí permanecí, ante la puerta abierta, rígida, ofuscada, después de descubrir que aunque avanzara un paso y cruzara aquel umbral y entrara en posesión de una fuerza mucho mayor que el simple beso para resistir y — supuse — vencerle, no conseguiría nada, pues era invencible, pues ni recurriendo a todo de lo que una mujer es capaz de desprenderse para conseguir algo, me libraría de su tenacidad.

El viajante me seguía mirando y yo levanté la cabeza y le pregunté:

—¿Tiene usted — dejando de tutearle de nuevo — un modelo para bordar sobre unas sábanas una J y una S superpuestas?

22   *Pedro*

Sabas, sentado sobre el madero, de cara al extremo que apunta al abismo, está pasando a Cosme la polea con el corto cable. Cosme ocupa el mismo lugar desde el que, poco antes, dio esos saltos para demostrar a Sabas que la viga se hallaba bien afirmada con las piedras que ya tenía. Con sus dos piernas entrelazadas por debajo de la viga, gira la cintura y recoge el aparejo con la mano derecha y lo apoya en seguida en el mismo borde de la viga, donde lo sostiene con la izquierda, y con la mano libre empieza a arrollar el cable al madero. Luego, suelta la polea, que queda colgando del cable en el vacío, y sigue arrollando la otra mitad de éste, rematando con un tosco nudo de sus dos extremos, en la parte superior. Después, por un momento, creo que se va a colgar con las manos de esa polea, para asegurarse si está bien puesta, y miro a los demás, a Bruno, a Fermín, a Ismael, que contemplan a mi lado lo que hacen los dos, y les noto también asustados. Pero, en vez de eso, Cosme mira hacia arriba, levantando mucho la cabeza, como si pretendiese oler el

aire, sin preocuparse del agua que le cae en pleno rostro y escurre por su cuello, introduciéndosele entre la ropa
y la carne. Vemos entonces lo que él ha descubierto momentos antes: un pequeño bando de avefrías, que se precipita hacia el mar; los pájaros vuelan como alocados, batiendo sus alas furiosamente; se adivina que andan desorientados; se pierden en la oscuridad y los dejamos de
ver, pero aún sigue Cosme, durante varios minutos, con
la vista clavada en la tormenta, en la dirección en que el
viento o el mar o los demonios se los han tragado.

—La cuerda —pide, después, Cosme.

Y Bruno levanta el rollo y se lo lleva a Sabas, y éste
toma un extremo y extiende el brazo con él, inclinándose
al mismo tiempo sobre la viga, como antes lo hizo al entregar el aparejo, para que Cosme lo pueda alcanzar; lo
alcanza y ahora lo pasa por el canal de la polea y empieza a tirar de él, en tanto Sabas le va dando más cuerda, hasta que de ésta quedan colgando de la viga un montón de metros. Luego, Cosme cobra de la cuerda hasta
que consigue recuperar el extremo, y con él en la mano
retrocede por el madero, apoyándose en él con las manos
y arrastrando sus posaderas.

—Dame ese farol, Ismael —dice Sabas, ya en pie,
señalando uno de los dos que tenemos a nuestros pies y
que han sido encendidos poco antes por él mismo.

—¿Qué vas a hacer? —pregunta Bruno.

—Bajar con la cuerda a las peñas —revela Sabas.

—Se puede bajar mejor por el sendero, con menos
peligro.

—No, porque así veré cómo está la pared por la que
los sacos han de arrastrarse al subir.

Y se agacha a echar una ojeada al farol que el chico
le ha acercado y entonces veo a Bruno dirigirse hacia Cosme, con el otro farol, cogerle la cuerda que aún sostiene
y empezar a arrollársela a la cintura, dando después un
nudo, colgando después de la cuerda el gancho que tiene
el farol.

Sabas le ve y va a gritarle algo, pero ya él se ha sentado en el borde del monte, con las piernas colgando fuera, y nos dice:

—Tirad de la cuerda. Tensadla.

Por un momento, Sabas no sabe qué hacer, si correr
hacia Bruno e impedirle que haga aquello o agarrar la
cuerda que los demás ya estamos sosteniendo. Pero Bruno
se deja caer, arrastrando la trinchera por el monte y asiendo con fuerza con ambas manos la cuerda por encima de
su cabeza. Sentimos un fuerte estirón, pero aguantamos
bien, y oigo a Sabas que me grita muy cerca, con la cuerda entre sus manos:

—¿Por qué le dejaste, Pedro?

23　　Cosme

Las avefrías pasaron muy cerca de mi cara y casi las
olí; por lo menos, casi toqué su miedo. Me lanzaron el
viento de sus alas al rostro y se perdieron en la noche,
aplastadas por la tormenta, pareciendo que ellas solas estuvieran sosteniendo toda la ira vertical de esa tormenta
y sus fuerzas limitadas de avefrías cediesen y ellas cayeran más y más, como comprimidas y aplastadas. Quizá se
hayan salvado de caer al mar; quizá hayan bordeado la
bahía y encontrado una zona más calma o aprovechado
un instante de descuido del viento y alcanzado los tama-
rises de la playa grande de Algorta, la de los ricos de Neguri. La abuela diría amén.

Los tirones se transmiten por la cuerda nerviosamente,
como ráfagas de mal humor; no es la sensación de sentir
al extremo de la cuerda un peso uniforme cayendo a una
misma velocidad, sino que nuestras manos han de estar
preparadas a aguantar un golpe seco después de unos segundos — pocos: dos o tres, cuanto más — de alivio. Eso
basta para que sepamos de qué modo está bajando Bruno. La pared del monte debería ser vertical o, por lo menos, tener una inclinación hacia dentro según se va descendiendo, de tal modo que la base apareciese como des-
gastada por las olas, hundida, metida hacia el monte; pero
no es así: todo en esta noche está maldito: sale hacia fuera, desafiando al mar, provocándole a probar sus fuerzas,
y resulta extraño que siendo la única parte en toda esa
vertical de la ladera que sufre una labor apreciable de
lima, sea la que disponga de más masa. Y Bruno ha de
bajar apoyando sus pies en esa pared inclinada, saltando

hacia atrás a cada impulso que se da con esos pies y preparándolos para apoyarlos un metro más abajo, y así recibimos esos tirones.

—La cuerda no va a alcanzar hasta abajo —susurra el tío Pedro, sujetando su trozo con angustia, respirando con dificultad, agotado.

El padre, que ocupa el lugar más próximo al borde del monte, sostiene la cuerda hasta con delicadeza, atento, captando cada movimiento de la bajada de Bruno, los tirones, adelantando una mano para mejor tomar su pulso, y parece que lo que sostiene no es una tosca cuerda sino el sensible sedal que usamos para pescar jibiones en bote. Dice al tío Pedro:

—Llegará. Tiene que llegar.

Y da la impresión de que eso es lo único necesario para que la cuerda resulte suficientemente larga: su voluntad de que así sea.

La vamos soltando lentamente, bien asentadas nuestras botas en la tierra empapada, uno detrás de otro, oliendo la humedad de la espalda que tenemos delante: primero, el padre; luego, Ismael, Fermín y yo, y el tío Pedro el último. De pronto, advertimos que cesan los tirones, que la cuerda se afloja. Vuelvo la cabeza y miro al tío Pedro.

—Ya está abajo —murmura, con dificultad.

Y suelta la cuerda, pero el padre exclama:

—¡Seguid agarrando! No es posible que...

El siguiente tirón es mucho más violento que los anteriores y al tío Pedro le ha sorprendido en el mismo momento en que iba a agarrar de nuevo la cuerda. Con el apresuramiento por hacerlo, se le escapa de las manos y resbala y cae de rodillas, sobre las humedecidas argomas. Con ojos aterrorizados, mira la cuerda, pero no recobra la respiración normal ni cuando se da cuenta de que la hemos podido controlar.

Bruno se habrá detenido en alguna pequeña meseta, a descansar o, simplemente, buscando el mejor sitio para proseguir su descenso. Minutos después sabemos que ya ha llegado a las peñas porque da tres tirones suaves a la cuerda, antes de dejarla floja. No quedamos en que lo hiciese, pero, ¿qué otra cosa pueden significar esos tres tirones?

Los cinco, instintivamente, nos acercamos al borde del monte y, arrodillándonos, miramos hacia abajo, pero sólo conseguimos ver un trozo de cuerda de unos cuatro metros, pues el resto desaparece en la oscuridad, en la negra noche, en el viento que la hace oscilar pesada y solemnemente en toda su largura, ya empapada antes de que Bruno se la arrollara a su cintura, naciendo a nuestro lado y hundiéndose en el misterio y la promesa...; y las luces de los faroles de carburo, sobre las peñas, esparcidas aquí y allá, pegadas al monte, y a su lado las sombras que se mueven silenciosas, que sabemos lo que hacen como si estuviéramos a pleno día.

Oigo el batir de unas alas sobre nuestras cabezas, pero los otros no se dan cuenta de ello, y supongo que será porque yo lo he presentido más que oído, pues resulta que el pájaro está volando más alto de lo que yo creía, realizando pasadas por encima, atraído por la luz del farol.

—El agua se te está colando por el cuello de la trinchera —me dice el tío Pedro—. No levantes tanto la cabeza.

—¿Por qué no vemos a Bruno ni a nuestro farol? —pregunta Ismael.

—Nos los tapa el saliente que el monte tiene a media altura —dice el padre—. No fue un buen sitio para colocar la viga. La cuerda se gastará antes al rozar tanto en ese saliente. Debimos mirar más antes de elegir este sitio.

Ismael da un grito:

—¡Bruno! ¿Me oyes, Bruno? ¡Brunooo...!

Pero resulta ridículo en medio del terrible ruido de esta noche, se pierde nada más salir de sus labios, arrastrado por el vendaval, que llena impetuosamente su boca y le deja por unos momentos sin aliento. El padre le toma del brazo y le aparta del borde del monte.

¿Qué será? ¿Una paloma torcaz? ¿O zurita? ¿O una avefría? ¿O una aguseta? Noto que el agua que se me ha colado por el cuello de la trinchera resbala ahora por mi pecho y estómago. Está helada.

Mientras cobra la cuerda, Sabas nos dice que traigamos de la carreta los sacos de carbón, todos. Cosme, Ismael y yo vamos por ellos, y Fermín se queda mirando el extremo de la viga, el aparejo, esperando a que aparezca la punta de la cuerda.

Cuando volvemos, llevando entre los tres los treinta y un sacos que acabamos de contar, Fermín está tendido boca abajo sobre la misma esquina del monte, como una enorme peña dispuesta por unos defensores para arrojarla sobre un enemigo, y alarga el brazo para coger la cuerda, de la que ya Sabas ha dejado de tirar, pues vemos que su extremo cuelga a un metro de la polea. Fermín consigue asirla y se levanta y la trae con él, y oímos de nuevo el chirrido del eje al girar.

Sabas le toma la cuerda y la extiende en el suelo y empieza a amontonar los sacos sobre ella, plegados, hasta formar un montón, que luego rodea con la cuerda.

—Súbete encima — dice a Ismael.

Y el chico trepa al montón de sacos y da unos saltos para aplastarlo y poder atarlo mejor. El agua escapa por los costados de la pila y parece realmente que Ismael está saltando sobre una esponja gigantesca. Sabas anuda la cuerda y entre él y yo, ahora que el chico ya ha bajado, empujamos el bulto hacia el borde del monte. Como Fermín, Cosme e Ismael están ya sosteniendo la cuerda, Sabas y yo damos un último empujón y los sacos quedan balanceándose del aparejo y, de pronto, empiezan a descender a vertiginosa velocidad, con un agudo chirrido de la polea, y les vemos dar varios tumbos, al tropezar contra el monte, antes de que desaparezcan en la oscuridad.

—Despacio... — dice Sabas suavemente, sin verdaderos deseos de ser obedecido, como si deseara acariciar aquella operación que sigue demasiado atentamente con una palabra que casi encierra cariño.

Vuelvo la cabeza y veo que Ismael sonríe como el niño que es, pues la cuerda, al deslizarse rauda por entre sus manos, le produce cosquillas...

La medalla. Aquel día ganamos. Les sacamos más de tres cuerpos a los segundos. ¡La trainera del Puerto de Algorta! Bogamos como fieras, con los torsos desnudos y sudorosos, estallantes de músculos, rítmicos e iguales, obedientes al patrón, agarrando furiosamente los remos que al entrar en el agua se combaban y hacían que la trainera saltase. ¡Dios! Sostuvimos aquella marcha, aguantamos el enorme esfuerzo justamente hasta el mismo instante en que el pequeño patrón dio el grito y el gentío empezó a aclamarnos, aunque nosotros no veíamos a nadie, pues habíamos arrancado las doloridas manos de los remos (no soltado, ni dejado, sino arrancadas las manos de ellos) y lanzado pesadamente medio cuerpo fuera de la borda, sepultando la cabeza en el agua salada y quedando allí para convencernos de que el descanso y el frescor todavía existían en el mundo; todos de una misma banda, de modo que la trainera escoró lo suficiente para que también nuestros torsos se bañaran cómodamente y nuestros brazos colgaran inertes y verticales, en prolongación del cuerpo, con los dedos apuntando al fondo; parecía que no hubiésemos sido capaces de dar ni una bogada más, como si el grito del pequeño patrón hubiese hecho saltar nuestras cuerdas, calculadas cronométricamente para que duraran hasta aquel apoteósico instante.

Pero aún tuvimos fuerza para empuñar los remos y elevarlos verticales, apoyándolos en el fondo de la trainera, saludando y correspondiendo a la gente que atiborraba los muelles y los montes de la bahía agitando banderas y pañuelos y gritando.

Luego, nos encontramos ante las autoridades, ante el alcalde, que pronunció palabras que nosotros no entendimos, aunque supimos lo que quiso decir con ellas. Entregó después al pequeño patrón un sobre con el dinero del premio, y una blanca y reluciente copa, y a todos, uno por uno, fue colgando de cada camisa blanca una medalla conmemorativa. Al llegar frente a mí, tuvo que alzar sus manos más que con cualquier otro, y me miró.

—Bravo muchacho —me dijo, con su rostro terso y

limpio, sonriente, perfectamente afeitado, oliendo a colonia cara, y aquellas manos suaves, sin callos, sonrosadas, y sus ropas buenas y bien planchadas, y aquella camisa blanca, escandalosamente blanca, como jamás viera yo una; aquel hombre de otro mundo repitió —: "Bravo muchacho".

Y me lo dijo a mí, a quien nadie, hasta entonces, dedicó no sólo la menor alabanza sino ni siquiera aprobación a ninguna de las cosas que yo llevaba hechas. La medalla quedó colgando de la tela de mi sudada camisa; notaba su peso; y él seguía mirándome sonriente, afable, como a un igual, y yo toqué la medalla con los dedos y me eché a llorar y todos creyeron que era por la emoción de la victoria.

Para cuando subimos por la tarde al camión — en el que ya se hallaba la trainera sujeta con cuerdas —, mis compañeros estaban bastante bebidos, y no cesamos de cantar hasta llegar a Bilbao y a Algorta, al bar de la playa, en donde se había organizado una cena. Pero yo no canté más ni casi les vi: miraba mi medalla y siempre que creía que no me observaban, la acariciaba con mis dedos.

Y allí estaba ella. La vi mezclada entre los demás, aunque descubrí que se encontraba distante de todos ellos, mirando un punto determinado y reconcentrada en él: mirándome a mí. No de un modo insistente, pues nada más fijar yo la vista en ella, desvió la suya, si bien no simuló intervenir en el jolgorio de los que la rodeaban: permaneció quieta y silenciosa, sentada en la silla plegable, con las manos cruzadas sobre su regazo, y yo sabía que me miraba cuando yo no lo hacía. Era un modo de mirar distinto al de otras veces: expresivo, quizá suplicante y, a todas luces, desconcertado, lo que constituía su acusada característica. Muchas veces nos habíamos mirado, ella a mí y yo a ella, pero entonces era diferente, por su parte. Y deseé ansiosamente que sus miradas significasen lo que yo anhelaba ardientemente, enloquecido como estaba por aquellos gritos y canciones rudas, la abundante comida y la bebida que me obligaban unos y otros a tomar, abrazándome y repitiéndome, como si yo lo fuera a olvidar: "¿No oíste? Te llamó «bravo muchacho», haciendo que mi sangre ardiera, que alcanzara su apoteosis de deseo,

cuando se hizo ya de noche y ella se levantó y abandonó
a todos (con los que en ningún momento de la fiesta había
estado mezclada) sin que nadie se diera cuenta, y se dirigió hacia la playa, envuelta, entonces, en sombras. Me
miró una vez más, esta vez sin reservas, frente a frente,
al pasar ante mí, y yo dudé si debía corresponder o no
a su mirada, porque ya para entonces sabía lo que sus
ojos expresaban.

Un calor sofocante atenazaba todos nuestros movimientos. La oscuridad de la noche parecía retener el calor como
en el fondo de un arca sin ventilación, y bebíamos más y
más, sudando sin cesar, aunque sin conseguir eliminar toda
la furia animal que despertaban la noche, el calor, la bebida y las voces roncas, varoniles y maliciosas, que acabaron proponiendo lo inevitable: el viaje en el mismo camión a Bilbao, a encerrarse cada uno de ellos en una
pequeña, maloliente y sucia habitación, con un lecho su-
dado y una mujer que, mientras bebe la cerveza que él
ha pagado y echa un vistazo a la esfera de su reloj ba-
rato, se pregunta, respirando fatigosamente, cuándo amanecerá la próxima madrugada fresca.

Pero yo no fui con ellos. El ruido del motor del camión desapareció (no llevaron esta vez la trainera; la habían bajado antes a la playa con la intención de dejarla
allí hasta el siguiente día, en que la tripulación debería
realizar en ella un recorrido por todo el abra, para que la
gente de nuestro pueblo nos contemplara a su gusto) y yo
me quedé mirando la playa, sin verla, pues la noche era
cerrada. Pensé en la orgía en que ellos iban a embarrar-
se y respiré hondamente. La cerveza y el coñac pesaban
en mi estómago y en mi cabeza. Un hombre se apartó de
mí exclamando que parecía una estufa. Me levanté y caminé hacia la playa.

La vi junto a la trainera, en pie, esperándome. Cuando
me detuve a dos metros de ella, supe que su rostro lo tenía vuelto hacia mí, aunque no la reconocí por ese rostro, sino por su inmovilidad y hasta por la forma de su
cuerpo.

De pronto, desapareció. Avancé y la vi tendida en la
trainera, sobre los bancos, pero ya no me miraba, sino que
su mejilla se apoyaba ahora en una de las tablas y sus ca-

bellos cubrían parte del banco. Sus hombros se estremecían.

—Olvida quién soy — me dijo en un susurro, tan quedamente, que pensé si no sería mi propia mente la que había hablado, pues eso era precisamente lo que necesitaba decirme: "Olvídate de que es ella. ¿Podrás?". No debía pensar que no importaba o que me tenía sin cuidado, sino que debía olvidarme de quién era.

La trainera se movió y crujió cuando me apoyé en ella, pues había conseguido ya olvidarme, no sólo de quién era, sino de que constituía un algo independiente, una mujer, y la relacioné con la noche calurosa, con el suave golpeteo de las olas contra la arena, con las nubes y con las escasas estrellas; con la bebida y con nuestro triunfo; con mi triunfo; con las dos vanas palabras "bravo muchacho" y con la medalla. La asimilé, la envolví en la vorágine de aquella noche, pensé en ella como en la noche misma, el monstruo hermafrodita que nos había transformado, del que yo elegía, ahora, la mitad de su ser, la femenina, y así podría calmar él mismo lo que había encendido.

Sabía que ella veía las estrellas porque yo las veía reflejadas en sus ojos. Ya no oíamos nada; sólo a nosotros. La noche repetía a intervalos palpitantes:

—Olvídate de quién soy...

La marea subió; ahora oía el mar más próximo a la trainera. Ahora oía. No como antes, que servía a la noche, y me encontraba sordo y ciego. Ahora hubiese querido destruir, porque, de pronto, descubrí que todo había sido falso, que el hombre de la camisa blanca mintió, que la carrera de traineras jamás tuvo un vencedor, que todo volvía a ser como antes, que yo era, de nuevo, Fermín, el simple... porque no era capaz de hacer lo que todo hombre podía.

La vi desaparecer, corriendo, instantes antes de tomar el remo y emprenderla a golpes con la trainera, hasta que oyeron desde el bar el resquebrajarse de maderas y los gemidos, y llegó un grupo y me desarmó y derribó al suelo, esquivando los hombres mis puñadas y patadas, pues quería alcanzar la trainera, que todavía no estaba destrozada.

Cuando quedé exánime, agotado, me pusieron los pan-

talones y oí que comentaban que con aquella trainera no
podríamos girar la vuelta del día siguiente por el abra.

Pero, no resignándome a perder por completo todo recuerdo de aquel día, deseando furiosamente poseer algo
que eternamente me repitiera que ni en un solo momento
había dejado de ser Fermín, el simple, que para mí no
cabía esperanza, guardé la medalla y ella fue para siempre mi burla; la oía reírse de día y de noche, pero no podía apartarla de mi lado porque hablaba la verdad y me
impediría caer de nuevo en el engaño. Sólo me consolaba
pensando que, a mi muerte, me separarían de ella.

VII

P OR fin, apareció ante nuestros ojos el primer saco lleno
de carbón. Tardamos nuestros buenos diez minutos
en izarlo, en hacer que rebasara el borde del monte y lo
pudiéramos ver, comidos de impaciencia durante esos eter-
nos diez minutos por comprobar si tendríamos éxito, si la
cuerda resistiría no solamente el peso sino también el roce
contra las peñas, si la viga estaba suficientemente firme;
por comprobar, incluso, si seríamos capaces de resistir el
fracaso. Pero lo vimos allí, colgando, y no nos pareció un
ahorcado sino un globo de ilusiones: inerte, macizo y mojado, como resumen y compendio de todo lo que podíamos
ser, símbolo y emblema de un insignificante grupo humano que no pedía más que calentarse en invierno, que lo
bordaría (el emblema: ese saco) en la bandera tras la que
algún día se lanzaría al asalto del hotel o mansión con ca-
lefacción central, rogando al portero de librea (en vez de
gritar, como en plena marcha el grupo pensaba): "Sólo
queremos conocer de qué modo se calientan los que no
han tenido que ensuciarse las manos de negro".

Allí estaba, colgante e indiferente, y, mientras los demás seguíamos sosteniendo la cuerda, el padre se acercó
a él y, desde el borde del monte, lo agarró con la mano
derecha de una punta y lo depositó en la esquina terro-
sa, en tanto que nosotros dábamos más cuerda. Luego, rodeados (el padre y el saco) de todos, él desanudó la cuerda
y la dejó caer y abrió la boca del saco y, alargando las cabezas, lo vimos: el negro carbón brillante de trozos irre-
gulares, ni grandes ni pequeños, que consolaba del frío
con sólo verlo, con poder suficiente para lanzar a las na-
ciones a guerras, grasiento, materialización de la caridad

que ofrece calor, agradecido a nosotros, sus predestinados desenterradores, pues tenía que saber que le habríamos vuelto a la actividad, a la luz, después de que otros hombres le hubiesen arrojado, ya cadáver para ellos, al mar, de cuya tumba nosotros le rescataríamos y se sentiría de nuevo vivo al saberse eficaz. El padre introdujo sus manos mojadas en aquella masa, que crujió cuando los dedos apartaban los trozos (grandes y pequeños, grasientos), y luego las sacó lentamente, con las palmas abiertas hacia arriba y un montoncito de carbón sobre cada una, chorreando trozos, como dos cascadas. Miramos el semblante casi emocionado del padre, miramos lo que él miraba, sus manos, y pensamos muchas cosas, de esas que no pueden salir del interior de cada uno, no porque desconocemos las palabras apropiadas que las expliquen, sino porque esas palabras no existen, porque las palabras son para explicar cosas o deseos o pensamientos catalogados, y lo que sentíamos al ver ese carbón cayendo de las manos del padre pertenecía al poso inamovible de los siglos y las generaciones, eterno y único, pero no depositado por esos siglos y esas generaciones abstractos sino por los hombres, por cada hombre, hermético e inescrutable, creador de las suficientes palabras para relacionarse superficialmente con los que, desde hace escasamente veinte siglos, le vienen asegurando que son sus hermanos, y él se esfuerza por creerlo; esas palabras vacías que, cualquiera que sea el idioma a que pertenezcan, siempre serán extranjeras para él, su inventor, que sólo le sirven para comer, luchar y hacerse el amor, y ahí se detienen, pues el muro con que el hombre ha rodeado ese poso es insalvable, y esta inviolabilidad está asegurada por la falta de las palabras que él no ha querido crear, o no ha podido, las únicas que le harían conocible a los demás, que harían conocible ese poso, que es lo mejor, acaso lo único o, por lo menos, lo más digno de él, pero cuya concha seguirá cerrada y su contenido inexplicable, y así los hombres no dejarán de ser extraños unos a otros, como desde el principio de los tiempos, cada uno celoso guardián de su intimidad, que han ocultado tan honda que sus propios dedos ya no la alcanzan, aunque saben, por otra parte, que se halla a salvo de toda invasión y pueden gritar orgullosos que jamás hubo esclavos en el mundo, que ni los cien mil constructores de las pirámides lo fueron; tan guardado, que el hombre mismo casi ha olvidado su existencia. Ese poso de cada uno que, ahora, lo sentíamos agitarse y callábamos; nos hablaba sin lenguaje y callábamos; nos enlazaba al grito del primer hombre que vio el primer rayo y callábamos; hondo, inaccesible y desconocido, pero evidente, que aquel carbón había hecho salir de su letargo, no para convertirnos en semidioses hermanados por una causa común, sino para rechazar con más fuerza toda posibilidad de confraternidad, pues hasta los mismos gemelos en el útero luchan por separado por absorber la mayor cantidad de sustancia alimenticia. Miramos las manos, nos miramos unos a otros, y callamos. Y no hubo más.

Luego, el padre dijo que le cargase alguien el saco a la espalda, pero Fermín lo apartó, colocándose espatarrado ante el saco, que le llegaba por lo menos hasta el estómago, y después de contemplarlo durante unos instantes, con su rostro inexpresivo y redondo, que ni las gotas de lluvia que lo azotaban lograban desposeerle de su tono rosado, sus ojos ausentes — aún entonces, que estaba concentrado en la realización de un trabajo —, extendió las manos, formó dos orejas con la tela de la parte alta del saco y, agarrándolas con sus manazas, alzó la carga con facilidad, al mismo tiempo que él se ladeaba, ofreciendo al saco su espalda y en ella acabó aquel su trayecto, realizándose la operación tan suavemente como había empezado, sin un esfuerzo innecesario ni una vacilación. Luego, caminando como era en él habitual, lenta y premeditadamente, sin parecer que transportaba peso alguno, se dirigió hacia la carreta, pero antes que él llegó el padre y desencajó y retiró la cartola posterior y Fermín pudo apoyar el enorme saco en el fondo de la carreta, de espaldas a ella, para en seguida volverse y, ahora ayudado por el padre (aunque él no hubiera necesitado a nadie), vaciar el saco, cuyo contenido se desparramó por las mojadas tablas.

Después ya no hubo pausas: todo fue un constante subir sacos llenos tirando de la cuerda, transportarlos a la carreta y vaciarlos, atar los vacíos con el extremo de la cuerda y bajárselos a Bruno para que los llenara, los sujetara a la cuerda nuevamente y diera un tirón a ésta para avisarnos.

A un lado y otro, en el monte, grupos de presurosos hombres se afanaban, alrededor de sus faroles, por llenar pronto sus carros o carretas o los humildes cestos de sus burros, con la prisa del que teme algo; y no era el miedo a los terribles elementos de la noche lo que les inquietaba; el pavor provenía de su buena suerte, aquella gran oportunidad de que hablara el padre en la cocina, el recuerdo de generaciones infortunadas gravando sobre ellos — sobre nosotros: el padre, el tío Pedro, Cosme, Bruno, Fermín y yo mismo —, que obligaba a pensar que a todo sueño llega fatalmente su derrumbamiento y el que estábamos viviendo entonces también tendría el suyo, porque creo que ninguno de los que trabajábamos allí aquella noche, en las peñas o en el monte, osaba ni siquiera imaginar que el barco inglés y el carbón fueran otra cosa que un sueño; temiendo que una fuerza superior nos lo arrebatara, y teniendo que pensar, además, que era lo más lógico que así sucediese.

Algo vino a romper aquella vorágine monótona de carbón y sacos y chirridos de polea y gritos: pasaron unos segundos antes de que supiera lo que se proponía Fermín; le vimos coger un saco y alejarse de nosotros, en dirección al arranque del sendero que conducía a las peñas, por el que subían y bajaban hombres que pertenecían a grupos que no disponían de poleas; tomó el saco vacío, en silencio, como siempre, con sus manazas enormes con las que casi parecía poder abarcarlo, y su mirada más que alejada: ausente por completo, perdida en aquel mundo suyo del que tan poco sabíamos. Lo cogió y se alejó de nosotros, del farol, hundiéndose en la oscuridad, para, en seguida, reaparecer en el círculo de luz del farol que alguien había colocado donde comenzaba el sendero.

—¿Qué haces? — le gritó el padre —. No es necesario que hagas eso. Ya nos arreglaremos con la polea ésta.

Pero él no le hizo caso y empezó a bajar por el sendero.

—Quiere que esté pronto llena la carreta — comentó el tío Pedro, oprimiéndose con ambas manos sus riñones y echando al mismo tiempo la espalda hacia atrás —. Tiene

prisa, como todos esta noche aquí. ¿Y para qué esa prisa?
¿No es nuestra toda la noche?

—Debimos impedirle que fuera —concluyó el padre,
y volvió, como los demás, a la cuerda, pues habíamos sentido los tirones de Bruno.

Seguimos izando sacos y esperando con impaciencia.
Ahora, eran el padre y Cosme, cada uno agarrando de un
extremo, los que llevaban los sacos hasta la carreta y los
vaciaban. Desde varios viajes antes fue necesario volver
a colocar la cartola posterior, pues el carbón del fondo
formaba ya un gran montón y amenazaba desbordarse.
Fue preciso, pues, vaciar los sacos por encima de las
cartolas, y el padre trepaba por los ejes de la rueda a la
llanta, recogía el saco que le alzaba Cosme, lo apoyaba
en el borde de la cartola y luego lo volcaba.

De pronto, Cosme se arrancó la boina de la cabeza
y la arrojó furiosamente al suelo. Se hallaba tan empapada que ya no parecía un paño mojado sino una masa negra de agua concentrada en sí misma por alguna nueva
ley de física. Cuando dejó al descubierto sus cabellos,
pudimos apreciar que estaban tan mojados como si no
hubiera llevado boina en ningún momento. No se preocupó de buscar algo seco con que secarse la cabeza — sabía
que no lo encontraría allí aquella noche — antes de coger
uno de los sacos vacíos de carbón, ahuecarlo hasta formar
una caperuza como la que improvisan los descargadores
del muelle, y plantársela en la cabeza con violencia, malhumorado. Por la espalda, el saco le caía hasta más abajo
de la cintura.

Por fin, apareció Fermín, con el enorme saco a su espalda. Como aguardábamos su llegada, pudimos ver primero y a un tiempo, su cabeza emboinada y la parte alta
del saco, y luego (no en seguida, pues el ascenso era len-
to) su figura según iba emergiendo del borde del monte.
Un hombre estuvo esperando arriba varios minutos a que
saliera del sendero.

Se acercó a nosotros caminando, a pesar del saco, a
largas zancadas, lentas y dificultosas, pasó el farol de carburo y la arista del monte y, sin mirarnos, se dirigió a la
carreta. El padre le siguió, pero él trepó a la rueda y
realizó la operación de descarga sin su ayuda.

Voy y me oculto detrás de la carreta, saco la botella del bolsillo del abrigo y bebo un buen trago. Ahora creo que ya podré seguir trabajando y soportar esta lluvia que no cesa un momento y este viento. Vuelvo junto a la viga y digo a Sabas:

—Quería ver cómo están los bueyes.

Me mira fijamente y siento la sensación de que me está desnudando.

—Podríamos echarles encima esos sacos que usaremos al final —agregó precipitadamente—. Así, no sentirán tanto la lluvia.

Pensativo, él murmura:

—Los bueyes...

Y, contándolos, coge cuatro sacos y va con ellos hacia los animales y empieza a colocárselos —dos a cada uno— extendidos sobre las mantas a cuadros que ya llevan, ahora parduscas, casi negras, por el agua de que están empapadas, desaparecidos los primitivos tonos rojo y marrón. Y así, creo que él no se ha dado cuenta de que he bebido de la botella. ¡Maldito Sabas! ¿Cómo entiende que se puede aguantar todo esto sin beber algo? El estómago se enfría, el ánimo se derrumba...

—Hay que tener la cabeza despejada para hacer lo que estamos haciendo —me dijo al principio de este trabajo, cuando aún no habíamos empezado a subir los sacos llenos, mirándome fijamente a los ojos.

Fermín ya ha realizado unos siete viajes, pero cada vez que alcanza el monte con su carga a la espalda no se advierte en él nada de cansancio. Lleva un saco con la deshumanización de una máquina, poderoso y constante, teniendo que soportar él solo no únicamente el gran saco sino también más peso de agua, pues sus ropas empapadas ofrecen más superficie que las de cualquiera de nosotros, y tienen que ser así para cubrir su voluminoso cuerpo.

La llamita del farol se amortigua y lo cojo y lo aproximo a la viga, al borde del monte, para que podamos ver mejor. Sabas y los demás se hallan absortos tirando de la cuerda, subiendo otro saco.

Ahí llega otra vez Fermín, monstruoso, ya emergido del sendero y dirigiéndose a nosotros con su saco, mirando, como siempre, al suelo. Camina derecho hacia el farol, para pasar entre él y el borde del monte, como en anteriores viajes. Se sigue acercando y entonces me doy cuenta; sólo yo, pues ninguno de los demás ha movido el farol ni ven acercarse a Fermín.

—¡No sigas! ¡No sigas! ¡Párate! — le grito.

27 *Bruno*

En seguida de llegar a las peñas he sabido que todos estos malditos marineros ingleses han sido salvados por los remolcadores. No me lo dicen los hombres que hormiguean de peña en peña afanándose por el carbón, sino que sorprendo sus esporádicas frases, dichas con precipitación, tanto por no perder tiempo como por no gastar energías.

Los han pasado con la cesta del cable de su barco a los otros y todos se han salvado. ¡Malditos! ¡Por su culpa estoy ahora aquí, arañando estas peñas, en vez de...!

Las tremendas olas golpean el barco y se oyen sus crujidos, pareciendo que de un momento a otro va a deshacerse, desaparecer.

El carbón desparramado ocupa una amplia extensión, pero no la suficiente para que cada polea lo encuentre a sus pies. Yo soy uno de los que han de realizar bastante recorrido por entre peñas para poder llenar los sacos. De regreso, me he caído ya cuatro veces, librándome de las cortantes aristas de las rocas gracias a toda esta ropa que llevo; pero cojeo de una pierna. Por eso me alegro de ver llegar a Fermín.

No me doy cuenta de que ha bajado hasta que lo tengo encima. Se detiene a mi lado, gigantesco, y mira a su alrededor, al barco, a los faroles de carburo que marcan la línea sinuosa de la costa, incluso al nuestro, que descansa en una peña blanca y plana, sobre la que, en aquel momento, se apoya el extremo de la cuerda, esperando su saco.

—¿Vienes a ayudarme a cargar los sacos y a atarlos a la cuerda? —le pregunto.

—No —me contesta, con su vozarrón—. Yo subiré por ahí.

Y, al decirlo, me señala con el brazo el sendero del monte y se aleja saltando de peña en peña, aunque los suyos no son propiamente saltos, sino zancadas que bastan para alcanzar la peña inmediata sin necesidad de realizar otro esfuerzo, como he de realizarlo yo y los demás. No coge el saco que ya tengo lleno: va con el suyo vacío hasta la rompiente, donde las olas cubren un minuto de cada uno y medio la zona del carbón, y es necesario meterse casi bajo esas montañas de agua, pues el carbón de los lugares más seguros ha sido retirado ya.

Fermín regresa, con agua salada sobre sus ropas, pero con el saco a sus espaldas, y enfila ahora el sendero, después de pasar a mi lado sin mirarme.

Dos horas después, y cuando Fermín ya lleva realizados más de seis viajes, el saco que acaban de izar con la polea, se suelta, por alguna razón inexplicable, y cae pesadamente, con ruido sordo, quedando sobre la peña blanca, a mi lado, una vez ha derribado el farol, apagándolo. Inmediatamente después oigo otro ruido semejante, pero este segundo seguido de un reventón y de un desparramarse de carbón. Y entonces me doy cuenta de que lo que primero cayó no fue un saco, sino Fermín.

28   *Cosme*

El tío Pedro está caído en el suelo, cubriéndose con los brazos el rostro, y gimotea:

—¡El farol! ¡El farol!

El padre está en pie, a su lado, con los brazos colgantes, mientras Ismael y yo nos miramos y miramos a ellos sin saber qué hacer.

El tío Pedro tiembla, agitado por una especie de corriente eléctrica. Aunque sabe que el padre no ha quitado los ojos de él, cambia levemente de postura e introduce la mano derecha en el bolsillo del abrigo. Da pena ver su cara: el agua discurriendo por su estupor y miedo, su boca temblona, sus ojos desorbitados mirando al padre, a su rostro, como obligado por su pavor a hacerlo, con la valentía que da la desesperación, y saca por fin su botella, quita el corcho con los dientes y va a beber, cuando el padre, con una imprecación ahogada, propina con su botaza un puntapié a la botella, que se estrella en aquel rostro, revienta, y algunos trozos cortantes abren la carne, que empieza a sangrar, y ahora son los hilos de sangre los que, mezclados con el vino, se destacan más en su semblante estupefacto.

Después, el padre pasa por encima de sus piernas extendidas, y se dirige a grandes zancadas hacia el sendero.

29 *Bruno*

Abro una trinchera y luego la otra, rasgo todos los jerseys y al final el interior de invierno, y descubro su pecho. Acerco a él el oído y noto que todavía no está frío, pero bajo aquella tibiez engañosa ya no existe vida. Y tengo que gritarme que aquel que está allí muerto es mi hermano Fermín.

Todas sus ropas, desde la trinchera exterior hasta la prenda que toca su carne, el interior de invierno, están empapadas. También su pecho, sin asomo de vello, lo está. Es que esta lluvia insistente no puede ser contenida con nada. Como ahora cae sin tropiezos sobre su pecho desnudo, éste se enfría rápidamente. Lo he tendido sobre la peña blanca y plana. Un horrible golpe ha aplastado su cráneo, de cuya parte superior mana abundante sangre, que humedece sus revueltos cabellos rubios y luego tiñe la blanca losa.

—¡Fermín! ¡Fermín! —le llamo, pasándole la mano por el rostro.

De pronto, aparecen unas manos, que me apartan con violencia.

—¡Está muerto! —le grito al padre—. ¡Fermín está muerto!

Él lo mira por todas partes y cuando descubre su horrible herida en la cabeza, deja de escudriñar y le abrocha la trinchera. Sus movimientos son seguros y no revelan

emoción alguna. Se queda un rato mirando su rostro, sin
que yo pueda leer nada en el suyo. Recoge el farol vol-
cado y lo enciende de nuevo con una cerilla, colocándolo
luego a los pies de Fermín.

Puesto en pie, el padre toma la cuerda colgante y la
arrolla al pecho de Fermín, dejándole libre los brazos.

—Cuida de que, cuando lo icemos, sea su espalda la
que roce el monte — me dice, dando la vuelta y alejándose. Oigo de nuevo su voz, cuando ya apenas lo veo:

—No subas tú luego. No te muevas de aquí.

VIII

Recuerdo que empleamos el tiempo que habríamos necesitado para subir tres o cuatro sacos de carbón. Tirábamos de la cuerda suavemente, con manos temblorosas, temiendo que al fin sucediese lo que aquella noche sería nuevo: que la cuerda se nos escapase de entre las manos, sepultando por segunda vez en el vacío a aquel pobre cuerpo.

Hasta observé que el padre realizaba el milagro de pulsar la cuerda aún más delicadamente que antes, fijando, como todos nosotros, su mirada en el borde del monte, serio, inescrutable, marcándosele en su seco rostro más tendones o músculos que de ordinario, o pareciéndomelo a mí.

De la única garganta que salió, durante aquellos espantosos minutos, algún sonido, fue de la del tío Pedro; aunque no fueron palabras reconocibles, sino un lloriqueante gemido.

Luego, vimos el rostro y, horrorizados, dejamos de tirar de la cuerda: estaba vuelto a nosotros, cuando suponíamos, como nos indicó escuetamente el padre al subir, que habría realizado la ascensión de espaldas al monte. ¿En qué momento, algún saliente, le dio la vuelta y las piedras de la ladera se ensañaron en su frente, mejillas, nariz y boca, convirtiendo su cara en una máscara sanguinolenta?

Durante unos instantes, quedó allí colgado de la polea, oscilando pesadamente a impulsos del viento, hasta que el padre se arrodilló en el mismo borde del monte y, tomándole de los tobillos, lo atrajo hacia él, mientras nos-

otros largábamos la suficiente cuerda para que pudiera
quedar todo él tendido sobre las argomas, boca arriba.

El padre desprendió la cuerda de él y la dejó colgando
nuevamente en el abismo.

El tío Pedro se alejó unos pasos y empezó a pasear
agitadamente, dando la vuelta cada ocho o diez pasos, con
las manos en los bolsillos de su abrigo y pareciendo tener
miedo de acercarse.

Cuando dejé de mirarle, descubrí que Cosme estaba
arrodillado junto a Fermín y le cubría el rostro con su pañuelo mojado.

—Debí haberlo subido a mis espaldas por el sendero
— murmuró el padre, volviendo en seguida a adquirir su
boca su hermetismo, aunque sólo momentáneamente, porque agregó —: Vamos a llevarlo bajo la carreta. Por lo
menos, no se mojará.

El tío Pedro interrumpió sus paseos nerviosos y gritó:
—¿Cómo?

Pero el padre no le prestó la menor atención y se agachó para agarrar a Fermín de los hombros, en tanto que
Cosme se disponía a hacerlo de los pies.

El tío Pedro corrió hacia ellos.

—¿Qué vas a hacer? — volvió a gritar —. ¡Quiero que
me digas lo que vas a hacer!

—Resguardarlo bajo la carreta — le contestó el padre.

—No es necesario meterlo entre esas ruedas para llevarlo a casa.

—Todavía no lo llevamos a casa.

No sucedió nada más hasta después de que el padre
y Cosme dejaron a Fermín bajo el carro, sobre la lona
dispuesta en varios dobles, en aquel panteón de madera
y carbón que, por lo menos, era único en el mundo, siempre que hace millones de años los hombres no lo hubiesen
inventado ya.

Luego nos dimos cuenta de que allí tampoco se hallaba completamente a salvo, pues, ahora, las gotas que
caían sobre su cuerpo ya no eran limpias y casi incoloras
(las no mancilladas de la lluvia) sino sucias y negras, teñi-
das en su recorrido por el contenido de la carreta, que bro-
taban de las grietas entre tabla y tabla, como procedentes
de una prensa, convertidas en espíritu o condensación de

aquel carbón maldito. El padre se inclinó sobre Fermín,
tiró de la lona suavemente, extrayendo una de las vueltas,
con la que le cubrió por completo.

Sólo él se alejó de la carreta: el tío Pedro, Cosme y yo,
no nos movimos. El carbón suelto ya casi alcanzaba el borde superior de las cartolas, y el padre nos dijo mientras
caminaba, sin volverse:

—No vaciaremos más sacos. Los iremos colocando encima hasta acabarlos.

Tampoco entonces nos movimos ninguno de los tres,
abrumados e indecisos. Sobre la oscura lona habían caído
varios goterones negros, que después discurrieron por ella
fúnebremente, entrecruzándose, formando una especie de
malla. Y entonces irrumpió, nació, se disparó la voz del
tío Pedro:

—Si un hijo muerto no es suficiente motivo para que
abandones tus trabajos, dime cuál puede ser. Un hijo
muerto debe ser llevado a su casa, a su madre, para que
llore sobre él antes de que se enfríe del todo. Admite que
esto es lo justo. Admite que cualquier padre se conmove-
ría al ver a su hijo muerto, debajo de un sucio carro lleno
de carbón y envuelto en una lona mojada. Por lo menos,
admite que lo hemos matado entre tú y yo...

El padre ya había llegado casi a la viga, al farol que
languidecía.

—Hay que acabar lo que hemos empezado — dijo, sin
volverse entonces tampoco —. Sólo es cuestión de una hora.

—Josefa te repudiará, tus hijos te repudiarán, yo mismo
te repudiaré.

Junto a la carreta, el tío Pedro, Cosme y yo; del otro
lado, el padre, solo, soltando cuerda hacia las peñas para
que Bruno sujetara otro saco.

El tío Pedro permanecía con las piernas abiertas, los
brazos inquietos, en ademán, quizá, de forzado drama-
tismo, inseguro, no tanto de lo que decía como del modo
en que lo decía, fustigado por su propio pánico. Pero ni
Cosme ni yo nos apartábamos de su lado.

—¿Por qué tanta prisa? ¿Por qué no volver cuando
amanezca y nos hayamos portado como cristianos?

—Esta es la ocasión de acabar el trabajo — le contestó
el padre, pacientemente —. Acaso luego sea imposible.

—¿Qué nos va a impedir seguir ensuciándonos con carbón? ¿El mal tiempo?

—Cualquier otro poder que seamos incapaces de controlar.

—No la muerte, entonces; pues entre tú y yo hemos matado a un hombre. ¿Qué, pues?

—Cállate.

—Eso es lo que no quieres admitir.

—¡Cállate, borracho!

Entonces el tío Pedro empezó realmente a sollozar como no se lo oyera hasta aquel momento, explotando dentro de él lo que había ido almacenando desde hacía un buen rato.

Cuando el padre largó toda la cuerda, inesperadamente, se volvió y se plantó en unas pocas zancadas ante el tío Pedro, al que agarró de los hombros, hincando sus dedos en sus abultadas ropas, abarcando cada hombro con una de sus largas manos, al mismo tiempo que lo zarandeaba vigorosamente.

—¡Es lo mismo! ¿No entiendes? ¡Ya nadie se va a molestar en resucitarlo!

—Pero, él... él... —lloriqueó el tío Pedro, en tanto que su cabeza danzaba de un lado a otro, abandonada, como si estuviera a punto de desprenderse del tronco.

—No sólo nos lo permitiría, sino que nos ordenaría a gritos que cargáramos toda la carreta.

La crisis acabó allí. Aún rezongó el tío Pedro, al ir tras el padre renqueando, no en el momento en que éste echó nuevamente a andar, sino uno o dos minutos después: "¡Maldito Sabas! Siempre tiene que ser lo que él...", y entonces también fuimos nosotros, Cosme y yo, detrás de ambos, absorbidos por el mismo invencible remolino, aunque, en el caso de Cosme, seguramente no convencido de que era mejor echar un cierre pasajero a la mente y olvidar; y en el mío, aturdido y sugestionado porque aquellas palabras significaron algo, seguramente, pero, sobre todo, por haber sido pronunciadas por el padre. Y, tanto Cosme como yo, sometidos a aquella voluntad indomable.

De nuevo, la cuerda nos tuvo a los cuatro y, mientras el padre y Cosme llevaban a la carreta los sacos llenos según los íbamos subiendo y los aupaban hasta la cumbre

de la negra montaña, empecé a darme cuenta de que los
faroles iban desapareciendo, tanto del monte como de las
peñas, y también las carretas, los carros más sencillos,
los animales y los hombres, desapareciendo furtivamente
de aquel escenario que jamás olvidarían (los animales y los
hombres), ansiando llegar a sus casas (los hombres) no
tanto por meterse entre algo seco en una cama como por
ocultar de una vez el botín excesivamente trabajado. Era
la misma prisa que dominaba también al padre, como si
unos y otro — y nosotros, el tío Pedro, Cosme y yo — ne-
cesitáramos contrarrestar con algo violento el despiadado
ataque de la bóveda celeste.

Y lo consiguieron — lo conseguimos — o, por lo menos, lo olvidamos, absortos caritativamente en nuestra tarea, aislados del mundo y de sus accidentes en aquella isla
fabulosa que tenía por límites la carreta y la viga, unida
por el cordón umbilical de la cuerda a la subisla abaste-
cedora: la peña donde Bruno ataba los sacos, allá abajo.

Cuando llegó el hombre o muchacho corriendo y gritando por la primitiva carretera, comprendí que toda la
prisa aquélla era justificada. Para entonces, más de la
mitad de los buscadores de carbón ya había emprendido el
camino de regreso; pero tampoco ni entre los que quedaban existía uno, seguramente, que se dispusiera a llevar
tanta carga como nosotros.

—¡Vienen los carabineros! ¡Vienen los carabineros!

Todos volvimos la cabeza, sin soltar la cuerda, y pudimos ver una sombra rápida y fugaz, casi un objeto, un
mecanismo con cuerda o combustible suficiente para deslizarse de aquel modo indefinidamente, que sólo tenía de
humano aquellos gritos desvinculados de su naturaleza de
cosa. Pero tardamos algo en reaccionar, a pesar de que
todos (entonces lo descubrimos) estábamos aguardando
aquello desde el comienzo de la noche. Fue Cosme el que,
soltando la cuerda (el saco que subíamos lo habíamos detenido a mitad del monte, y luego lo sostuvimos entre
tres), con una palabrota, corrió hacia el hombre o muchacho. Por su cara resbalaba el agua negra que se desprendía
del sucio saco de carbón con que se había cubierto la cabeza. Vimos cómo detenía aquella marcha irracional plan-
tándose delante del bulto y agarrándole con ambas manos.

—¿Qué dices? —le gritó, furioso.

—¡Los carabineros! ¡Vienen! —barbotó roncamente, sin aliento, sin ser detenido del todo, pues seguía saltando de impaciencia.

—¿Cómo lo sabes?

—Los he visto prepararse en el cuartelillo de Algorta.

Ambos se hallaban cerca de la carreta. En seguida, quedó solo y el hombre o muchacho siguió corriendo, buscando por la orilla del monte a los suyos.

Subimos rápidamente aquel saco y los tres que faltaban. Cosme se quitó el suyo de la cabeza. Y entonces el padre se acordó de los cuatro que cubrían los cuerpos de los bueyes, y los recogió y los bajamos con la cuerda a las peñas. Cuando, finalmente, los recibimos, a su debido tiempo, el padre dijo:

—Bruno ya sabrá que no quedan más sacos. Los ha debido de contar.

Lo sabría, de todas formas, al ver bajar la cuerda sin ninguno más. Efectivamente, momentos después sentimos tres fuertes tirones y comprendimos que ya estaba atado a la cuerda. Tiramos de ésta y lo subimos. Su rostro apareció pálido de frío o de horror. Agarrando la cuerda con sus fuertes manos, nos miró durante unos instantes, aun colgando fuera del monte, esforzándose por leer en nuestro silencio.

—Vamos —apremióle el padre, tirando él solo de la cuerda—. Este carbón ha de ser para nosotros, y si no nos damos prisa...

Los treinta y un sacos estaban colocados sobre el carbón suelto, formando una verdadera montaña, con su base ancha y su cumbre más estrecha, no mucho más.

—Ya está —dijo Bruno, llegando hasta la carreta y mirando la enorme carga como quien contempla un milagro—. Ya está.

—Los bueyes reventarán —murmuró el tío Pedro.

—Ahora les toca a ellos —indicó el padre desde la viga—. Será mejor que recojamos todo esto en seguida.

Y tuvimos que trabajar en todo lo que yo había supuesto quedaríamos eximidos, y aquello, por lo menos, le habríamos debido a la prisa: retirar la polea y la viga, y transportar ésta hasta la cima de la colina de sacos, lo mismo que la polea. El padre no quería hacer nada a medias. Aún no comprendo cómo conseguimos realizarlo, levantar el enorme e inerte madero hasta allá arriba. Pero lo conseguimos. Además, fue necesario alzar también a Fermín: lo sacamos de debajo de la lona y entre todos los colocamos sobre los sacos, junto a la viga y la polea, lanzando la lona por sobre todo ello.

—Antes de una hora podemos estar en casa —dijo el tío Pedro, mirando hacia la parte alta de la carreta, fijamente, parpadeando sin cesar, mientras maquinalmente se pasaba la manga del abrigo por su cara mojada.

Dos o tres carros y cuatro o cinco animales cargados, se movían por los alrededores, dirigiéndose presurosos a la carretera con los faroles o linternas apagados. Los nuestros también lo estaban: el que tuvimos arriba se había consumido, y el de Bruno llegó apagado.

—No vamos a casa todavía —reveló el padre.

Le miramos. Entonces, los destellos del faro eran más evidentes que cuando contábamos con una potente luz de carburo a los pies.

—Tenemos que ocultar la carreta en el bosque de pinos —agregó, más como rumia de su pensamiento que a modo de explicación—. Ellos aparecerán, de un momento a otro, por esta carretera que nosotros debemos recorrer durante media hora.

—¿Y él? ¿Y él? —gritó el tío Pedro, levantando angustiosamente el brazo—. ¿Todavía...?

Pero todos sabíamos —incluso el tío Pedro— que, además de que el padre tenía razón, era lo único que cabía hacer si no queríamos echar a perder el trabajo de toda la noche, cortar aquel vértigo ciego que ya contó con un momento de posible derrota que lo dejamos pasar, desatendiendo los dictados de la emoción y el sentimiento que, a veces, dudamos hasta de su existencia dentro de nosotros.

Ya habíamos enterado a Bruno de lo de los carabineros, y fue él quien se plantó delante de los bueyes y empezó a dedicarles gritos con su potente voz, golpeándoles con ambas manos las cabezas. Cosme corrió al borde del monte, desapareció en la oscuridad, y regresó con el palo que ostentaba un clavo en su punta, deteniéndose junto a Bruno. Y, entre los dos, se esforzaron desesperadamente, inútilmente, porque los animales dieran el primer paso.

—La medalla —pronunció, de pronto, el padre, que no se había movido todavía, dándome cuenta entonces de que aquello fue lo que le impidió estar en aquellos momentos delante de la carreta.

—¿Qué...? —preguntó el tío Pedro.

—Fermín no la tenía en su pecho al subir.

Era verdad. Entonces lo recordé. La medalla entregada por el alcalde de San Sebastián y de la que tan orgulloso se sintiera siempre Fermín, de la que no se separó desde aquel día de triunfo, no la vi sobre su pecho cuando lo depositamos en el monte.

—Espera —dijo el tío Pedro—. No pretenderás... ¡Espera!

Pero el padre, sordo, después de coger el farol que subiera Bruno, se dirigió hacia el sendero. Segundos después de haber desaparecido en la oscuridad y cuando temíamos que se hubiese lanzado monte abajo sin luz, rasgó las tinieblas la llamita del farol, muy tenue ya, que instantes después volvió a desaparecer al ser tragada por el monte, sumiéndonos en una oscuridad aún más negra.

30   Pedro

Bruno, Ismael y yo estamos resguardados bajo la carreta, acuclillados entre las dos ruedas. Cosme no ha podido resistir la espera y ha salido como un loco hacia el sendero, a ayudar a Sabas a buscar la medalla. Media hora más tarde, regresan los dos, vemos emerger sus siluetas, más que de la oscuridad, de la cortina de agua, con el farol apagado colgando de la mano de Sabas. Sus pies chapotean ruidosamente en la argoma encharcada.

Salgo de debajo de la carreta y veo que Sabas trae en la mano libre la medalla. Deja el farol en el suelo y sube a un radio de la rueda y luego a la llanta de metal; levanta la lona y alza las manos; momentos después las retira y ya no tiene la medalla en la mano. Vuelve la lona a su posición anterior, cubriendo lo que está sobre los sacos de carbón, y desciende.

Las últimas gentes huyen apresuradas del monte, llevando, arrastrando casi, sus animales o sus carros a la carretera, adivinándose que tratan de moverse en silencio, que están atemorizados.

Sabas tiene, ahora, el palo de los bueyes y empieza a hablar a éstos, que tiritan de frío bajo sus mantas empapadas y soportan toda aquella lluvia como estatuas de piedra. El agua chorrea de los flecos de sus mantas y de sus hocicos, que apuntan tristemente a la tierra. Y llevan así cinco horas.

—Vamos... Vamos... debéis moveros ya — les dice Sabas, frente a ellos, rozando sus cabezotas resignadas con el palo—. Os hará bien andar. Vamos. Sacad de aquí el carro. Pensad que habéis estado demasiado tiempo quietos.

Por fin, les quiña, hundiéndoles la punta del clavo en la espalda. Pero los animales parecen insensibles. Permanecen inmóviles, y si no fuese porque de vez en cuando parpadean pesadamente, se les daría por muertos, ya que el hecho de mantenerse sobre sus patas no significa nada, sostenidos, como están, por la misma carreta y uno contra el otro, como pudieran estarlo si carecieran de vida.

Entonces va Cosme y empieza a darles fuertes patadas en sus vientres, pasando de uno a otro por delante de sus morros, acometido de indecible furia. Los golpes suenan sordamente, como los vejigazos que arrean los cabezudos a los chiquillos en las fiestas del pueblo, y resultan eficaces, pues, ahora, los bueyes salen de su rigidez y envaramiento, de su estupor acaso, y dan señales de estar vivos y de querer avanzar. Un temblor sacude sus patas tiesas, y el de la izquierda, de pronto, levanta una y la echa hacia adelante, dejando, donde estuvo posada la pezuña tantas horas, un agujero en la tierra, que en seguida se cubre de agua sucia. El chasquido que produce al desprenderse del barro parece ser una señal, pues las siete patas restantes empiezan a moverse, tratando de pisar delante, aunque inútilmente, pues los cuerpos no se mueven porque la carreta sigue clavada en el barro.

Ya no queda nadie en el monte. Por la carretera, se alejan los últimos grupos, a oscuras. Sabas dice:

—Agarrad de las ruedas y empujad. Tenemos que sacar este carro de aquí. Ven.

9

Hace una seña a Ismael, que se acerca a él. Sabas le entrega la vara y viene hacia nosotros.

—Pasad los dos a la otra rueda — les dice a Bruno y a Cosme.

Y ellos dan la vuelta a la carreta y se sitúan donde les ha dicho, mientras Sabas y yo agarramos los radios de nuestra rueda.

—Listos... ¡Ahora!

Procuramos, no solamente levantar la carreta, sino también ayudar a los bueyes en su tarea de llevarla adelante, para lo cual tiramos fuertemente de los radios posteriores hacia arriba, mientras Ismael grita a los bueyes y les azuza con el clavo:

—¡Tira! ¡Tira! ¡Y... ah!

Pienso en el cuerpo que está tendido allá arriba, sobre los trozos de carbón metidos en los sacos, y entonces ya no siento ni la lluvia ni el dolor que me producen los bordes de los radios en las manos, especialmente en la mano herida. "Fermín, Fermín", repito en silencio y me entra un asco por todo lo que estamos haciendo y tiro de la rueda hasta reventar, hasta advertir que la herida de la mano se me abre de nuevo, pues noto correr la sangre. Sabas me mira, porque creo que estoy también gimiendo, pero no me dice nada; vuelve otra vez la cabeza y sigue haciendo fuerza.

—¡Es una bestialidad cómo hemos cargado la carreta! — no puedo menos de gritar, desesperado.

—Podemos hacerlo — se limita a indicar Sabas, tirando más y más.

Es cierto que deseo se presenten los carabineros y nos sorprendan con todo este carbón. Por lo menos, terminaría esta horrible noche; por lo menos, podría ir a casa y beber y olvidar durante unas horas lo sucedido.

La carreta, ahora, se estremece cuando conseguimos moverla de su posición, despegarla de aquella tierra empapada, en la que sus ruedas se hunden. Se estremece como un castillo de naipes al ser tocado con un dedo, pues sólo existe una posición capaz de mantener superpuestos y soportar todos los naipes que forman la torre; así, la carreta, que cruje y parece se va a desvencijar, a desgajar, alterando el misterioso tinglado del equilibrio

que hacía que el eje resistiera el enorme peso; como si
sólo existiera una posición posible para que tal cosa sucediera y, trastocada, la carreta se sintiera incapaz de
resistir.

Las tablas chirrían y todo el armazón protesta, pues no
fue construido para ese peso. Sobre nuestras cabezas, la
alta cumbre que envuelve la lona se bambolea cuando, por
fin, las ruedas logran girar y dar luego una vuelta entera
y salir del atascadero.

—Mirad allí —dice, de pronto, Bruno.

No le veo, pero sé hacia dónde quiere que miremos.
Veo tres o cuatro faroles en la carretera, lejos. También
llegan hasta nosotros algunos gritos como de protesta.
Sabas sabía lo que hacía cuando dijo que debíamos llevar
la carreta en otra dirección.

—¡Malditos caravinagres! —exclama sordamente
Cosme.

Y llega hasta Ismael, le arrebata de las manos el palo
y azuza ferozmente a los bueyes, en silencio, hundiéndoles
el clavo hasta el tope.

31   *Cosme*

Bajo el sendero a oscuras, pegado a la pared del monte, tanteando con las manos para no apartarme de ella y
caer al abismo.

Llego abajo y allí está el padre, tendido sobre las peñas, buscando entre las grietas, con el farol de carburo a
su lado, colocado de forma que la pantalla defienda lo mejor posible a la débil llama del viento. Como la marea ya
lleva bajando unas cuatro horas, las olas no llegan a la
falda del monte, donde está la peña plana que, por lo
negra que aparece por el carbón, adivino ha utilizado Bruno para apoyar los sacos mientras los ataba a la cuerda de
la polea. Cuando me acerco, veo que esa peña blanca tiene
manchas medio secas de sangre o, por lo menos, medio
borradas por la acción de las gotas de lluvia.

Empiezo a buscar yo también, junto al padre, que parece un monstruo marino arrojado por las olas, allí tendido, con su oscura trinchera abultada. Introduce las manos

entre los resquicios de las peñas, tanteando con sus dedos
el grijo o arena o verdín del fondo de las aberturas. Tiene
la manga de la trinchera de color verde, de tanto rozar con
las peñas.

Se mueve rápidamente. Cuando ha hurgado bien en
un agujero, se levanta, coge el farol y salta a otra peña,
sobre la que se tiende y repite la operación. A veces, si su
mano no logra tocar el fondo y la abertura lo permite, se
introduce todo él en ésta y, agachado, busca presurosa-
mente con una mano mientras que con la otra sostiene
el farol. Y yo voy a su lado, y los dos introducimos los
brazos en los mismos agujeros, pues no tenemos más que
un farol.

Aunque las olas revientan a unos metros de nosotros,
no nos vemos libres de su fuerza, ya que, a veces, la masa
de agua ascendente que procede de cada ola, llega hasta
nosotros por entre las peñas y nos sorprende metidos en
un agujero y nos cubre hasta más arriba de la cintura, haciendo la corriente danzar los faldones de nuestras trincheras.

—Es inútil, padre — le digo, poniéndome en pie, después de una de estas duchas, sintiendo la humedad hasta
en la carne —. La medalla se la ha llevado el agua. Llega
hasta aquí, todavía.

Pero él no me hace caso y sigue buscando, encorván-
dose sobre las peñas.

Yo soy el que la encuentra. Estaba, en contra de lo
que suponíamos, sobre una gran piedra, a unos seis metros del lugar donde cayó Fermín. El padre, al oír mi
exclamación, se vuelve y me la arrebata, la mira en silencio y después la aprieta vigorosamente entre sus dedos
y echa a andar hacia el sendero.

IX

Torcimos hacia la izquierda, siguiendo la carretera en sentido contrario al que nos hubiera llevado a casa. Alcanzamos la altura del faro cuando las tres o cuatro linternas llegaban al mismo borde del monte que ocupábamos poco antes. Otras luces habían aparecido a lo lejos, en la carretera, y permanecían quietas, sin avanzar, y todos supimos que habían detenido a los carros o animales que se retiraban. No, indudablemente, a todos, pues parte de ellos ya tuvo tiempo de abandonar aquella carretera y tomar las estradas que llevaban a sus casas.

No nos vieron. Luego, los bueyes fueron cuesta abajo, hacia los interminables bosques de pinos de la costa, que se extendían kilómetros y kilómetros.

Al abandonar la carretera e introducirnos entre los primeros árboles, por el primitivo sendero que los cruzaba (utilizado por los que iban hasta allí a recoger ramas y piñas para el fuego: gentes de los pueblos vecinos, Guecho, Algorta, Berango, que llevaban sus burros y sus sacos — no carretas, ni siquiera carros; era demasiado abuso — y los cargaban y llenaban con esos desperdicios del bosque; y, durante la guerra, años después, no fueron solamente los nativos quienes recogieron esas donaciones de los dueños de esos bosques, sino también gentes de la capital, de Bilbao, que vivieron pasajeramente en estos pueblos huyendo de los bombardeos de la aviación y de una posible furiosa batalla entre calles por la conquista de la ciudad; llegándose en los más agradables días hasta esos bosques — padre y madre, hijos, tíos e, incluso, abuelos —, con la alegría de una excursión campestre, y llenando los sacos y cargando el burro, y sintiendo la nueva y agradable sen

sación de haber retrocedido milenios, por saber que aquel
combustible que habían recogido con sus propias manos
suaves y blancas, manos civilizadas de ciudad, era imprescindible para su subsistencia; gustando de aquella vida natural, a la que sólo gracias a la guerra habían vuelto; y
regresando, por fin, llenos los pulmones de aire con olor a
resina, excitados, vivificados, siendo entonces, acaso, la
primera vez que sus manos tocaban el don ancestral que
desde los primeros tiempos los hombres buscaron afanosamente: la leña), no olimos, como otras veces, a resina,
pues el furioso ventarrón que azotaba las ramas lo arrebató
de allí, remontándolo, disolviéndolo en la holgada capa
del espacio; y si algo se dejaba, la machacona lluvia parecía asimilarlo, arrastrándolo hasta la tierra, donde desaparecía, siguiendo el mismo destino del aroma despren-
dido de las agujas que cubrían el suelo.

Yo marchaba delante de la carreta, con el palo, pues
el padre y el tío Pedro y Cosme y Bruno aún tenían que
agarrar con frecuencia los radios de las ruedas y colaborar
con los bueyes. Mi posición era la peor, contra lo que pudiera creerse, ya que a ellos sólo les era posible elevar
hacia la cumbre de la montaña de carbón su pensamiento
o su recuerdo o su angustia, por caminar pegados a las
ruedas; y en cambio yo podía, tenía que elevar esas tres
cosas y, además, la mirada, me era posible hacerlo, cuando
me volvía de cara a los bueyes y veía, sin querer, los dos
alargados bultos que la lona contorneaba: el de Fermín
y el de la viga, allí sobre el carbón, evidentes y petrificados, soportando todo el primer golpe del aguacero que
luego discurría por los cuatro costados de la carreta que
crujía incesantemente y se bamboleaba y hundía sus ruedas una y otra vez en el barro blando, de donde tenía que
ser sacada a fuerza, no de gritos entonces, sino de voluntad silenciosa y férrea, de olvido de lo sucedido, de desesperación, del esfuerzo hasta casi el desvanecimiento del
padre, del tío Pedro, de Cosme y de Bruno, por no hablar
de los bueyes ni de mí mismo.

Abandonamos luego el sendero del bosque (él nos
abandonó a nosotros, pues desapareció, concluyó) y nos in-
trodujimos por entre los pinos, por los lugares por donde
era posible hacer pasar la carreta. Y cuando, después de

media hora de rozar troncos, arrancar cortezas y desgajar
ramas con nuestra carga, alcanzamos un rincón relativamente resguardado, incluso del viento, por el denso y alto
follaje que crecía exuberante entre los apretados pinos,
supe que allí dejaría el padre la carreta, antes, incluso, de
que él hiciera alguna mención en ese sentido. Se llegó
hasta mí, murmuró a los bueyes "¡Sóoo...!", y, al detenerse
la carreta con un último crujido semejante a un desahogo
humano, dijo:

—Es un buen escondrijo. Jamás se les ocurriría a los carabineros venir hasta aquí buscando un carro con carbón.

Todos alzamos la vista y la fijamos en lo alto de la
carreta.

—Tenemos que preparar algo para llevarlo — dijo el
padre. Y agregó, antes de que nos moviéramos —: Haremos una camilla y lo colocaremos encima envuelto en la
lona. Además — se quitó el sombrero para sacudir el agua
depositada en sus alas y se lo puso rápidamente —, des-
cincharemos a los bueyes y nos los llevaremos también.

El tío Pedro descargó una fuerte patada en los radios
de una rueda y masculló sordamente, con la enorme nariz
roja temblándole:

—Tanto daría que lo enterrásemos aquí mismo, en
este barro maldito — miró al padre con el coraje que le
daba su desesperación —. Y creo que lo harías si no pen-
saras que debes llevar los bueyes bajo techado para que
no mueran esta noche y tengas que abonárselos a Lecumberri, y de este modo puedes aprovechar el viaje para
llevar también a Fermín.

—Debes pensar que quiero lo mejor para un hijo mío
— dijo el padre, con los brazos colgantes, sin expresión,
impávido y resistente como una tabla.

—Esta noche, lo mejor es para el carbón — escupió
el tío Pedro.

—Creo que tú y yo nos vamos a liar a golpes antes de
que amanezca, Pedro — le miraba, entonces, hasta con
lástima, o por lo menos eso me pareció —. Sé que lo estás
deseando, porque así podría reventar lo que llevas dentro.
Y quizá a mí también me conviniese.

El tío Pedro se retorció sobre la rueda, apoyó sus brazos en ella y ocultó su rostro entre los pliegues de las mangas de su abrigo.

—No es humano — sollozó —. Nada de lo que hemos hecho esta noche es humano.

Allí, en el interior del bosque, en aquella especie de foso formado por la maleza, volvimos a notar el olor a resina. Y no solamente en el mismo punto donde la carreta se aplastaba contra el barro, sino también en las inmediaciones mientras buscábamos dos buenas ramas "derechas y resistentes", como nos dijo el padre, pues el follaje componía una especie de muralla que amortiguaba el viento. Vi que Bruno y Cosme estaban desgajando una rama, colgados de ella y haciendo fuerza hacia abajo, hasta que, por fin, rodaron por el suelo y la rama, desprendida del pino, sobre ellos.

—Toma, llévala — me gritaron al verme por allí.

Y yo la cogí de su parte verde y la arrastré hasta la carreta, en tanto que ellos se alejaron arrancando a cada paso sus ropas de las zarzas.

Entre el padre, el tío Pedro y yo limpiamos la rama, sintiendo en nuestras manos el cosquilleo producido por las verdes agujas. El tío Pedro respiraba fatigosamente y sus ojos estaban humedecidos. Pero lo que me llenó de verdadera congoja fue el descubrir que parecía haber envejecido treinta años aquella noche.

Bruno y Cosme trajeron una segunda rama, la limpiamos también y luego colocamos ambas en el suelo, paralelas. El padre, aún con la navaja que había empleado para ejecutar aquel trabajo, se fue hasta la carreta y cortó cuatro de las cuerdas que sujetaban la lona, desprendiéndolas de ésta. Regresó con ellas y se agachó junto a los palos y amarró fuertemente uno de los extremos de cada una de las cuatro, al palo que tenía más cerca, distanciadas medio metro, mientras que Bruno, comprendiendo su idea, ataba los otros extremos al segundo palo.

Luego, el padre cogió las ramitas que acabábamos de arrojar al suelo y cubrió con ellas los espacios entre las cuerdas, formando un piso sin aberturas. Al acabar, se puso en pie y se pasó la manga de su trinchera por el rostro.

—Aquí le llevaremos bien — dijo.

—Podremos cubrirle con nuevas ramas una vez lo hayamos instalado — indicó Cosme roncamente, con su rostro excesivamente demacrado.

Nunca, antes de aquella noche, me fijé en lo puntiaguda que sobresalía su barbilla, sin casi carne encima, y lo hundidas que tenía las mejillas.

—No — dijo el padre —. Lo envolveremos en la lona. Así no le tocarán ni el agua ni el viento.

Estaba aún mirando los labios morados que acababan de pronunciar aquellas palabras, cuando sentí un empujón y vi a Bruno trepar por la rueda a lo largo de la carreta y quedar en pie sobre la llanta. Apartó violentamente la lona, que cayó por el otro lado, y se apretó contra las cartolas, alargando los brazos sobre la carga negra. Le vi realizar un supremo esfuerzo y apareció primero una de las dos enormes botas y en seguida la otra. Tiró más, y los bordes de la trinchera sobresalieron sucios, negros, feos.

—¿Qué pasa? — preguntó el padre. Todos teníamos el rostro levantado, observando los movimientos de Bruno allá arriba. Había dado varios tirones más, infructuosamente, pues seguimos viendo solamente las dos botas y el pequeño trozo de trinchera —. ¿Qué pasa? — volvió a preguntar el padre.

—La viga le está aplastando un brazo — informó Bruno, resoplando —. Será mejor que alguien me ayude.

El padre se movió resueltamente y pasó a mi lado y subió junto a Bruno, en la rueda; y en ese momento oí los burdos sollozos del tío Pedro; le miré; se había vuelto de espaldas y gemía: "¡Dios! ¡Dios!", como si se tratasen de las dos últimas palabras que fuera capaz de pronunciar en esta vida.

Los trozos de carbón crujieron cuando el padre y Bruno arrastraron el cuerpo sobre ellos. Luego, la viga cayó sobre el carbón al ser retirado el obstáculo que la separaba de él. Los dos maniobraban en silencio, sin que apenas se apreciara que respiraban, concentrados en su labor, preocupados, ágiles y eficaces, sabiendo lo que hacían, moviendo con el mayor cuidado el inerte cuerpo. Poco después, apareció casi la mitad de éste, que se dobló y las piernas quedaron colgando hacia fuera. El padre y Bruno, sujetándole de los brazos, bajo los hombros, lo sacaron y lo vimos por completo: gigantesco, pesado, con las ropas ennegrecidas y la medalla en su pecho, sobre la trinchera, su rostro abultado y enrojecido caído hacia delante.

Cosme y yo nos acercamos y lo cogimos cada uno de una pierna, separándolo de la carreta lentamente, dando tiempo a que el padre y Bruno descendieran de la rueda y pisaran tierra y el cuerpo quedara horizontal, en tanto que el tío Pedro repetía desde hacía rato: "Cuidado... Cuidado..." una y otra vez, alejado unos pasos, tembloroso.

Después lo depositamos en la camilla improvisada y el padre y Bruno fueron en busca de la lona y la extendieron allí cerca; entonces colocamos el cuerpo sobre ella y lo empezamos a envolver, pues el padre dijo que de ese modo formaríamos una cosa lo más parecida posible a una caja de muerto; le envolvimos en una vuelta, levantándole para pasar la lona por debajo; seguidamente doblamos las dos partes opuestas libres de la lona hacia dentro, de tal forma que quedó una anchura semejante a la longitud del cuerpo, y así lo seguimos envolviendo, levantándole y pasándole la lona una y otra vez, hasta lo menos seis, sin que el tío Pedro se acercara a ayudarnos y sin que repitiera tampoco sus "Cuidado... Cuidado...", contemplándonos simplemente, inmóvil y aturdido, con su boca abierta, en la que penetraba el agua que, resbalando por su rostro, llegaba hasta su labio superior.

Concluimos y quedó a nuestros pies un abultado envoltorio, que, por lo menos, como quiso el padre, no ofrecía resquicio ni al agua ni al viento. Entre el padre y Bruno lo colocaron en la camilla. Luego el primero dijo que deberíamos buscar una rama corta y fuerte para apuntalar la carreta, y entre todos (el tío Pedro también, esta vez) encontramos varias, de entre las cuales el padre eligió una, se fue con ella hacia la carreta y la hundió en el barro, bajo la lanza, hasta encontrar suelo firme, colocándola después en posición casi vertical y su borde superior rozó la base inferior de la vara de la carreta, y entonces él se metió entre los dos bueyes y empezó a golpear con la suela de su botaza el palo, forzándolo a ir adquiriendo la vertical completa, a costa de hundirse más en la tierra, pues el que la carreta se alzara caía fuera de toda posibilidad, quedando, por fin, perfectamente agarrotado.

Para cuando acabó, ya se encontraban Cosme y Bruno, uno a cada lado de los bueyes, descinchándolos y separándolos de la carreta, que quedó sola, muerta, despojada no solamente de la capacidad para moverse, sino también de la simple vida irracional de que parecía estar dotada al hallarse unida a los animales, aun estando allí con las ruedas medio enterradas en el barro; quedó sola y apuntalada, valiéndose a sí misma, pues de aquel monstruo negro y calado podría pensarse todo excepto que deseaba moverse; retadora y, no obstante, indiferente, soportando el implacable peso de las tres toneladas de carbón y de agua con la placidez del que está cumpliendo su destino.

La voz del padre me sacó del principio de amodorramiento en que empezaba a caer. No tardaría en amanecer (es decir, si era posible que desaparecieran de sobre nuestras cabezas las tenebrosas nubes cuyo contenido nos machacaba desde hacía varias horas) y un muchacho de catorce años, como yo, debería sentir cansancio y sueño alguna vez, después de una noche como aquella. Eso era lo lógico que sucediese, en el supuesto de que siguiéramos siendo seres humanos todavía.

—Es mejor que alguien se quede junto a la carreta — dijo el padre.

—Yo mismo — murmuró el tío Pedro, derrengado y lánguido, aún con algo de rencor en su mirada —. Sigo estando vivo y podré aguantar todo lo que me tiren esta noche.

El padre no tuvo necesidad de volverse a Bruno, pues le miraba desde antes de empezar a hablar.

—Pronto amanecerá y es conveniente que no te vean; la Guardia Civil en seguida te echaría el guante y te llevaría esposado al cuartel. Es mejor que seas tú quien te entregues voluntariamente. Saldrás para Burgos en el tren de las nueve.

Bruno sostuvo su mirada y su rostro permaneció impasible, como si aquellas palabras no se refirieran a él.

—Me quedaré — dijo —. No quiero causar ningún disgusto a la madre.

—Te metes debajo del carro — indicó el padre —. Así

no te mojarás. En casa pensaremos lo que conviene hacer con la carreta y vendremos por aquí dentro de unas horas.

Íbamos a recibir la certificación de que lo que suponíamos fue un sueño o pesadilla, era verdad. De que aquello que llevaba la camilla que transportaban entre el padre y Cosme, era Fermín muerto, y no otra cosa. Íbamos a casa porque nos era preciso ver a la madre y observar cómo se comportaba ante lo que le presentaríamos, para que, al fin, nos convenciera de que si no nos atenazaba ya el dolor no era porque no se agazapara en algún lugar de aquella noche, esperando la ocasión — o esperando, simplemente-te — para envolvernos en su desesperada desesperanza, ya que el dolor necesita su tiempo para desarrollarse y ser activo, como cualquier proceso fisiológico: tiempo, horas o minutos, durante los que es posible realizar lo preciso con lo que provoca ese dolor, atender debidamente a esa cosa — cadáver, herida o lo que sea —, de modo que todo esté listo y preparado — enterrado, desinfectado... — para cuando el dolor considere ha transcurrido su tiempo y se presente y nos vuelva humanos. Pero, entonces, sólo si viéramos a la madre, su rostro, cuando desenvolviéramos la lona ante ella, podríamos creer que no lo habíamos soñado.

32   Cosme

Para ir a cazar, lo más importante es disponer de una buena escopeta. Un hombre, con una escopeta, en el mon-te, es un verdadero hombre. Todo el mundo debería disponer de una escopeta y de un monte para aprender muchas cosas de la vida. Los hombres siempre han cazado y es lo que mejor saben hacer.

En mi cuarto guardo todo lo que hace falta para ir a cazar. Por lo menos, todo lo que a mí me hace falta, porque algunos cazadores que vienen de Bilbao los domingos y festivos parece que van de romería y no de caza, de tan acicalados como los vemos, con tantos detalles encima tan caros como inútiles, que los armeros ponen en sus escaparates para que luzcan bien y los atraigan como el reclamo a los pájaros.

Yo llevo para ir a cazar:

la escopeta; ahora tengo una "Aya", pero antes debía pedir prestada una mala a un amigo;

un pasamontañas para los días fríos, al que he abierto unos agujeros en la parte de las orejas para poder oír a las aves y orientarme hacia dónde están; no lo he sacado esta noche para no estropearlo;

un par de calcetines gruesos de lana, por los que meto los extremos del pantalón y luego enrollo una cuerda alrededor de cada calcetín para que no se salgan, y así no me estorban al andar ni se me empapan cuando la hierba está mojada por la lluvia o la escarcha;

un trozo de alambre colgando del cinturón de los cartuchos, al que ato las piezas cobradas.

unos guantes, delgados, para que no me impidan pulsar bien el gatillo;

las botas de clavos que he debido traer esta noche porque no tengo otras;

un chaquetón de paño grueso, con bolsillos exteriores para poder meter algunas cosas: el bocadillo del almuerzo, la navaja, los paños y el aceite para secar y limpiar la escopeta, la funda plegada de ésta, de fina lona impermeable, a propósito para llevarla al monte y que no se moje.

De lo que me falta, lo único importante es el perro; pero la madre dice siempre que no podemos alimentar más bocas en nuestra casa.

33   *Pedro*

Damos la vuelta por el camino del cementerio, pues así no nos encontraremos con los carabineros. Sabas y Cosme llevan la camilla, caminando a un mismo paso, tiesos y rítmicos, procurando que la carga baile lo menos posible. El agua cae sordamente sobre los dos y sobre la lona que envuelve a Fermín. Parecen tres maderos medio podridos por la humedad, de esos que el mar suele arrojar a la playa.

Damos un gran rodeo y pasamos muy lejos del molino viejo, y llegamos a casa después de casi una hora de camino, con los bueyes que conduce Ismael, a la zaga. Nos acercamos por la parte de atrás. ¡Dios, y en el portalón encontramos a Josefa! No hay ninguna luz, pero sé que

es ella. Pienso que debe llevar mucho tiempo saliendo una
y otra vez de la cocina a ver si por fin nos oye llegar. Al
aproximarnos, observo que tiene los brazos cruzados sobre
su pecho, recogiendo la toquilla negra, temblando de frío.
Pero, en cuanto ve la camilla, la sombra imprecisa de ella,
sus brazos caen y quedan colgando.

Entramos en el portalón y, al fin, la lluvia deja de
chocar contra nuestras cabezas. Es agradable no sentir ya
la lluvia encima.

—¿Qué ha pasado? — pregunta mi hermana, en aquella casi completa oscuridad, con voz que todavía lucha
por ser serena.

Sabas y Cosme doblan sus rodillas y dejan la camilla
en el suelo de losas del portalón. Josefa está ya junto a
ellos, entre los dos, mirando el envoltorio. Todos estamos
bajo el cobijo del portalón, hasta Ismael, que ha detenido
los bueyes bajo la parra. Sabas coge uno de los dos faroles que yo he traído, saca la caja de cerillas del bolsillo
de su pantalón, levantando los pesados faldones de su
trinchera, prende una cerilla y enciende el farol, que
alumbra con llama tenue, pero suficiente.

Los labios de mi hermana están temblorosos y mira
fijamente el bulto de la camilla.

—Fue un accidente — dice, al cabo, Sabas, muy junto
a ella, con el farol aún colgando de su mano.

Creo que Josefa no va a poder hablar más, pero pregunta en voz baja y muy clara:

—¿Quién es?

—Fermín — contesta Sabas.

Es como si mi hermana esperara aquello, pues no realiza ningún aspaviento de esos que tanto nos impresionan
a los hombres. Entonces me doy cuenta del por qué de
ello: ha vuelto el rostro hacia Sabas y éste la mira como
podría hacerlo una piedra con ojos. El dolor de mi hermana parece aplastarse dentro de ella, y allí queda, en-
venenando su sangre. Sabas lo contiene.

—Vamos a llevarle dentro — dice después, dejando el
farol en el suelo y disponiéndose a coger de nuevo la
camilla.

—Quiero verle — murmura Josefa.

—Creo que es mejor que...

—Quiero verle —insiste ella, apretando su boca. Me pongo a su lado, pero rechaza suavemente el apoyo que le ofrece mi brazo.

Y Sabas empieza a desenrollar la lona. Cosme le ayuda, y entre los dos manejan aquel tejido pesado y acartonado sin volver a Fermín ni una sola vez, pasándolo por encima de él y sacándolo por debajo, hasta que queda la lona a un lado, formando un montón informe y rígido.

El pañuelo que Cosme colocara a Fermín sobre el rostro, ha desaparecido, arrastrado indudablemente por la lona, y la carne desfigurada, con la sucia sangre coagulada encima, se nos aparece. Pero ni aún entonces se altera mayormente mi hermana. Se arrodilla junto a la cabeza de Fermín y pasa delicadamente sus manos por su rostro. Sabas sigue en pie, a mi lado, mirándola, vigilándola.

—Lleva los bueyes a la cuadra —me dice, sin volverse, moviendo apenas los labios.

Yo pienso que cómo se puede acordar de esos animales teniendo a su hijo allí, sobre la camilla, en el suelo, y a Josefa arrodillada y a punto de desmayarse de dolor. ¿Cómo es Sabas?

—Vamos a llevarle dentro —dice.

Veo a él y a Cosme dirigirse uno a cada lado de la camilla, pero ahora ni agarran ésta, sino que levantan a Fermín, uno de los hombros y otro de los pies, y empiezan a andar, dejando arrodillada en el mismo punto a Josefa, petrificada.

Doy la vuelta para salir del portalón y llevar los bueyes a la cuadra, cuando veo al chico, sentado en el suelo, con la espalda apoyada en la pared, las rodillas levantadas, sobre éstas cruzados los brazos, que ocultan su rostro. Separo suavemente la cabeza de sus brazos y veo que está dormido, pero varias lágrimas se han quedado como heladas en sus mejillas.

La voz de la abuela hace que me detenga y mire hacia la puerta. Allí está, viendo pasar en aquel momento a Sabas y a Cosme, uno delante y otro detrás de Fermín.

—Que venga pronto un cura —gimotea, estrechándose en el umbral.

Por lo menos, debo procurar que mi huida del cuartel no sea inútil. Me marché con un objeto y he de cumplirlo.

Ahora deben ser las cinco de la madrugada. Allí estará ella, en su lecho, durmiendo y soñando, acaso durmiendo sólo, o acaso soñando... ¿qué cosas? La conozco bien. Si fuera sincera, su cuerpo siempre debería estar temblando. Pero sólo sus ojos reflejan su inquietud; su negra mirada insistente y prometedora. La veo entre sus sábanas, abrazada al colchón, contra el que ella esconde su frío, hollándolo pecaminosamente.

Abandono el cobijo de la carreta, subo a la rueda y cojo uno de los sacos de carbón, el más pequeño de todos.

No le gustaría saber al padre que dejo sola la carreta. Pero debo acabar lo que he empezado. ¿No les he ayudado ya a recoger este carbón? No contaban conmigo, y lo hice. No tienen derecho a exigirme más.

El portal está abierto. Nadie me ha visto en todo el camino hasta aquí. Silbo como siempre y espero. No dejo el saco en el suelo porque creo que luego me faltarían fuerzas para subírmelo de nuevo a la espalda. La ventana del mirador no se levanta y silbo de nuevo.

Por fin, veo una sombra tras los cristales y las cortinas, o así lo creo, pero desaparece y la ventana no se abre.

Entro al portal y subo las escaleras. Llamo a su puerta, y nada. El saco me está doblando las rodillas. Hace una hora que lo llevo encima.

—Abre, Pepita — digo.

Nada.

—Sé que sabes que estoy aquí. ¿Quieres que eche la puerta abajo?

Oigo la cerradura, la hoja se entreabre y ella asoma su rostro sabroso y dormido.

—Vete — me dice.

—¿Qué?

—Vete.

—Oye, quiero que sepas que...

Logro meter el pie a tiempo e impedir que cierre la

puerta. La empujo y entro. Ella, entonces, la cierra suavemente. Echo el saco sobre el pasillo de baldosa y la chica se queda mirándome, atractiva, pequeña, graciosa a pesar de todo, deseable. Mira mi indumentaria, mi mojadura,
la suciedad que llevo encima. Me quito la trinchera y la
boina y las dejo sobre el saco. Quedo frente a ella. Sólo
está encendida la lamparilla de su dormitorio, esa a la
que siempre fallaba el interruptor, cuya luz llega hasta
el pasillo.

La tomo de los hombros y voy a besarla, pero ella vuelve la cabeza. Algo no anda bien.

—¿Cómo se llama? — le grito.

—Habla bajo — susurra ella, envolviéndose en su bata.
Pero no la dejo que se aparte de mí.

—¿Quién es?

No me contesta y, en cambio, dice:

—Déjame. No me toques.

¡La muy zorra!

—He desertado del cuartel para estar contigo. Ahora
vengo de La Galea, donde he pasado toda la noche y de
donde no me tenía que haber movido. ¿Sabes lo que significa todo eso?

La abrazo y la beso a pesar de sus forcejeos. Su familiar cuerpo se estremece entre mis brazos. Lucha con fuerza, como una leona.

—¿Cuántas veces ha silbado él en la calle desde que
me fui? — le pregunto, excitado.

La arrastro a su cuarto y la arrojo en la cama. Mis manos, tiznadas de carbón, han puesto manchas negras en su
bata rosa, y en su cuello y cara. La suave tela dibuja sus
formas, allí tendida y, ahora, inmóvil, mirándome. Me siento a su lado, en el borde de la cama, esperando que ella
siga defendiéndose. Pero no lo hace. Sus brazos se abren
y dejan de sujetar la bata. Cierra los ojos.

Durante unos momentos, no sé lo que voy a hacer. Me
levanto de la cama de un salto, salgo al pasillo, quito de
un manotazo la trinchera y la boina de encima del saco
y cojo éste con ambas manos, entrando con él en la al-
coba. Ella no se ha movido, pero sus ojos, ahora, me miran con asombro. Cuando comprende lo que voy a hacer,
se quiere levantar, pero ya es tarde. Vuelco sobre ella y las

sábanas blancas el carbón, vaciando el saco, que luego
arrojo vacío furiosamente contra su rostro asustado, estupefacto.

—¡Eres una p... por los cuatro costados! —le grito,
saliendo del cuarto y de la casa, después de tomar la trinchera y la boina.

35   *Abuela*

Sabas dice que hay que ocultar a Fermín hasta que
los carabineros abandonen la búsqueda del carbón. Nadie debe saber que se ha despeñado en La Galea, pues
eso nos descubriría. Y como el teniente García se presentará en el caserío a husmear, será preciso esconderlo. Lo
quiso subir al desván, pero mi hija se opuso.

—¿Es qué ese carbón nos va a hacer perder todos
nuestros sentimientos? —le ha dicho.

Y por fin se ha decidido llevarlo al pequeño cuarto del
fondo. Y allí lo transportan entre Sabas y Cosme.

—¿Dónde habéis dejado el carbón? —pregunto a Pedro, cuando le veo un momento apartado.

Pero está aturdido y no me contesta. Va detrás de ellos.
Josefa hace un rato que está arreglando el catre del cuartucho; desde que acostó a Ismael después de desnudarle y
envolverle en ropa seca y darle de beber una taza de leche caliente, que ella misma le ha tenido que sostener,
pues el chico estaba casi por completo dormido.

¡Señor, Señor, qué calamidades nos envías! Es cuando
suceden cosas así que nos damos cuenta de lo malos que
somos, pues de otro modo no nos castigarías con tanto ri-
gor. ¡Recibamos Tu Gracia, Señor, para no apartarnos del
buen camino y alegrarte con nuestras acciones! Todo tiene
su precio. ¿Es éste, acaso, el que debemos pagar por el
carbón que nuestros hombres han recogido? ¿Lo es, Señor? ¡Hágase Tu voluntad!

El catre es de hierro, y ahora Josefa está echando sobre el jergón de alambre una manta vieja, para que co-
loquen sobre ella a Fermín. Así lo hacen Sabas y Cosme,
y entonces vemos que el catre es pequeño para él: sus
pies sobresalen del último travesaño de hierro. Josefa le

quita sus botazas y sus calados calcetines, y ellos le desnudan con dificultad, a causa de su enorme cuerpo, que pesa excesivamente. Josefa se acerca a ellos y es ella la que ahora se encarga de despojarle de sus ropas ennegrecidas y empapadas, mientras Sabas y Cosme le sostienen. Luego le viste con una camisa blanca que le queda hasta las rodillas. Finalmente, le cubren con una sábana, ocultando, por fin, aquel rostro que da espanto.

—¿Dónde habéis dejado el carbón? — pregunto a Pedro.

36   Josefa

¡Maldito, maldito Sabas! ¡Ya tiene su carbón y ya tiene su hijo muerto! Le advertí que ésta no era noche para ir a las peñas. Pero fue y se los llevó a todos. Y ahora, está ahí, tieso, a la cabecera del catre, mirándole como si le importase algo el hijo que tiene bajo la sábana.

—¡Es Fermín! ¡Tu hijo Fermín! — me entran deseos de gritarle —. Al que tú ayudaste a venir al mundo porque la partera que fuiste a buscar estaba en otro caso. Apenas tuve que indicarte nada, pues tú sabías cómo tratarme a mí y tratar al niño. Aquel hijo es el que ahora tienes ahí tendido en esa fría cama de hierro. ¿Por qué le miras de ese modo, como si no lo creyeras? También mirabas así a aquella vaca que compraste un mes antes de nuestra boda, cuando enfermó y luego después de muerta. ¡Maldito, no le sigas mirando igual, porque éste es tu hijo Fermín, tu pobre hijo idiota!

37   Nerea

Me he despertado porque he oído ruido, no sé si los sollozos de la abuela o algo así, y entonces percibo claramente las pisadas suaves, los pies que rozan apenas las losas del pasillo. Me levanto y salgo del cuarto. Veo una luz y voy hacia ella. Sale del cuarto de Cosme y Bruno, pero el farol no está en él, sino en el cuartucho del fondo, para llegar al cual hay que atravesar el primero. Llego y veo a la madre, al padre, a la abuela y al tío Pedro y a Cosme, en pie, inmóviles, mirando la sábana blanca que tapa el camastro de hierro. En el centro del cuarto, sobre una silla situada a un costado del catre, está el farol de carburo. La madre tiene un rostro nuevo, muy blanco, que casi da miedo. La abuela está llorando y moviendo sus dedos sobre su negro rosario, y sus labios. En la misma entrada del cuarto, está Cosme. Ahora veo que debajo de la sábana parece que hay alguien.

—¿Quién está durmiendo en el camastro? — pregunto a Cosme.

Se vuelve, sorprendido y asustado, y me mira.

—Fermín — responde, en voz baja, vacilando, la luz del farol haciendo resaltar las cuevas de su rostro esmirriado.

—¿Por qué no le dejan dormir tranquilo? — le pregunto.

Esta vez ni siquiera se vuelve, pero sus pies se alzan del suelo y se mueven un poquitín.

—¿Por qué no os vais y le dejáis dormir tranquilo? — insisto.

El tío Pedro se da cuenta de que estoy allí, me mira por encima de su roja nariz y luego mira a Cosme, pero no dice nada, a pesar de que, por un momento, creí que iba a hablar. Sus manos no saben dónde quedarse quietas.

—¿Y por qué le habéis puesto esa sábana por la cabeza?

—¿Quieres callarte ya? — me dice Cosme, sin moverse, sin mirarme, parpadeando rápidamente.

—¿Se la ha puesto él porque tenía miedo?

—Vete — me dice.

—No sé por qué le miráis así...

Entonces, se vuelve violentamente y estalla. Me coge dolorosamente con sus dos manos de mis hombros y me zarandea como un loco. Él y el cuarto y todos los que están allí, empiezan a dar vueltas. Y casi me grita:

—¡Está muerto! ¿Entiendes, imbécil? ¡Tu hermano Fermín está muerto! ¿Puedes irte ahora?

Me saca a empujones del cuartucho, atravesando el contiguo, y me deja en el pasillo. Él regresa. Pero yo le sigo en silencio, sin que él se dé cuenta. Ahora, no entro un solo paso en el cuarto pequeño. Puedo ver a Fermín desde el mismo umbral, a la espalda de Cosme, que está nuevamente en su sitio de antes, mirando al frente, como un poste, igual que los demás.

No se mueve. No se mueve nada. La sábana conserva siempre los mismos pliegues. No mueve ni los pies, que forman en la sábana dos picos como de nieve dura con las puntas de sus dedos, uno junto al otro, derechos.

Nuestro perro tampoco se movía, porque la abuela me dijo que estaba muerto, porque murió de viejo. Pero Fermín no es viejo; no ha podido morir. Pero no se mueve; como el perro. Y Cosme ha dicho que está muerto. ¿Está muerto?

Cuando algo muere, deja de moverse. Y no puede ir de un sitio a otro. Y para morirse no hace falta ser viejo. No hay que esperar tanto. Sé que un inglés se ahogó en nuestra playa, cerca de una peña, y por eso se llama a ésta "la peña del inglés". Se ahogó. Lo sacaron a la arena y no se movía. Y no era viejo. Estaba muerto y no era viejo. Se ahogó y dejó de moverse.

La madre parece que está como muerta, pero su pecho danza de arriba abajo. La abuela se ha sentado, ahora, y parecería muerta si no le viese mover sus dedos. Lo único que mueve el padre es su cabeza, suavemente, de modo casi imperceptible. El tío Pedro vive por sus manos, que no las deja quietas un momento. A Cosme parece que le quema el suelo en los pies, y tampoco está quieto.

Pero él está del todo quieto. Muerto. Aunque no es viejo. Muerto. Sin moverse nada. Nada. Nada.

38   Pedro

Dejo a mi hermana y a la madre en el cuarto donde reposa el pobre chico y voy en busca de Sabas, que ha salido poco antes. Cosme también ha desaparecido. Y la pequeña.

Le encuentro en la cuadra, cerca del gran pozo de los orines, frotando furiosamente el cuerpo de uno de los bueyes, alumbrándose con el otro farol de carburo, al que ha debido de reponer de combustible. Huele a alcohol. En el suelo, cubierto de paja mezclada con excrementos, veo una botella, de la que Sabas llena el cuenco que forma con su mano derecha y luego restriega ésta contra la piel del animal. Los dos bueyes están ya libres del yugo, aunque siguen muy juntos, como si no se hubiesen enterado de que nada les impide separarse.

—¿No vas a llamar al médico? —le pregunto.

—No —me responde prontamente, pero en tono distraído, atento a su trabajo.

—¿Ni tampoco a un cura?

—No podemos todavía.

—¡Yo quisiera saber qué...! —empiezo a gritar, pero él se vuelve y me mira de un modo como si fuera a hacer algo y todos le estorbásemos, como si careciéramos de un sentido especial para comprenderle. Sus brazos cuelgan, ahora, sin vida de sus hombros, desfallecidos, pero en seguida me doy cuenta de que sus manos almacenan una terrible decisión y energía: se cierran sobre sí mismas con denodado vigor, haciendo que los tendones se abulten bajo la piel y que los nudillos aparezcan blanquecinos.

—Espera... escucha —dice, conteniéndose—. ¿Es que no lo acabas de comprender? ¿No te das cuenta que lo que hemos empezado esta noche está sin concluir?

Parece que habla, no por encima de las ropas mojadas que aún lleva, sino a través de ellas, de su humedad. Sólo se ha despojado de la trinchera, después de dejar a Fermín en el catre.

—Pero tu hijo debe recibir la bendición de un sacerdote, ya que no pudo asistirle uno en su muerte. Y también un médico debe...

—¿Escribir en un papel que está muerto?

Vuelve de nuevo a su tarea de frotar al buey. Le digo:

—Hay que lega...

—¿Qué? —pregunta, volviendo solamente la cabeza.

—Lega... lega...

—Legalizar —descubre él.

—Sí —exclamo—. Para diferenciar a tu hijo de un perro.

Creo que se va a sumir de nuevo en su mutismo habitual, pero se agacha a tomar la botella de alcohol y, mientras vuelca un fino chorro sobre su mano izquierda ahuecada, me dice:

—Hagamos que, por una vez, las leyes dejen de seguirnos hasta después de la muerte.

—Entonces, ¿hasta cuándo...?

Deja la botella en el suelo y va a aplastar su mano contra el cuerpo del buey, cuando se detiene y se vuelve a mirarme de frente, sin advertir que el alcohol se derrama sobre el estiércol del suelo.

—No está acabado lo que hemos empezado esta noche — repite, tenazmente, con su rostro invencible, fibroso y seco —. El carbón sigue en La Galea. Nadie debe saber que está allí. Ni siquiera que hemos andado en las peñas. Y esto no lo podríamos sostener si viesen a Fermín.

—Pero alguien nos habrá visto allí o sabrá que hemos ido o no podrá concebir que no...

—Ya nos arreglaremos — replica él, y para cuando aparto mi mirada de su rostro ya está otra vez vertiendo nuevo alcohol en su palma ahuecada.

39   *Josefa*

¿A qué hay que esperar, madre, para poder pensar y sentir dolor? Quisiera morir de dolor viendo a mi hijo ahí tendido, pero no es así. Y creo que la culpa es de no poder pensar. ¿He de esperar a que todo haya acabado, a que esté bajo tierra, para sentir ese dolor que deseo?

Le he preguntado a Sabas:

—¿Cómo fue?

—Un accidente — me ha respondido.

—¿Cómo fue?

—Se despeñó — me dice, después de vacilar unos momentos.

Pero ni aún entonces siento dolor, porque sucede que no puedo pensar en nada. Sólo oigo y veo las cosas, sin pensar en ellas. Veo a Fermín, bajo la sábana, que se mantendría tensa entre su nariz y la punta de sus pies, si no fuera por su prominentes pecho y estómago, que rompen la superficie tersa y sin sombras. Veo a los demás, a mi madre, a Sabas, a Cosme, a Pedro, inmóviles y silenciosos, furiosos por tener que mirar adonde miran, pero derrotados o — todos excepto Sabas — simplemente cansados, y él invulnerable. Oigo la lluvia azotando las tejas, aunque parece que no con tanta fuerza como antes. Y los rezos de la madre. Veo que la sábana parece moverse de tanta sombra que produce el farol; y, a través de ella, su rostro magullado y horrible; y el acongojado semblante de Pedro. Pero, nada.

¿Es necesario que todo concluya para que pueda sentir dolor? ¿Que enterremos a Fermín para que la caída de la tierra sobre él me traiga a la realidad y salga de este mundo de sombras inciertas, inverosímiles, y pueda creer en algo y sentir, por fin, dolor?

40　　　Nerea

La gata anda buscando a los gatitos. Husmea por todos los rincones del caserío, y ha llegado hasta la cuadra; la veo salir de ella cuando paso por delante de la puerta abierta. Acabará encontrándolos; pues los tiene que oír, como yo los oigo. No puede dejar de oír el ruidito que producen sus uñas al raspar los mimbres de la cesta.

La gata me ve y huye de mí, como si alguien le hubiera dicho que yo...

Y lo peor es que los cogerá uno a uno y los bajará del desván, y los verán todos, los verá la madre. Y los matará, como dijo.

La gata se ha colado, ahora, al cuarto de Cosme y Bruno. La sigo. Veo cómo se desliza sin ruido bajo la cómoda.

Me agacho y meto la mano y consigo tocar sus sedosos pelos, que sé son blancos y negros, pero siento en mi mano un revoltijo de patas y escapa. No importa. El padre aún sigue en la cuadra y no podría hacer lo que quiero hacer.

41　　　Berta

Toda la noche la he pasado despierta, oyendo el golpear de la fuerte lluvia contra las tejas, pensando en lo que harían Pedro y los demás en La Galea.

De pronto, queda todo en silencio. Después de casi veinticuatro horas ininterrumpidas de caer agua, cesa de llover. Y noto como si me encontrara dentro de un gran vacío. El silencio es total y parece aplastarle a una. Creo que es el preámbulo de algo terrible. Por eso me asusto al oír llegar a Pedro.

Me levanto de la cama y le veo. Acaba de cerrar la puerta y avanza por la cocina arrastrando los pies, moviendo la cabeza de derecha a izquierda, como un atontado, yerto de frío, perdida la mirada de sus ojillos enrojecidos. Pasa por mi lado sin hacerme caso y abre el armario, el departamento de las botellas, buscando afanosamente una con ambas manos, haciendo sonar todos los cascos. Su abrigo chorrea agua.

—No hay vino — le digo.

Cierra la puerta de golpe y se vuelve. Está nervioso, excitado por algo.

—¿No sabes que no quiero que falte el vino en casa? — grita roncamente, y empieza a toser.

Le explico que no lo he podido traer porque no me ha quedado dinero después de sacar las cuentas con la paga del sábado, mientras me acerco a quitarle el abrigo. Pero él no me escucha y, cuando le despojo de la prenda, pasa a nuestro dormitorio y se sienta en la cama, agarrándose la cabeza y apoyando sus codos en sus rodillas.

—Quítate esa ropa mojada y acuéstate — le digo.

Hasta su chaqueta y sus pantalones están húmedos, pues el agua ha traspasado el abrigo. Sus botas están hasta hinchadas, del agua que han recogido.

Y entonces, me lo dice:

—Fermín se ha despeñado. Yo moví el farol y le equivoqué. Es como si le hubiera empujado con mis propias manos.

Se tiende en la cama y llora como un niño, ocultando el rostro entre sus brazos cruzados. Yo empiezo a pensar en el padre que pudo haber tenido mi hijo, porque ahora ya lo puedo hacer, porque Pedro dice que ha muerto.

Deseaba ser madre. Hubo un tiempo en que me interesó el amor; pero los afanes del sexo desaparecieron en mí en el mismo momento casi en que nacieron e, incluso, antes: cuando llegué a saber que todo niño necesita, no de un padre y de una madre, sino de un hombre y una mujer. Presentí que el amor era secundario, un subterfugio de Quien creó al hombre para conseguir que éste no se extinguiera, pues Él ya sabía qué clase de hombre creaba.

Tardé algún tiempo en empezar a odiarlo, y ello sucedió al desengañarme en lo referente a mí misma, a mis atractivos. Jamás fui pretendida por hombre alguno; todas las muchachas de mi edad se casaron y yo quedé con mis sueños, sola y vencida por lo que entonces empecé a odiar: el amor. Así, pues, cuando me casé con Pedro, lo más que él podía esperar de mí era que no le odiase. Porque lo que solamente deseaba era un hijo.

Fue el mío uno de tantos matrimonios de pueblo: una solterona de treinta y cinco años a quien todos ven que lleva más de la mitad de su vida aguardando al hombre, y un solterón, por ende, aficionado a la taberna, trasnochador y vago, a quien sus familiares desean quitárselo de encima o, por lo menos, probar el último procedimiento para lograr hacerle sentar la cabeza. Y nos arreglaron la boda. Pregunté tímidamente a una vieja harpía a qué edad dejan los hombres de tener hijos. "A ninguna — me respondió, mostrándome sus dientes separados y negros, riendo su propio chiste —; algunos los siguen teniendo hasta después de muertos". Luego recordé que un vecino mío había sido padre a los cincuenta y dos años, y Pedro tenía diez menos.

Lo acepté y me casé con él. Pero, cuatro años después, aún no tenía a mi hijo.

Es entonces cuando empecé a pensar en las palabras que la vieja harpía me soltara cuatro años antes. Al principio, aparté de mi mente la idea, por considerarla pecado. Más tarde, me las arreglé para creer que sólo mi religión lo tendría por pecado, pues Pedro deseaba un hijo tanto como yo, y me dije que aquello no podría encerrar mal si, verdaderamente, yo sólo deseaba el hijo, como era.

Y me puse a buscar fríamente entre todos los hombres del pueblo, aunque me había impuesto como condición que no podría ser cualquiera, sino que debería reunir las debidas condiciones, la principal de las cuales era la de resultar repelente, de modo que pocas mujeres lo habrían aceptado. Y lo hallé a mucha menor distancia que la alcanzada por el más mezquino de mis recorridos mentales: era el ser medio monstruo que yo exigí, no el que me conduciría a lograr mi desesperada ilusión, sino el que a través del cual debería forzosamente pasar para conseguirla: repulsivo y rehuible, nauseabundo para cualquier mujer a quien le fuera impuesto como marido o amante. Sí, excedía a todas mis exigencias. Sólo me equivoqué en una cosa. Pero, ¿quién habría sido capaz de adivinarla? Hasta del ser más abyecto y miserable esperamos que sea capaz de reproducirse.

Y encontré la ocasión aquella noche en el puesto de bebidas de la playa. Pero, en el último instante, dudé; no porque mi conciencia protestara, sino porque él apareció ante mis ojos como un dios triunfador, un ser nuevo y transformado, alabado y vitoreado, de modo que hasta lo que le hacía repulsivo podría ser olvidado, y yo temí que lo fuese. Pero, no; allí estaba él, grande y fofo, con su mirada vacía y ausente, su enorme rostro carnoso empapado en sudor, como el resto de su cuerpo, oliendo a él, humedeciendo su camisa que parecía quedar chica para aquellos femeniles pechos y aquel odioso estómago de animal ahíto, prominente y temblón. Todo ello era más que suficiente para destruir la aureola que le rodeaba después del triunfo en la regata de traineras, el falso brillo que trataba de transformarlo, sin conseguirlo.

Me entendió y ni se asombró siquiera. ¿Me entendió, realmente? A veces, pienso que no fue él quien me siguió hasta la oscuridad de la playa y la trainera, sino la furiosa fuerza animal que nuestras partes más elevadas suponen que controlan, no atreviéndose a reconocer que son por ellas mandadas implacablemente. El caso es que fue a mí y sentí sus bocanadas con olor a cerveza, cada vez más seguidas, hasta hacerse precipitadas y, después, nada. Me contuve de vomitar hasta que, por fin, llegó para mí la amplia noche con todas sus estrellas. Salté de la trainera y eché a correr. En seguida, oí los golpes que descargaba contra la embarcación y a la gente que bajaba del bar. Pero para mi hijo, que para entonces podría haber contado sus dos o tres divinos minutos de vida, aún no había empezado a correr el tiempo.

Si Pedro me dice: "Aún no ha bajado del desván. Sigue construyendo y rompiendo sus traineras. Josefa repite continuamente que eso no significa que esté loco", yo le pregunto: "¿Qué le ha podido pasar?", y no miento, porque la verdad es que no sé nada. No es que he olvidado o que no debo saber nada. Es que no sé nada.

Ya ha parado de llover.

42   *Nerea*

Por fin, logro coger la gata. Le digo:

—Bonita, bonita... —y le acaricio el lomo para que siga quieta y no me arañe. Llego a la cuadra. Tardo un rato en acostumbrarme a la oscuridad, descubrir la suave claridad que penetra por los tres estrechos orificios de la pared, gracias a la cual puedo guiarme. Acaricio con más insistencia a la gata, porque al entrar en la cuadra oscura parece que se ha asustado. Ahora, ya veo todo claramente a mi alrededor.

El pozo de los orines de las vacas está en el centro de la cuadra. Está casi lleno. Una costra negra cubre su amplia superficie. Es muy grande, y una vez, hace tres años, lo vi vacío, durante una gran sequía en que fue preciso regar las tierras con su líquido, y al ponerme en pie en su fondo sus bordes quedaban más altos que mi cabeza. Ahora está lleno.

—No te asustes, gatita —le susurro, llegando al borde del pozo. Y de un violento tirón con ambos brazos la arrojo a él, antes de que pueda prender sus uñas a mi ropa. En el trayecto por el aire, su cuerpo gira hasta colocarse patas abajo, y así cae sobre la blanda costra, en la que se hunde casi por completo; se agita desesperadamente; sólo consigue permanecer en aquella nata negra unos instantes, pataleando como loca y estirando la cabeza, mirándome con ojos luminosos saltones, pero acaba hundiéndose, desapareciendo, sin un sonido, y la abertura que la ha tragado se cierra suavemente otra vez. Así, morirá y se estará quieta, como Fermín, y no podrá descubrir a mis gatitos.

Voy hacia la entrada de la cuadra y miro por una rendija de la puerta. Veo llegar a la tía Berta vestida de negro. Ya no llueve.

43   *Berta*

Parece otro el mundo, ahora que ha dejado de llover. Pero los caminos están tan embarrados que he tenido que ponerme los zuecos de madera encima de los zapatos para ir a casa de mis cuñados y girarles la visita que debe tener lugar entre familiares después de lo que ha pasado. Todavía no ha amanecido del todo.

La puerta está abierta y entro en la casa. Todo está en completo silencio. Podría distinguir la casa donde vive Josefa en un instante, aunque se mudase cada semana de domicilio. Lo que hace ella no es limpiar, sino gritar a todos que lo hace mejor que ninguna. Se mata porque su casa dé la impresión de que viven en ella ricos con criadas.

Al final del pasillo, encuentro un dormitorio, y a través de él veo otro más pequeño, y en él, a la abuela y a Josefa, sentadas, inmóviles y silenciosas, como corresponde a unos deudos, mirando al catre. Sí, la sábana que le cubre es de inmaculada blancura, como no podía ser menos tratándose de un muerto de Josefa. Me acerco a ella y ni siquiera se levanta al verme. Pero, ¿me ha visto? Me inclino y voy a besarla, mas hay algo que me repele, quizá la frialdad de su rostro o su adusta e indiferente inmovilidad o acaso... Pero, por fin, tengo que decírmelo: su cutis exhala un olor parecido al de él, pues lo percibí a través del de la cerveza, y me aparto sobresaltada, sin saber por qué, ahora que todo ha acabado y ha muerto, pues si antes sólo murió en mí, en este cuarto veo la prueba con que el Señor me quiere demostrar que aquello por lo que ya le pedí perdón está muerto. Muerto fuera de mí, que en mí ya lo estaba. Así está ahora: Muerto del todo.

Y hasta aquella habitación del fondo de la casa, pequeña y húmeda, que siempre estuvo vacía, aparece tan limpia y barrida como las demás.

Ya no llueve. Las furiosas gotas han dejado de golpear
sobre la lona que cubre la carreta y todo ha quedado silencioso, como muerto. Esta naturaleza que ha estado rugien-
do durante veinticuatro horas, ahora se ha encogido, te-
merosa, como esperando un castigo. Sólo queda el mar,
allá abajo, moviendo todavía las masas de agua como por
simple inercia.

Salgo de debajo de la carreta, donde he estado metido
desde que regresé del pueblo. No he pegado ojo. Ya ha
amanecido. A través de las negras nubes que aún corren
por el cielo, se filtra una esperanzadora claridad.

Y entonces le veo llegar: tieso, lanzando una y otra
pierna hacia delante, no mecánicamente, sino con movimientos calculados, ágil, inmune al cansancio, con un envoltorio pequeño en su mano derecha. Se acerca de la
parte del mar, y por eso sé que ha dado un gran rodeo
desde casa. No me hace falta verle el rostro para adivinar
que no ha dormido; lleva las mismas prendas que cuando
se marchó con la camilla: la empapada trinchera, ese sombrero de lona que le tiene que helar la cabeza, las botas
que suenan a agua aunque no pise suelo mojado. Cuando
llega más cerca me doy cuenta de que sus ojos están más
hundidos que nunca en aquella cara sin afeitar, amoratada
de frío, pues, aunque el vendaval ha amainado, sopla ahora un vientecillo cortante.

—¿Cómo está la madre? — le pregunto en cuanto se
detiene ante la carreta y empieza a examinarla detenida-
mente.

—Bien — me dice.

—¿Qué dijo?

—Nada.

Toda su atención parece reconcentrarse en la carreta,
a la que da la vuelta observándola cuidadosamente, haciendo presión en las ruedas con sus manos para saber si
siguen enteras y prometedoras de nuevos esfuerzos, si han
resistido todo aquel peso. Luego, levanta la cabeza y ob-
serva el montón de sacos de carbón, que da al conjunto

una forma desproporcionada, excesivamente alta. No advierte que falta uno. No es fácil notarlo sin contarlos.

—¿Pero no dijo nada? — insisto.

—No. Ya sabes cómo es ella. Sólo me hizo una o dos preguntas.

—¿Y qué hacía ahora?

—Está junto a él, a la cabecera del catre en que le hemos puesto, en el cuarto del fondo. También está la tía Berta.

Me mira y agrega:

—Nadie debe saber que ha muerto. Los carabineros tendrían una excelente prueba de dónde hemos pasado la noche y se abalanzarían como aguiluchos sobre nuestro carbón.

—Pero...

Me detengo porque leo en sus ojos una decisión inquebrantable. Deja el asunto como zanjado y desenvuelve el paquete que ha traído, despojándole del hule (el que suele llevar Cosme en su cesta envolviendo la comida, cuando va a la fábrica) y aparece la marmita y un trozo de talo de maíz. La marmita contiene las patatas que sobraron de la cena, secas y frías, así como el talo.

—Es lo único que había preparado para traerte — me dice —. Siéntate y come algo. No habrá sido agradable pasar aquí toda la noche.

Lo único que me apetece es algo caliente. Aquellas patatas que parecen engrudo y el talo, seco y duro, me repugnan y no toco nada.

—Creo que deberías tomar, por lo menos, un bocado — me aconseja, al ver que dejo todo intacto sobre el hule, en el suelo.

—Me revolvería el estómago — le aseguro —. No puedo tomar nada.

Entonces, levanta el faldón de la trinchera, mete la mano en el bolsillo del pantalón y la saca con algo.

—Toma, para el billete de ferrocarril y para que comas caliente durante el viaje a Burgos — me dice, tendiéndome la mano abierta, y veo sobre ella cuatro monedas de plata de cinco pesetas y tres de una —. Son las siete. Tienes tiempo de tomar el tren de las ocho y media.

Se lo digo.

—No me voy.

Me mira sin excesivo asombro, como si aquella noche no le pudiera extrañar ya nada.

—Aún quedan muchas cosas por arreglar aquí — añado, sabiendo que él no puede adivinar lo más importante a que me refiero.

—Sí, el asunto se ha complicado — dice el padre —. Y necesitaremos de todos para salir adelante. A pesar de todo, debes tomar ese tren.

—No puedo marcharme sin haber enterrado a mi hermano — le espeto, mirándole fijamente, supongo que también con dureza, pues pienso que el carbón es una cosa y Fermín otra. Pero aquella pétrea determinación no ha desaparecido de sus ojos. Y, así, agrego —: ¿Por qué supones que los cuerpos se entierran antes de que acabe el segundo día?

X

No sé si ya estaba pensando en sueños en el palangre o me acordé de él en el mismo momento en que abrí los ojos. Recuerdo que permanecí unos segundos sentado en la cama, como aturdido, pero no por ruido alguno (la casa se hallaba en completo silencio, a pesar de que por las rendijas de la ventana entraba ya la claridad del día), sino por lo contrario: ese vacío silencioso en que me sentía sumido, casi palpable, que me desconcertó hasta que, por fin, supe a qué se debía: había cesado de llover, de oírse el redoble de las infatigables gotas contra tejas, maderas, prendas, tierra o carbón, el sonido que ya considerábamos que nos acompañaría por todo el resto de nuestras vidas, como el de la respiración.

Dos cosas se mostraron ante mí evidentes, mientras arrojaba las mantas a un lado y saltaba de la cama: que era domingo y que, por la luz, era ya hora de bajar a la playa a recoger el palangre y mis esperanzas puestas en él. Pero la primera la recordé como consecuencia de la segunda, de modo que no debía recoger el palangre porque era domingo, sino al revés: que era domingo porque debía recoger lo que durante todo el día del sábado y la mayor parte de su noche, sabía que me estaba esperando colgado entre dos peñas y que lo iría a buscar en la primera bajamar del domingo.

Y fue al ir a tomar las ropas esparcidas entre los pies de la cama y la silla (arrojadas allí unas horas antes por quien me desnudó estando yo ya dormido), cuando toqué la capa, todavía húmeda, tiesa y dura, y recordé de rechazo la lona envolviendo a Fermín, y a éste, muerto, y

conocí entonces que había estado durante todas aquellas
horas de mi corto sueño tendido en alguna cama del caserío.

Busqué otras ropas secas en el armario, así como unos
zapatos y me puse todo nerviosamente y salí al pasillo, esperando encontrar algo o a alguien que me decidiera a
hacer lo que no me atrevía, a pesar de que la figura de
Fermín inmóvil, terriblemente muerto, por haberla contemplado bajo la tormenta y la lluvia, debería resultarme
ya hasta familiar. Pero salí al pasillo y lo único que hice
fue dirigirme hacia la entrada del caserío, y recuerdo que
temiendo que alguien se me cruzara en mi camino y me
preguntara adónde iba.

No vi a nadie. Cuando salí al exterior, aún del tejado
y de los árboles se desprendían gotas de agua, como epí-
logo de la terrible noche. Salí y seguí andando, a pesar
de que acababa de descubrir lo que iba a hacer en los
minutos siguientes. Acaso di media docena de pasos alejándome del portalón y del caserío, sin querer darme cuenta de que ya tenía decidido asomarme al ventanuco. Re-
trocedí, pues, luego, y no tuve que encaramarme de puntillas para ver el interior, como por fuerza debía hacerlo
un año atrás, y allí lo vi, como suponía, en el cuartucho
del fondo, sobre el catre de hierro que daba la impresión de ser entonces más duro y menos acogedor que
nunca; largo, tieso, bajo la sábana casi tensa; y a la abuela y a la madre, sentadas ambas en las sillas bajas de la
cocina, pero no completamente inmóviles — aunque sus
cuerpos semejaban palos —, ya que parecían estar alen-
tadas de un espíritu de indomable esperanza que les hacía mirar al bulto de Fermín aguardando el milagro imposible de que se moviera, para ellas, entonces, saltar de
sus asientos y abrazarlo si el terror no las fijaba al suelo;
un estado de alerta tan acusado como el de los corredores
que pisan la raya esperando a oír el disparo de la pistola.
Y nadie más. Sólo ellas. No sé si llegué a preguntarme
dónde estaban los demás, pero cuando acaso lo hice, ya
me encontraba corriendo, alejándome de aquel ventanuco,
con los ojos humedecidos.

Luego, a los pocos pasos, los vi: los grupos que se arre-
molinaban alrededor de nada, como no fuera de ellos mis-

mos, del hombre o los hombres que más cosas parecían
saber o que, por lo menos, más hablaban; los hombres y
muchachos que maldecían su mala suerte por haberse matado trabajando durante casi toda aquella noche para
— como dijera el padre en la cocina — la compañía ar-
madora o la de seguros; que habían realizado aquella labor tan concienzuda de limpiar de carbón las peñas, recogiendo prácticamente todo lo que saltó del reventón del
barco, para otros, cuyo único fin era el de llenar unos papeles con el resultado y poder dejar así el asunto legali-
zado, y que no darían ni las gracias a los peones que
reunieron, piedra a piedra, ese resultado.

Casi todos se hallaban en lo que ya no podía recibir
ni el nombre de ruinas: un conjunto de viejos muros de
piedra arenisca — la misma de que estaba construido nuestro caserío —, derruidos, gastados lo que quedaba de
ellos por el viento y la lluvia, con oquedades pulidas en
muchas piedras, sin forma adivinable de castillo, y habría
pasado por cualquier otra cosa de no contar con la leyen-
da, que lo atribuía a los moros, y a su misma situación
estratégica, pues aquello, fuera lo que fuese, fue edificado
sobre el monte que dominaba la playa, en la parte central de ésta, con lo que sus creadores demostraron, por lo
menos, buen sentido guerrero. De vez en cuando, alguien
aseguraba haber encontrado allí una calavera o cualquier
otro hueso humano, y las gentes decían: "Son los de un
moro aquí enterrado". Y conviene hacer la salvedad de
que el calificativo de "moro" encerraba a todo anterior
habitante extranjero de lo que todavía es nuestra tierra,
con aquel sentido enjuiciador tan certero y vago a un
mismo tiempo, que caracteriza al pueblo cuando se topa
con algo relacionado con lo que él no llama Historia sino
tiempos viejos.

Estaban allí, desposeídos ya de las empapadas y viejas
trincheras y abrigos, y de sus americanas y jerseys, y puestas en su lugar ropas secas, lo que indicaba que habían
dispuesto de tiempo para pasar por sus casas respectivas,
no solamente para interrumpir la vorágine precedente de
la carga de sacos, y viento y lluvia, y gritos a los animales
y prisa; y no solamente, tampoco, para mudarse, sino también para crear el descanso, la pausa necesaria para que

se realizase el cambio de decoración y pudieran salir nuevamente a dar comienzo al segundo acto.

Porque el primero concluyó — más tarde me enteré — cuando el teniente García dio la orden de que las carretas, los carros, y los mulos y burros cargados con carbón, sorprendidos por los carabineros en La Galea, fueran llevados a la plaza de Algorta, la Plaza, donde se celebraba mercado los jueves, sábados y domingos: una explanada con suelo de cemento, en medio del pueblo, ante el edificio que albergaba al juzgado y la escuela y, en su planta, el frontón de pelota; en ella me figuraba ver los toscos vehículos y los animales sucios y cansados — como los primeros —, inmóviles, soportando aquella desacostumbrada carga, y a los carabineros alrededor de ellos, vigilando el cuerpo del delito, mientras las mujeres, los niños y los viejos contemplaban la escena desde los dos o tres pasos de distancia señalados por los hombres de uniforme verde con las carabinas colgando aburridamente de sus hombros. Los hombres que pasaron la noche del sábado en las peñas, no se encontraban allí; abandonaron su presa, dándola por perdida, no solamente porque hombres armados los apartaron de ella diciéndoles que iban a decomisarla, sino, principalmente, porque con la luz del nuevo día quedó rota la furiosa locura de la noche precedente, de la que no era parte menor la desesperada esperanza de llegar a ser dueños de aquel carbón, que la oscuridad, el viento y los ruidos de fondo de la naturaleza contribuyeron a afirmar (la locura), a convencer de que aquel aquelarre podía servirles para algo, y hasta lo debieron creer así, como estamos seguros de haber visto en una sombra nocturna que se mueve, a un hombre en acecho, o en un roce de hojas, el ruido de pasos misteriosos que se aproximan. Fue un espejismo nocturno que los deslumbró, y sólo al llegar la nueva luz supieron que jamás les perteneció aquel botín, por mucho esfuerzo que les costara conseguirlo.

Ahora, estaban allí, con sus ropas secas, entre las ruinas del castillo, agrupados, vacilantes y furiosos, mirando al mar que se aplacaba por momentos, obligado a hacerlo porque la hora de la bajamar ya estaba próxima y muchas peñas, antes ocultas, emergían, rodeadas de una espuma, no blanca, sino turbia, de un color de barro no tan oscuro como el que ofrecía el mar; mirando al barco inglés allá a lo lejos, al pie del acantilado, al que entonces ya no azotaban las olas, pues habían retrocedido, de modo que el negro navío se encontraba casi en seco, encajonado entre peñas, a las que ni los embates del oleaje en su mayor apoteosis pudo librar de su negrura artificial; mirando, sin ver, la playa y la parte de costa visible, todo con el aspecto de un campo de batalla abandonado: perros azulados, sin pelo, con la tripa hinchada y la piel tersa y casi transparente; dos o tres botes destrozados, abandonados despectivamente por el mar; ramas de palmera podridas y negruzcas, como esqueletos de monstruos marinos; botellas, tablones y tablas; algas arrancadas al fondo del mar... Y, todo, dominado por la luz plomiza que parecía traspasar difícilmente las nubes oscuras y cerradas, que se trasladaban con velocidad hacia el Sur, arrastradas por el viento frío que aún nos azotaba el rostro.

Caminé hacia el castillo y avancé por el corredor que sirviera en su tiempo de acceso a la entrada principal. Mi intención era descender a la playa por el monte, atravesando antes las ruinas; lo podía hacer por otros lugares, pero aquellos grupos de hombres me atrajeron, y me acerqué lentamente a ellos, sin que me vieran, pues sólo veía sus espaldas, todos daban cara al mar.

Entonces oí lo que decían. No fue, precisamente, el significado de sus palabras, sino el tono duro con que fueron pronunciadas, lo que hizo que me quedara clavado donde estaba, mezclado ya entre ellos; y no ocurrió así por eso tan sólo, sino porque, además, aquellas palabras secas y furiosas repitieron varias veces el nombre del padre.

Reconocí al viejo Antón. Era el que llevaba la voz cantante.

—¡Os digo que nos ha vendido! —repetía una y otra vez, metiéndoles como a martillazos la idea—. ¡Nos ha vendido!

—Sabas no es capaz de hacerlo —pronunció otro.

—¿No? ¿No? —saltó Antón, y vi perfectamente su rostro al volverse: flaco, lleno de arrugas, con barba de acaso tres días, que brotaba de los huecos de aquel rostro iracundo como maleza de valles inexplorados, blancuzca y seca, y sus ojos como dos llamitas escondidas en el fondo de sendas grietas de un terreno accidentado, semejantes a las primeras señales que pudieran verse de la erupción de un volcán si la montaña ofreciera aberturas. Se encaró con furia con el hombre que había hablado —. ¿Por qué pidió la carreta a Lecumberri y se la llevó? Sería para algo, ¿no? Y su carbón es el único que no ha sido decomisado. Lo que quiero saber es si el teniente García está dispuesto a perseguir su carbón o ha hecho un pacto con él. Por eso le he hablado ya sobre esa carreta.

—Puede que, al final, decidiera no ir —arguyó otro del grupo, pero hasta yo mismo advertí que ni él mismo creía eso.

—¿Y la carreta? ¿Dónde está, entonces, la carreta? — saltó nuevamente Antón, volviéndose ahora a él, escapándosele la baba por entre sus salteados dientuchos ennegrecidos.

—Quizá haya sido más listo que nosotros y la tenga escondida en algún sitio — intervino el padre de Teodoro, el chico que yo sabía estaba aguardando la ocasión de levantar mi palangre. Y entonces me acordé de él y traté de salir corriendo hacia la playa, pues ya había descendido el agua lo suficiente como para retirarlo de las peñas. Pero no me moví. Ni siquiera volví la cabeza hacia la esquina de la playa donde lo pusiera la tarde anterior, cuando comenzaba la galerna. Mis pies no se movieron de aquella tierra, todavía empapada, del castillo, y seguí escuchando, aunque sabía que ya me había enterado de lo suficiente y conocía lo que me correspondía hacer; pero me quedé aún, quizá para saborear o, por lo menos, sentir el aguijón del peligro, porque sucedió que, momentos después, los cuarenta o cincuenta hombres y muchachos del grupo pensaban del mismo modo, pues había vencido el viejo Antón, no tanto por sus razones como porque sus contrincantes no poseyeron suficiente fuego o, simplemente, potencia de voz, para imponerse, y el padre se acababa de convertir en la nefasta causa que inutilizó todos los esfuerzos de aquella noche, y parecieron satisfechos de haber descubierto que aquel motivo era hasta susceptible de ser combatido, de modo que la venganza en que se estaba transformando su ira podría saciar su sed.

He pensado después muchas veces lo que habría sucedido si me hubiesen descubierto allí, junto a ellos, sabiendo, como tenían que saber algunos, que yo estuve toda la noche junto a la carreta y no podía ignorar qué había sido de ella. Me ha agradado siempre suponer que aquellas viejas paredes habrían contemplado un espectáculo seguramente para ellas familiar: el tormento aplicado a alguien para que confiese algo. Sí, eso fue lo que me retuvo allí más de lo debido: quería sufrir de alguna forma, por lo menos para poder olvidar que Fermín estaba allí tendido, sobre el catre de hierro, en el oscuro y angosto cuarto del fondo.

Un movimiento de aquella masa humana me hizo mirar en la dirección en la que sus componentes miraban. Por las peñas de la parte baja de La Galea caminaba lentamente hacia la playa un grupo de tres carabineros, y pude distinguir que uno de ellos era el teniente García; supe que era él porque marchaba el último, sin que sus dos inferiores mostraran el menor escrúpulo en precederle, y al punto recordé que les había visto en diferentes ocasiones de la misma forma, pues todos sabíamos en el pueblo que el teniente solía indicar a sus hombres que avanzaran sin preocuparse por él, porque semejante táctica era una especie de garantía para llegar al punto deseado con el retraso previsto. Además, conseguí reconocerlo por otro detalle: su forma esférica, semejante a una pelota, no saltando de peña en peña, sino rodando simplemente de una a otra, y hasta me pareció oír el sordo ruido de su voluminoso abdomen cuando resbaló y cayó hacia adelante sobre una roca. Di la vuelta y salí corriendo hacia el caserío.

Llegué, jadeante y sin aliento, al portalón y experimenté un absurdo sobresalto al ver allí al padre, sentado sobre la piedra alargada que siempre conocí a la entrada, en la parte exterior del portalón, que llevaba allí tantos años como contaba el caserío, destinada a servir de descanso a innumerables generaciones; pulida, blanqueada por el sol, acogedora, invulnerable al tiempo, de la que me contó el padre que algún día me diría: "Ven y siéntate con ellos", y yo le dije: "Querrás decir «como ellos»", y él insistió: No, con ellos, pues siguen viviendo en ella".

Masticaba una pajita y, para cuando advertí su pre-

sencia, ya me estaba mirando atentamente, no con fijeza
o apresuramiento, sino sólo atentamente, parpadeando a
un ritmo perfecto, con idénticos intervalos de tiempo. Yo
me había detenido a seis pasos de él y le miraba, todavía
respirando fuertemente, sin poder hablar, aunque no por
culpa del ahogo que sentía debido a la carrera, sino porque aquella mirada del padre hizo que me olvidara de
todo, excepto de nuestro mutuo dolor.

—Isma —pronunció suavemente, empleando el diminutivo que tan escasas veces le oí. Y mi emoción subió de
punto al darme cuenta, en ese mismo momento, de que
siempre habían marchado unidos su mirada de entonces
y el diminutivo aquel, pues recordé cuando, años atrás, se
abrió a las tres de la madrugada la puerta del viejo molino, en donde me había encerrado Teodoro, y apareció él,
agitado, y su mirada escrutadora y, acaso, inquieta, se tro-
có bruscamente, al descubrirme allí dentro, en la que entonces veía, y también me llamó: "Isma", tomándome de
los hombros y propinándome algunas palmaditas alentado-
ras, pues yo ya estaba llorando apretado contra él. Era la
misma mirada y el mismo parpadeo —. Isma —repitió.

—¿Qué? —le pregunté, aunque sabía que no me con-
testaría nada, y eso sin comprender entonces lo que más
tarde supe: que lo que sentía el padre en aquellos instantes no podía ser explicado con palabras, porque tampoco era pensado con palabras, porque no era ni siquiera
pensado, sino sentido.

Y estando allí, parado, mirándole masticar la pajilla,
los ojos se me humedecieron, y él lo observó, pero no me
preguntó nada, pues habría destruido nuestra comunica-
ción, si bien habría resultado un excelente medio para concluir el episodio del modo vulgar, jovial y tonto con que
frecuentemente se prefiere acabar esas situaciones. No me
ofendió ni se traicionó él mismo. La pajita de su boca
—que durante todo el tiempo que duró aquella mirada,
dos o tres minutos, no dejó de moverse, no accionada por
los labios sino por los dientes, por su mandíbula, con el
mismo ritmo que el parpadeo— se quedó entonces quieta en una de las comisuras, y levantó la cabeza y miró primero al cielo, luego hacia el mar y, finalmente, hacia el

castillo, que se distinguía desde allí y del que sabía que yo venía.

—Ya ha parado de llover —musitó, simplemente.

—Sí —le contesté.

—Has dormido poco —agregó, y la pajita empezó de nuevo a moverse—. Debiste quedarte toda la mañana en la cama. Pero, no podías, ¿verdad? Claro. Sí.

Pareció que en aquel momento sentía él, implacable y descorazonador, todo el peso de nuestra tragedia: sin levantar la vista del suelo, escupió la pajita de la boca, alargó la mano para arrancar otra de las hierbas que a sus pies crecían, y se la llevó lentamente a sus labios, pero no empezó a mordisquearla ni a moverla, sino que la mantuvo horizontal, emergiendo de su boca, olvidada, mientras él, con la mirada levantada, daba la impresión de observar atentamente algún punto lejano.

Luego, empezaron a sonar las campanas de la torre de los Trinitarios, anunciando la misa de las nueve, llenando el ambiente de sonido de domingo, y a esa relación tan íntima entre el repiqueteo alegre y esa mezquina libertad cuya medida estaba catalogada y que era, precisamente, la de uno partido por siete, podría deberse que los que odiaban al clero no lo odiasen más, y los que creían les era indiferente, lo soportasen; pues esas campanas, no sólo les anunciaban que aquel día no deberían permanecer ocho, nueve, diez o once horas ante el torno o la fragua o la fresadora, sino que también les recordaban lo que no hacía falta que nadie se lo recordase: la herencia de oraciones, persignaciones y bendiciones dejada por las madres trabajadoras y beatas, las mujeres de la anterior generación que presentían que sus hijos no serían como ellas, porque ellas mismas no fueron como los abuelos y abuelas de esos hijos, a los que hacían, no jurar, sino prometer delante de ellas, delante de "la madre", que jamás faltarían a misa los domingos y fiestas de guardar, que comulgarían los primeros viernes de mes y que del hijo mayor que tuvieran harían un sacerdote. Aquellas madres temían bien; resultó que sus hijos fueron tal y como lo presintieron: escépticos, preguntones, disconformes y burlones, cuando lo único que deberían hacer para ser como ellas era creer en todo, no preguntar nada, asentir a todo y no reírse de

nada. Pero, al menos, descubrieron que aquellos hijos lo
habían perdido todo menos la fe, que estaba por encima
de sus escepticismos, preguntas, disconformidades y bur-
las; no a pesar de ellos, pues ni siquiera debía ella (la fe)
luchar, ya que esos hijos la suponían muerta. Sin embargo, tal descubrimiento no hizo cantar aleluyas a las madres beatas, quienes sólo deseaban que sus hijos cumplie-
sen los preceptos a machamartillo, porque sí, como si los
visajes del rito se justificasen a sí mismos, se bastaran; que
temían más el juicio del párroco que el del Tribunal Supremo.

Segundos antes de empezar a sonar las campanas, oí a
la abuela arrastrar los pies por el pasillo.

—Padre — le dije prontamente, sin dejar de mirarle.

—¿Qué? — me preguntó.

—Se lo he oído decir a Antón. Se ha chivado al teniente García que nosotros llevamos la carreta de Lecumberri.

Su pajita empezó a moverse ágilmente, saltarina.

—Debí estar seguro de ello en vez de sospecharlo solamente — murmuró, con voz tranquila, y yo supe entonces que también aquello tenía previsto.

—Y... — comencé a decir.

—¿Qué más?

—Creen que les hemos... que les han vendido, porque
nuestro carbón es el único que todavía está a salvo. Puede que se les ocurra quemar el caserío.

—Hoy es domingo, Ismael, un día sagrado hasta para
ellos, que desde que tenían catorce años no se sienten
atraídos hacia estas campanas que oyes, como dicen sucede con los rayos. Descansarán. Además — agregó, con
una imperceptible sonrisa a la derecha de la pajita —, hay
otra razón para que no lo quemasen hoy.

—¿Cuál?

—Que está demasiado mojado.

Tuve el tiempo justo de dar la vuelta a la casa y asomar la nariz desde la esquina, junto a la alambrada del
gallinero (en el que no se veía ningún ave, pues nadie se había preocupado aquel día de abrirles la ventana
de la cuadra), para ver desde allí salir a la abuela, con
su mantilla negra sobre la cabeza, sujeta al pelo por dos

alfileres descomunales también negros, su libro manoseado de misa del mismo color y sus zapatos sonoros de los domingos, con los que sus pisadas retumbaban en el portalón como cañonazos, a pesar del cuidado que puso ella. Llegó con pasos vacilantes ante la piedra, separó de su rostro angustiado una esquina del velo y preguntó:

—¿Dónde está el carbón, Sabas?

Yo sabía que él, por fuerza, la había oído salir, pero tardó unos segundos en volver la cabeza de la dirección del castillo y mirarla. Su expresión era suave, casi apacible.

—Tiene derecho a saberlo, abuela —dijo—. Está todavía en La Galea, escondido en un pinar. ¿Nadie se lo había dicho todavía?

—Lo he preguntado, pero... claro —habló ella, y empezó casi a lloriquear, pero las campanas sonaron con apremio y se sonó con su pañuelo azulado, que volvió a introducir en su manga.

—¿Y Berta? —preguntó el padre.

—Salió antes para prepararse para ir a misa —contestó la abuela.

Miró a su alrededor, con ojos rojos, que destacaban en aquel rostro arcilloso.

—¿Dónde está Ismael? —preguntó, y me sorprendió oírla de nuevo con su acritud habitual, cosa que su rostro no expresaba.

Esperé la respuesta del padre, si bien sabía, poco más o menos, cuál sería. Su actitud en aquel asunto siempre fue pasiva, dejando a mi elección el ir o no a misa los domingos, pues él no iba, aunque no le gustaba hablar de ello y acaso tampoco pensaba mucho sobre el particular, considerando que el asunto quedó zanjado a sus catorce o dieciséis años, cuando se sintió liberado de la influencia del párroco, de su dirección del grupo de muchachos que se reunía en la sacristía o, en los atardeceres agradables, en el pórtico de la iglesia, rodeando al sacerdote, y se entusiasmaban oyéndole hablar, no tanto por lo que decía como por la forma en que lo decía: fluida, brillante, sin una vacilación, empleando las palabras precisas y oportunas. Y aquello constituía el verdadero talón de Aquiles de él (de mi padre) y de toda aquella gente aldeana, y el párroco lo sabía: la cultura que presentían debía estar escondida en algún lugar o algunas personas, que les había sido vedada por nacimiento, a la que temían, no obstante, por no comprenderla y no desconocer que se hallaba siempre de parte de los que mandaban, y a la que con el tiempo llegaban a odiar, por serles ajena, constituyendo la sumisión y asombro que, a veces, mostraban, una forma de ese odio o resquemor; de tal modo que un cura medio inculto, no que se esforzase por hablarles su mismo lenguaje y de la misma forma, sino que no supiese otro; humilde; no preparado para ello, sino nacido; que confiase, para ganarles, más en su actuación fuera del púlpito que en él mismo; que les resultara distinto de los demás hombres porque, realmente, lo fuera; humilde; aislado, que no le supieran respaldado por poderes y leyes poderosas; humilde, por no hablar de egoísmos y ambiciones personales... podría conseguirlo; un clero así podría conseguirlo.

Y yo tenía entonces esos catorce o dieciséis años suyos, en los que él decidió y esperaba que yo lo hiciera, a mi vez, o no esperaba sencillamente, sino que lo temiera, porque no es poca cosa perder el esperanzador bagaje que nos ha alentado hasta esos catorce o dieciséis años y tropezar desilusionados con la ciclópea, monstruosa, inexpugnable y definitiva conclusión de que "eso está bien para niños y viejas".

—Por ahí debe andar — dijo el padre.

—Ese chico... — le oí murmurar a la abuela, que empezó de nuevo a arrastrar los pies. Sin embargo, aún habló antes de salir de debajo de la parra y abocar el sendero, sin detenerse —. Josefa sigue allí, como una estatua. Y me ha dicho... me ha dicho... — Pero no concluyó la frase; ahogó un gemido y la vi alejarse por entre las dos huertas del frente del caserío, llenas, entonces, de inútiles cañas de maíz sin sus mazorcas, abatidas en el suelo por la galerna, marcando una única dirección, como si el viento hubiera escrito sus frenéticas memorias de la noche pasada con buena letra sobre aquellas tierras.

Salí de mi escondite y vi cómo el padre miraba hacia el castillo; hice lo mismo; llegaba en aquellos momentos a él la pareja de carabineros, que precedía al teniente Gar-

cía, caminando los tres lentamente, como si tuviesen toda
la eternidad por delante para hacer lo que fuera; el teniente, sudoroso y respirando fatigosamente, lanzando a
cada paso su enorme abdomen hacia adelante, como avanza un chiquillo impulsando a empujoncitos una pelota:
macizo, moreno, de movimientos seguros (y desde allí adiviné sus ojillos astutos, menudos, negros, aunque no eficaz-
mente maliciosos, sino simplemente vivaces, sin pasar más
allá, por represión de su dueño o, acaso, pereza); rechoncho, de rostro hastiado y piel brillante, reflejándose en su
amplia faz una extraña benevolencia que no incitaba en
absoluto a la familiaridad. Llegó a la altura del castillo
tras los dos carabineros que caminaban silenciosos hacia
la empinada cuesta que conducía al pueblo, y no tuvo necesidad de descubrir que los cuarenta o cincuenta hombres
o muchachos del grupo del castillo habíanse vuelto, dando sus espaldas a la playa y mirando hacia nuestro caserío, para hacerlo él mismo, pues desde mucho antes se le
adivinó su intención de mirar en esa dirección (me refiero
a esa tendencia a alzar la cabeza que se presiente en quienes recorren un camino accidentado y no quieren perder
de vista el suelo para no tropezar). El caso es que miró,
vio al padre, me vio a mí y, sin dar muestras de habernos
descubierto, volvió la cabeza al frente, al suelo, y siguió
andando, apresurando el paso que había disminuido aquellos instantes.

Aunque fue poco, resultó suficiente y significativo, y
supe que el padre pensó lo mismo cuando se puso en pie
y escupió su pajilla.

—Ven — me dijo.

Y entró en el caserío, siguiéndole yo. Y, mientras or-
deñábamos las vacas (uno cada una, los baldes bajo las
repletas ubres, él sentado en la única banqueta destinada
a tal operación — pues siempre se realizaba por uno sólo —
y yo en cuclillas, y esta vez los sonidos de los espesos y
potentes chorros blancos al penetrar en la nata de los
baldes se escuchaban a intervalos que eran justamente la
mitad de cortos que los habituales), me lo dijo:

—Es domingo, y por eso llegaremos a esta noche sin
que nada se mueva, pues hasta un hombre que cobra un
sueldo de quienes le han ordenado recuperar todo ese car-

bón, debe respetar el séptimo día. Sólo que nosotros no descansaremos.

Hubo una pausa en sus palabras que interrumpió para decirme:

—Sigue... —cuando se dio cuenta de que mi balde no producía ningún ruido, y me encontré mirándole y con las manos olvidadas en los ásperos, alargados y colgantes grifos de mi animal. Seguí tirando y él no esperó a que le preguntase: "¿Qué haremos, entonces?", pues continuó con su voz firme y hasta apacible —: Lo vaciaremos y meteremos el carbón en él.

Su cabeza, al decirlo, había realizado un movimiento vago y leve, que pudo bastar a quien supiera más que yo, pero que me resultó insuficiente. Miré a mi alrededor, tratando de descubrir qué era lo que, una vez vacío, podría albergar el condenado carbón, pero fue inútil. También detuve aquella vez el movimiento de mis manos, aunque luego no fue necesario que él me avisara para que reanudara el ordeño, pues mi propia voz me lo advirtió:

—¿Qué es lo que vaciaremos?

—El pozo.

Pero ni aún entonces comprendí. Sin embargo, la culpa no era de él, sino mía, seguramente, por la razón de que no tuvo necesidad de ampliar la explicación, limitándose a repetir las dos palabras:

—El pozo.

Y descubrí que el culpable fue el tiempo, porque aquella segunda vez caí en la cuenta de qué se trataba. Mas ya no importaba gran cosa; siguió hablando, sin dejar de oprimir suave y firmemente los largos pezones.

—Tenemos todo el domingo para hacerlo. Sacaremos la orina de los animales, hasta ver el fondo. Lo podemos hacer. Sí, desperdiciaremos su efecto como abono, pero nos hará ganar algo mejor.

—Pero... pero ellos siguen en el castillo, y la puerta de la cuadra queda...

—No abriremos la puerta. Tampoco nos mataremos transportando a baldes, como cuando lo hemos de llevar a las huertas: abriré un canal en el piso de la cuadra, que parta del pozo y pase por debajo de la puerta, hasta alcanzar la inclinación de la campa exterior, para que el líquido se desparrame sin formar grandes lagunas.

Recuerdo que, nada más acabar él de hablar, comprendí que el plan era realizable, aunque no por las simples circunstancias o detalles favorables que podían concurrir en él, sino por ser el padre quien lo proponía y por la forma de proponerlo, las palabras y el tono en que fueron pronunciadas. Y no sólo conocí eso, sino también que el proyecto no había nacido a partir del instante en que le revelé que el teniente estaba enterado de que usamos la carreta de Lecumberri, sino antes, por la sencilla razón de que para realizar algo calculado previamente no se necesita tiempo, no debiera necesitarse, porque al verdadero tiempo ya se ha gastado en intuirlo, pensarlo y proyectarlo; y si el abrir esa zanja en el suelo y sacar el contenido del pozo hasta vaciarlo, nos llevaría sus buenas horas, el proyectar, pensar e intuir ello con sus detalles (como el de cerrar la puerta de la cuadra para trabajar ocultos a toda mirada) no pudo ser logrado en los escasos minutos que distaban del actual el instante en que notifiqué al padre la dañina revelación del viejo Antón al teniente; tuvo que ser mucho antes, antes de que empezase a amanecer, durante cualquiera de los momentos de toda aquella noche en la que no pegó ojo; antes de que el muchacho aquel apareciera en La Galea corriendo y gritando que venían los carabineros; cuando presintió que esto sucedería; acaso, antes de saber siquiera que un barco con carbón iba a destrozarse en las rocas; pues pareció que esa idea carecía de edad y, por consiguiente, de tiempo; que brotó del inagotable fondo de recursos que debe poseer todo hombre obligado a librar diariamente varias batallas por la simple supervivencia.

—Sigue —me volvió a decir el padre, pero aquella vez no me importó, porque me vi sumido de nuevo en el violento frenesí que se derivaba de la carreta cargada y amenazada, el monstruo impasible que, en realidad, nos poseía, en vez de nosotros a ella, como creíamos; y era como si, de pronto, descubriera que la noche que suponíamos pasada, muerta y concluida, resucitaba como en una fabulosa pesadilla o, al menos, tendría una continuación. Pero cuando luego, en la cocina, observé cómo el

padre apartaba de uno de los dos baldes la leche que
Nerea llevaría en dos cantimploras a las cinco o seis casas que nos la compraban, y ponía a hervir la reservada
a nosotros, para poder desayunar en seguida algo caliente, me di cuenta de que todo debía haber sido así y no de
otro modo; que el padre lo creía, no porque hubiera adivinado este hecho concreto, sino porque, sencillamente, lo
consideró posible y se preparó contra él; y si es verdad que
los hechos se asombran cuando nosotros nos asombramos
de que acaezcan, ello no rezaba con el padre, por lo menos
aquella vez, en que su mano no temblaba en absoluto al
sostener la medida de cuartillo de la leche mientras llenaba las dos cantimploras de reparto, ni su rostro denotaba
desconcierto, ni siquiera hablaba para disimular, ocultar
u olvidar algo. Y cuando el grito o sollozo agudo — demasiado potente para poder denominársele simplemente sollozo — hizo vibrar el aire del caserío, de cada una de sus
habitaciones, estremeciéndolo como un latigazo, y el padre
dejó rápidamente, aunque sin precipitación, la medida de la
leche sobre el fogón y salió de la cocina y echó a correr
por el pasillo, me atreví a esperar que aquello (fuera lo que
fuese) podría cambiar lo que ni una muerte había logrado,
como un dique es capaz de contener o, al menos, desviar
una corriente; y cuando llegué al cuartucho del fondo, vi
al padre arrodillado junto a la madre, que se hallaba, no
tendida, sino sólo encogida en el suelo, en postura que
recordaba algo al arrodillamiento, un hombro apoyado en
la esquina del catre bajo, sosteniéndose contra él, y entre
sus manos parte de la sábana que había arrastrado en su
caída y en su grito desesperado. Y yo también estuve a
punto de gritar cuando vi otra vez el rostro deforme, que
recordaba un trozo de barro blando maltratado por unos
chiquillos, y los mechones, ya secos, esparcidos a capricho
por aquella superficie pálido-azulada.

45   Jacinto

Estoy empezando a limpiar el mostrador para tenerlo
presentable a la llegada de los primeros clientes, cuando
se abre la puerta y aparece Pedro. Me mira desde el um-

bral, vacilante, y por fin entra sin cerrar la puerta y avanza hacia el mostrador, aunque acaba apoyando los codos en el lado opuesto al que me encuentro yo en aquel momento con el trapo húmedo en la mano, dejando los tres metros de mostrador entre ambos. Parece que, desde que estuvo ayer, haya envejecido un montón de años. Ya sé a qué viene.

—Vaya nochecita, ¿eh, Pedro? — le digo.

Se ve que quiere decírmelo y no sabe cómo.

—La pobre gente que estuvo anoche cogiendo carbón en las peñas se ha quedado sin él — comento, para ver si él me dice algo, es decir, para tener algún pequeño indicio del lugar donde hayan podido esconder ese carbón después de hacer el arreglo con el teniente de carabineros.

Pero, sigue callado. Ya sé lo que viene buscando. ¿Cómo voy a servirle si...?

—Escucha, Jacinto — me dice, de pronto. Conozco muy bien ese modo suyo de empezar a tratar los asuntos, ese tono de entierro que emplea —. Escucha. Si me pudieras fiar una sola botella...

Ya salió.

—Ayer era sábado y cobré, te pagué la mitad de lo que te debo y me diste una botella — prosigue, sin apenas mirarme —. Cuatro duros. ¿No es bastante? Cuatro duros es...

—Sí, cuatro duros son cuatro duros, pero no es bastante — le digo, procurando mostrarme firme. No es la cantidad lo que me importa, sino esa deuda eterna que lo está hundiendo cada vez más. Es más fácil decir: "Apúntamelo", que sacar el dinero del bolsillo y pagar en el acto. Ahora ha vuelto el rostro hacia mí por completo y advierto que en una de sus mejillas, en su nariz y en sus labios tiene unos cortes, señalados por la línea de sangre reseca que recorre cada uno de ellos. Y como, de nervioso que está, no cesa de mover los músculos de ese rostro, las heridas parecen algas coloradas moviéndose bajo un agua transparente.

—Te aseguro que necesito un trago, Jacinto — me dice —. No he dormido en toda la noche.

—¿Y a mí me vienes llorando? — le pregunto —.

¿Quién te ha mandado andar entre peñas con la noche que ha hecho?

Sus labios se aprietan y sus manos agarran con fuerza el mostrador.

—¿Quién? ¿Quién? —exclama, sordamente, con furia contenida—. ¿Quién? ¿Quién?

Y agrega, ahora ya en tono lastimero otra vez:

—¡Si tú supieras cómo sucedió...! ¡Si supieras cómo necesito ese trago!

No sé por qué, pero el caso es que saco la jarra del vino blanco de debajo del mostrador, cojo un vaso y me acerco a él para servirle un chiquito.

—Este no necesitas pagármelo —le advierto, llenándole el vaso.

Él alarga la mano, agarra el vaso y el vino danza en su interior cuando lo alza hasta colocarlo ante sus ojos.

—Una noche como esa no puede ahogarse aquí —susurra y se lo echa al coleto sin derramar una gota.

—Estás enfermo. Vete a casa —me mira al tiempo que sigue degustando el vino que se ha tomado—. Y si ves a ese cuñado tuyo le dices que no salga a la calle si no quiere pasarlo mal.

—¿Qué os ha hecho Sabas? —pregunta.

—Y si intentas encubrirlo, más vale que no aparezcas tú tampoco por mi establecimiento —le amenazo, pero él ya no me escucha: su mirada se halla fija en las botellas de la estantería.

Siempre fue ese Sabas muy raro. Siempre con lo suyo, sin querer o no tener tiempo para darse una vuelta por la taberna a charlar con los amigos y humedecer su garganta de trabajador con un trago. Y no es que no me resulte simpático porque no es cliente, sino por lo que eso significa: es como si nos despreciara a todos. No tiene amigos. No puede tenerlos. En esta tierra, para tener amigos, hay que saber beber. Y ahora ha hecho lo que cabía esperar de un hombre que se desentiende de los demás, que casi los ignora...

—Un día voy a entrar con una estaca a romper todas esas malditas botellas de esas baldas —exclama Pedro, dando la vuelta y alejándose hacia la puerta con pasos vacilantes, frotándose la cara con la mano.

Estoy arriba con los gatitos cuando oigo el grito de la
madre. Tienen hambre y no les he podido llevar nada de
leche, pues el padre e Ismael andan todavía con ella, retra-
sados hoy porque están todos como locos por culpa de
ese carbón, esas piedras negras y feas que manchan y que
ellos dicen que les hacen tanta falta, mientras que todos
los veranos hay bonitas flores en los campos que rodean
el caserío y ellos pasan sobre ellas sin verlas, pisándolas
con sus pies que nunca están quietos del todo; pero yo
cojo siempre las flores, las margaritas, los geranios, las
rosas, las calas y demás, y las llevo a mi cuarto y las
coloco en una jarra vieja sobre la ventana y durante las
noches, aunque no las vea, sé que están allí y no siento
frío, de modo que en invierno, cuando nieva y no hay
flores que meter en la jarra, ésta sigue en la ventana,
vacía, y por la noche sucede que puedo seguir viendo
las flores que tuvo antes; y cuando la abuela tirita a mi
lado, bajo las mantas y abrigos que se echa encima, tampoco siento frío.

Bajo del desván, asustada por el grito, y voy hasta
donde vi por última vez a la madre, a ese cuartucho, y
encuentro al padre levantándola del suelo y a Ismael a
su lado tratando de ayudarle. La madre agarra con ambas
manos con fuerza la sábana que cubría a Fermín y al padre
le cuesta bastante tiempo arrancársela de entre sus dedos
crispados, aunque se ve que ella no tiene verdadera intención de seguir agarrándola, sino que la sujeta porque
sí, como atontada. Y es así como queda después: atontada,
con los brazos colgando, sin darse cuenta, al parecer, de
que el padre, ahora, se dedica a cubrir de nuevo a Fermín cuidadosamente, hasta dejar la sábana como antes,
tirante entre su nariz y las puntas levantadas de sus pies.

—Ven — le dice luego el padre a la madre, con una
mano en la espalda, pero ella se vuelve con una lentitud
que, sin saber por qué, me asusta y retira la mano del
padre, y cuando ella le suelta veo sobre la carne de él las
marcas de las uñas, profundas casi lo suficiente para hacer
brotar la sangre.

—¿Están ordeñadas las vacas? —pregunta luego la madre, sin mirar a ninguna parte, apartando con una mano el pelo negro que cae sobre su rostro.

—Sí —contesta Ismael.

El padre no cesa de mirarla fijamente, esperando no sé qué de ella.

—Tenemos que tomar algo caliente —sigue la madre, sin moverse, sin mover la cabeza, sin mirar a ningún lado—. Os haré, además, unas tostadas. Hoy es domingo.

Ahora es Ismael quien también la mira como asustado.

De pronto, veo a Cosme en el umbral y me doy cuenta de que no acaba de llegar, sino que lleva allí algún tiempo. Cuando pasé por su cuarto para llegar a éste, le vi dormido, aunque dando vueltas en la cama, como molesto por algo, pues también tuvo que oír el grito. La barba negra le cubre toda su cara flaca y, de vez en cuando, se estremece ligeramente. No lleva encima más que un interior de invierno de manga larga y sus pantalones viejos de casa.

—Tú lo que tienes que hacer es dormir —le dice a la madre, avanzando hacia ella torpemente—. Acuéstate y no te preocupes de nada, pues ya nada importa.

La madre, sin oírle, se dirige al ventanucho y mira hacia afuera.

—Ha empezado un nuevo día —dice, con una voz que no parece la suya de siempre—. Y ha dejado de llover. ¿Habéis visto? Ha dejado de llover.

—Madre... —exclama Cosme, siguiéndola. Pero ella retrocede, pasa a su lado, al lado de todos y sale del cuarto sin hacer ningún ruido, sin mirar siquiera a Fermín.

Luego, el padre hace una seña a Ismael y salen también los dos. Entonces, Cosme se agacha junto al montón de ropa mojada de Fermín: la trinchera, la chaqueta, los dos o tres jerseys, los pantalones, su ropa interior agujereada, y empieza a revolver en él, como buscando algo. Yo, que ya me iba del cuarto, me quedo en el umbral mirándole, cuando él supone que está solo. Por fin, levanta la trinchera, arranca algo de ella, la deja caer nuevamente al suelo y, con eso en la mano, va hacia el catre. Coge un extremo de la sábana y descubre el rostro de Fermín. Luego de la parte de sábana que está junto a su pecho,

prende algo, y entonces veo de qué se trata: la medalla.
Cosme le cubre el rostro, pues yo también pienso que a
Fermín le habrá gustado ver de nuevo su medalla. Cuando
Cosme sale del cuartucho y pasa al suyo y se queda plan-
tado ante su escopeta que está sobre la cómoda, yo le
estoy mirando desde detrás de la hoja de la puerta.

47   *Abuela*

—¿Qué tal está Josefa, abuela? —me ha preguntado
Berta cuando nos hemos encontrado a la puerta de la
iglesia de los Trinitarios.

Pero no se lo he dicho. ¿Cómo le voy a decir qué me
contestó cuando le advertí que era la hora de la misa?:
"¿Cómo puedo ir a adorarle después de lo que me ha
hecho?".

—Es una blasfemia, Josefa. Una horrible blasfemia
—le dije.

Pero ella insistió tenazmente, con el rostro pálido lleno
de quietud y de furia:

—Él quiere que amemos a nuestros hijos, y si se pierde
lo que se ama se sufre, y nos ponemos a pensar por qué
Él nos obliga a querer tanto a algunas de sus criaturas para
luego...

—Es Su Voluntad... Es Su Voluntad —le atajé.

—Toda Su Voluntad Premeditada —susurró—. Por
eso te digo que cómo voy a ir a adorarle después de lo
que me ha hecho.

Quise empezar a gritar de puro horror, y aún ignoro
si lo hice. Y ahora que Berta me pregunta cómo se encuentra ella, le contesto:

—No se ha querido mover de la cabecera del catre.

XI

De aquel desayuno apenas recuerdo más que los suaves movimientos de la madre, yendo de la chapa a la mesa, sirviéndonos al padre, a Cosme, a Nerea y a mí la leche (que el padre dejara sobre el fuego y que ya había hervido) y las tostadas que nos prometió y que se convirtieron en el gran enigma de aquella mañana, por la sencilla razón de que no tenían que haber aparecido, sobraban, desentonaban en aquel cuadro siniestro que era, entonces, nuestro caserío; pues transcurrían, a veces, meses enteros sin que nos obsequiase con ellas, y tuvo que ser preciasemente esa mañana que siguió a la Noche la elegida para sacar a la mesa la docena pasada de tostadas, bien distribuidas en un plato. Sólo las probamos Nerea y yo: ella porque tenía aún escasos años para darse cuenta de lo que pasaba, y yo porque tenía mucha hambre. Y, mientras masticaba la cuarta o quinta, descubrí la palabra, lo que había hecho que me sintiera a disgusto desde que las vi: pensé que constituían una burla. Pero, en seguida, tuve que alterar mi sospecha, pues contemplé a la madre, su rostro grave y sus movimientos incluso graciosos, atentos, serviciales, más que de costumbre o, por lo menos, más advertidos, como si el mundo se hallase limitado a aquella cocina y nosotros, sus únicos habitantes, fuéramos, no solamente lo único salvable, sino lo que ella ferozmente deseaba salvar de algo: pues es el caso que era así: ella parecía haber recuperado, de pronto, la noción de su responsabilidad de madre; y más que eso: el ancestral instinto animal, puro y desesperado, de la hembra que está dispuesta a luchar furiosamente por los pequeñuelos que esconde entre las pajas, hasta morir.

Su rostro denotaba una tenaz decisión de hacer algo, incluso fuera de sus posibilidades, mientras trajinaba calladamente del fogón a la mesa, con la implacable determinación de un movimiento mecánico impulsado por poderosa fuerza, haciendo que tomáramos doble ración de leche y distribuyendo aquellas tostadas y abriendo una sola vez la boca para preguntarnos si deseábamos más de aquello o de otra cosa y concluyendo:

—Es necesario resistirlo todo. Es necesario luchar hasta contra la misma muerte, no sólo con actos, sino también con pensamientos; sin abandonarlo todo: deseos, esperanzas y lágrimas a esos actos, olvidándonos del pensamiento, pues éste debe tomar la espada y retar, y ordenar la realización de esos actos salvadores, que siempre fueron cumplidos con la fatalidad de conocer lo único que se desconocía de ellos: si merecía la pena de haber sido hechos, suponiendo que el desenlace estaba ya previsto de antemano por Él. Debe tomar la espada y retar, porque el final sólo se escribe con esos actos...

Lo que dijo no fue tan extenso ni revistió casi forma alguna, estando compuesto de palabras sueltas, la mayoría inexplicable para mí entonces, pero hoy sé lo que quiso decir y por eso lo incluyo así, parte con sus auténticas palabras y el resto con su intención descifrada.

Pero el padre sí lo debió entender al punto, pues le vi, desde mucho antes de levantarse de su asiento, mirar fijamente a la madre, suspendido su movimiento de alzar su tazón a la boca, con sus labios ya orlados de blanco, asombrado, curioso y admirado, hasta que ella dejó de lanzar sus palabras sueltas, que casi nunca tenían su continuación inmediata en otra, sino que se hallaban separadas por esas pausas que entonces quedaron fuera de mi alcance, pero que resultaron tan diáfanas para alguien — y para mí mismo, años después —; y él se levantó de su banqueta y estuvo ante la madre sin necesidad de dar más que un paso. Y quedé de una pieza al contemplar lo que jamás había sucedido en mi casa hasta entonces ante nuestra vista: el padre inclinó la cabeza y, desde detrás de ella, la besó en la mejilla. Ella se estremeció, porque aquello era verdaderamente inaudito. En esta tierra donde vivo, de sentimientos tan escondidos, una forma de demostrar la virilidad o disimular la timidez, es la rudeza: el marido jamás besa a la esposa ante testigos, pues se avergüenza de flaquezas de esa índole, y ello acaso demuestre la antigüedad de la raza.

La madre dejó el plato que estaba fregando y el estropajo, los abandonó, más bien, y dijo:

—Tú tampoco lo crees así, pero luchas como si lo creyeras, ¿verdad?

—No sé — dijo el padre —. Nunca lo he sabido. A veces, creo que sólo lucho por instinto, porque no se puede pensar y luchar a un mismo tiempo. Pero, lo cierto es que dudo. ¿Y cómo puede ser de otro modo, estando vivo?

—Pero, sigues.

—Sí, sigo.

—¿Hasta cuándo? Y, ahora, yo también, ¿hasta cuándo?

—Eso no importa — dijo el padre, en el mismo tono de voz suave, silenciosa, sólo para ella —. Eres más valiente que yo, pues has retado a Alguien que hasta hoy fue para ti... En cambio, yo sólo lucho...

—...desesperadamente, y eso ya es una forma de anhelar algo. Por eso he odiado siempre esa parte de tu ser. Aunque, quizá, lo tuyo y lo mío sea lo mismo.

—¿Quieres decir que tú...?

—Quiero decir que los dos.

—¿Pero aún no sabes que lucho así, desesperadamente, con furia ciega, solamente para convencerme de que no necesito un motivo para dudar? Odio lo que hace que tenga que odiarme a mí mismo.

—¿Qué decía el papel de esos nuevos tanques alemanes?

—El periódico — corrigió el padre.

—El periódico... de esos tanques...

—Que eran... — pensó un instante y concluyó — ...invulnerables.

—¿Cómo?

El padre lo repitió.

—Supe lo que era eso — siguió ella — antes de conocer la palabra que lo expresa, porque te tengo delante desde hace un cuarto de siglo. Porque lo que importa no es ganar o perder, sino poder seguir adelante.

Y no hubo más. El padre respiró hondamente, se volvió a mí y me dijo: "Vamos", y me levanté y le seguí cuando él salió de la cocina y empezó a andar por el pasillo, pareciendo entonces que todo aquello — el diálogo sostenido instantes antes, que, años después, cuando pude comprenderlo, lo reconstruí; la escena inolvidable y desconcertante del beso — no había sucedido más que en nuestras mentes, pues todo volvió inmediatamente a su cauce normal, la madre a su fregado, silenciosa y moviendo sus manos con seguridad, y el padre, caminando a zancadas largas y elásticas por el pasillo, hacia la cuadra.

Esperé, deseé oír otras pisadas a nuestras espaldas, pero no se produjeron. Luego, después de que el padre abrió una de las hojas de gruesas tablas de la puerta de la cuadra, para que entrara más luz, y de que ya llevara sus buenos diez minutos abriendo con la azada el canal en el piso de tierra apisonada y endurecida por varias generaciones, le vi pasar, con su chaquetón oscuro y pantalón de pana, sus botas de clavos, su cinturón con cartuchos y su escopeta; tieso como un palo y tan delgado, con sus piernas de alambre separándose apenas para avanzar, con ese paso furtivo de cazador que tan bien conocía en él y que ponía en práctica nada más dar la vuelta al caserío, como entonces, como si quisiera extender su coto de caza hasta los mismos cimientos. No volvió la cabeza cuando pasó por delante de la media puerta abierta, a pesar de que tuvo que oír los golpes de azada del padre y recordar sus palabras de momentos antes, durante el desayuno, explicándonos que deberíamos hacer aquéllo para poder llevar la carreta a Lecumberri y acallar, momentáneamente al menos, los recelos del teniente cuando el lunes fuera a su caserío a comprobar la denuncia del viejo Antón. Pasó, salió del cuadro iluminado, como una imagen cinematográfica que se ha desplazado por defecto del operador, y desde ese mismo momento de su desaparición quedé a la escucha del disparo de su escopeta, podríamos decir de su estreno. Pero nada ocurrió. Pasaron quince o veinte minutos y el padre concluyó la zanja, que unía el mismo borde del pozo negro con la campa inclinada que arrancaba de la puerta de la cuadra, y por la que se deslizaría o en la que quedaría empapado el contenido del pozo; cerró la puerta cuando todo estuvo preparado para comenzar el trabajo, incluso los baldes, porque nadie debería ver lo que realizábamos allí dentro y en el castillo aún seguían los hombres y los muchachos hablando y soltando sus tacos vengativos, y como nosotros los podíamos ver, ellos también tenían a tiro de sus ojos la cuadra, y la puerta cerrada no impediría el deslizamiento del líquido, que pasaría fácilmente por debajo.

No le oímos llegar. En el interior de la cuadra reinaba una penumbra suficiente para moverse y no tropezar, y a los pocos segundos de cerrada la puerta, pude hasta distinguir el fondo del canal y la superficie del pozo, y eso era bastante. El padre y yo nos situamos uno enfrente del otro, el canal por medio, al borde del pozo, y fui a agarrar mi balde, pero en vez de tocar el asa, tropecé con otra mano que se me había adelantado. Volví la cabeza, pero antes miré al padre, que tenía ya su vista clavada en él.

—No hubieseis acabado los dos en todo el día —nos dijo Cosme, y me di cuenta de que tenía puestas ya sus ropas de faena, su pantalón azul y su camisa a cuadros: entonces me expliqué por qué no había sonado ningún disparo que tenía que haber oído de haberse producido, en aquel silencio de la mañana del domingo, pues Cosme no dispuso de tiempo suficiente para recorrer el espacio necesario para apagar el ruido del frustrado estampido, antes de decidir volver; y me lo figuraba: sujetando con furia su escopeta nueva, con la que seguramente apuntó a algún ave, pero que no se atrevió a disparar, no por no perder más tiempo en recoger la pieza, sino, sencillamente, porque aquella escopeta merecía para su estreno algo más que una caza semiclandestina.

Ocupó mi puesto, quedando en relevarnos de tiempo en tiempo. Ahora, ya veíamos casi con normalidad el pozo y el canal, e, incluso, las vacas y los bueyes, que masticaban rítmicamente la paja seca que el padre arrojara antes en sus pesebres. Los baldes abrieron la costra que parecía proteger lo de abajo; se sumergieron y en seguida empezó a discurrir por el canal la masa líquida y oscura, y un fuerte olor se extendió por la cuadra: una sensación casi corpórea y tangible, fétida y nauseabunda, a la que, no obstante, nos acostumbraríamos, la soportaríamos, con

tal de que no abandonásemos aquel macizo recinto y nos
viéramos libres de ella, aunque fuera por unos instantes,
pues entonces la permanencia se haría más intolerable. Era
el familiar olor que, cuando abonábamos las tierras, im-
pregnaba, no solamente la cuadra, sino el caserío, por dentro y por fuera, hasta cien metros a la redonda; con el que,
entonces, estábamos encerrados en aquella cueva sin apenas ventilación, manando ya por los dos orificios abiertos
en aquella nata negra, y del canal, cuyo fondo ya no quedaba ni un solo instante al descubierto, pues el líquido lo
cubría sin interrupción, en su fluir, no impetuoso, en olas,
sino constante, pues los baldes eran movidos con la decisión y destreza propias de quienes los han manipulado en
faenas parecidas no menos de cincuenta horas por mes.
Ambos parecían dos muñecos movidos por algún mecanismo de relojería, piezas principales de algún juguete con
excesiva cuerda.

Y cuando pasó una hora y me cansé de esperar a que
Cosme me indicara que le sustituyera, y me acerqué a él
para recordárselo, no interrumpió su quiebro de cintura
ni el chapuzón del balde ni el mero giro del cuerpo ni el
vuelco del líquido sobre el arranque del canal, todo ello
sincronizándolo a los movimientos del padre, para decirme:

—¿Quieres salir a mirar si ves bandos de avefrías hacia
el Sur?

48   *Pedro*

Cuando llego a media mañana, Josefa me dice que están en la cuadra. La madre me muestra la carbonera vacía
y me pregunta que cuándo podremos traer el carbón. "Sabas lo dirá", le respondo, y ella me mira disgustada, no
solamente porque el fuego de la chapa apenas calienta,
sino por haberle replicado malhumorado.

Allí les veo, en la cuadra, manejando los baldes como
poseídos, hundidos en aquel olor que hace que me lleve
las manos a las narices, mientras el chico les contempla
absorto, ganado por aquel frenesí y aquella exactitud. Sabas me ve y me pregunta:

—¿Qué has oído por ahí?

No ha interrumpido sus movimientos y hasta podría asegurarse que no ha sido él quien hablaba.

—Todos creen que les hemos gastado una mala pasada — le digo, sin vacilar, aún sabiendo que no conseguiré torcerle de su camino.

Pasa un rato y supongo que ya no va a hablar, pero acaba diciendo:

—Déjales que gasten saliva. Si se dieran cuenta de que sólo han tenido mala suerte...

Y sigue echando baldes al canal que han abierto en tierra. Pregunto al chico qué es lo que se proponen y me lo explica.

—¿Un día más y una noche más? — le grité a Sabas —. Y no se acabará ahí, porque el teniente...

Ya me he hecho a aquella semioscuridad y puedo ver los ojos de Sabas ahora, que ni siquiera se detienen en mí un momento, como si no me hubiera oído.

—¿Hasta cuándo vas a esperar? — insisto —. ¿Has fijado, siquiera, un plazo para que Fermín...?

Nadie me responde, ni él ni los otros. Su voluntad los domina sin que él mismo se lo proponga: le basta con que le vean inmerso en aquella ciega furia obcecada, seguro, sin titubeos, inaccesible a los contratiempos; le basta eso para que los demás se vean arrastrados, como un barco al hundirse se lleva consigo todo lo que flota a su alrededor hacia la maldición.

49   *Cosme*

No importa; aquí estoy, agarrando este balde, pero su metal aún no ha despojado a mis manos del calor que el suave contacto de la escopeta ha dejado en ellas. Aunque pierdo este domingo, la escopeta quedará allí, en el arcón, esperándome, y podré mirarla cuando quiera, y tocarla, como a la mujer de uno, y algún día, cuando acabe todo esto, lograré salir al monte con ella, los dos solos, el hombre y su arma, como los animales salvajes andan armados de colmillos o garras o cuernos, y podré soñar en que todavía no han empezado a transcurrir los años del mundo y soy uno de los pocos hombres sobre la tierra, acaso el único, y tengo que luchar para demostrar a los demás seres vivientes que soy su rey, y creer que los árboles son, todavía, mi morada, y lanzar gritos cuando mato un pájaro o una liebre. No importa.

Ahora es porque Fermín se merece algo. Si él está tendido en ese catre, los demás debemos salvar el carbón por el que él murió. Por eso no importa que pierda esta fiesta, después de nueve semanas de espera, porque la escopeta está otra vez en el arcón y la podré sacar cuando lo enterremos y el padre desista de trabajar con este carbón y lo entregue a los carabineros, pues hasta a Fermín le habría parecido eso bien por el motivo de que todo volvería a la normalidad: la madre dejaría de mirarnos con esa angustia que lleva encima desde anoche; el padre por fin dormiría, y sus brazos y piernas descansarían por vez primera desde hace diecisiete horas; y así, los demás, incluso el propio Fermín, que podría ser enterrado y también descansaría, porque ahora ya deben ser las tres de la tarde e Ismael ha vuelto de llevar la comida a Bruno a La Galea y la madre nos ha llamado a la cocina para comer la nuestra y, antes de abandonar la cuadra, el padre ha introducido un palo en el pozo y al sacarlo y mirar la altura que aún queda de líquido, ha dicho: "Ya hemos pasado de la mitad".

—¿Cómo está Bruno? —pregunta la madre a Ismael, estando todos comiendo las alubias que ha preparado.

—Estaba debajo de la carreta, tosiendo mucho, aunque él trataba de contenerse —responde el chico, y todos miramos la marmita, que ha vuelto a traer llena, porque Bruno le dijo que no tenía apetito.

—Debiste habérsela dejado allí —dice la madre—. Ya hubiera comido más tarde.

—No quiso —replica el chico—. Se empeñó en que me la trajera. Tosía tanto que casi no podía hablar.

El padre acaba el primero las alubias y luego el trozo de tocino metido entre dos trozos de talo, y se levanta de la mesa, y yo le sigo, porque todavía nos queda mucha tarea en la cuadra. Antes de salir de la cocina, oigo a la madre ordenar a Ismael y a Nerea que se acuesten y duerman lo que no han dormido la noche anterior, y lo

asombroso es que no protestan: deben estar rendidos de
sueño. El tío Pedro, que ha comido con nosotros, también
nos acompaña a la cuadra.

El olor invade todo el pasillo y las habitaciones próximas. Lo noto ahora, cuando vuelvo a la cuadra. Tomamos
los baldes y los hundimos de nuevo en el líquido, que cada
vez va apareciendo más espeso, según nos acercamos al
fondo. El tío Pedro se sienta en un rincón y allí perma-
nece todo el tiempo, hasta que empezamos a rascar con
el borde de los baldes el fondo de piedra y entran en la
cuadra Ismael y Nerea y el chico dice:

—¿Cómo podéis ver con esta oscuridad? Son las nueve.

Y va y enciende uno de los faroles de carburo. Él y
Nerea se quedan mirándonos, inmóviles y asustados. Miro
al padre y entonces sé por qué: está con el rostro y las
manos llenos de salpicaduras espesas y negras, lo mismo
que sus ropas, sus pantalones especialmente, que tienen
las perneras empapadas por completo, de todo el líquido
sucio que ha ido cayendo sobre ellas, lo mismo que sobre
sus botas. Un trozo sólido, viscoso y alargado de aquella
masa gelatinosa maloliente, aparece pegado a una de sus
mejillas, en sentido vertical, asemejándose a un tatuaje sucio. Es Ismael el que se acerca a él y coge con dos dedos
aquel pingajo, lo arroja lejos y se limpia después las manos en un saco.

Luego, cuando queda apenas un palmo de aquel engrudo negro en el fondo del pozo y se hace difícil agacharse para recogerlo con los baldes, el padre se descal-
za, se arremanga el pantalón y no salta sino que se deja
caer suavemente y sus pies desaparecen, hundidos en aquel
cieno. Tumba el balde, lo llena a medias y me lo pasa
para que lo vuelque en el canal, por el que el líquido
corre, ahora, más lentamente; ya no se trata de un auténtico líquido lo que lo ocupa, sino una especie de lava in-
vasora y sepultadora, sin humo sobre ella y encauzada.

Una de las veces, el balde no llega a mis manos en su
momento, y levanto la cabeza y veo al padre agachado,
sosteniendo el balde vacío que me tenía que entregar, con
una mano, mientras que con la otra hurga en el cieno y
por fin saca algo, un objeto alargado y chorreante, blan-

do, nada rígido, que contempla sosteniéndolo ante sus ojos.

—Es un gato —dice, unos segundos después, cuando todavía ninguno de nosotros ha logrado saber lo que es.

Y lo arroja, describiendo un arco, al piso de la cuadra y, antes de caer, el cuerpo realiza un giro, obedeciendo a la clase de impulso del brazo que lo ha lanzado, y parece talmente que el gato esté vivo y con capacidad hasta para elegir caer de pies. Acaba su viaje con ruido sordo a nuestro lado, manchando de negro el suelo, y allí queda como un trapo viejo, retorcido como una pescadilla.

De pronto, Nerea se acerca al gato, se arrodilla y, antes de que podamos evitarlo, lo coge con ambas manos y se lo aprieta contra su pecho fuertemente, mientras en su rostro se advierte un terror inexplicable. Se levanta otra vez y sale corriendo de la cuadra con aquella piltrafa pegada a su cuerpo, chorreándole por toda la delantera del vestido, y gritando como una loca:

—¡Fermín está muerto! ¡Fermín está muerto!

XII

C ENAMOS y se fueron con los bueyes ya bien anochecido
(como tenía que ser) y cuando, dos horas después, regresaron, traían la carreta en medio de los dos, pues el
padre marchaba, como siempre, delante de los bueyes con
el palo, y Cosme iba detrás, apoyando una mano en las tablas de la cartola posterior. Pero Bruno no apareció por
ninguna parte.

Pensé que aquel día había transcurrido más fugazmente que ningún otro, no solamente por ser domingo — el
día sin escuela — sino también por no haber sentido ninguna de sus horas, pues podría asegurar sinceramente que
aún estábamos en las nueve horas de ese domingo, viendo
al grupo de hombres y muchachos en el castillo y al viejo
Antón arengándolos, y que la rapidez con que huyó todo
lo demás (el desayuno, la conversación entre el padre y la
madre, la tarea de la cuadra, durante la cual no me aburrí,
a pesar de que no toqué los baldes, porque si bien hubiera sido suficiente sólo mirar, no fue sólo eso: mi cuerpo,
sin moverse apenas, se ocupó en el mismo trabajo que
ellos, e incluso se agotó, por producir más angustia e inquietud la contemplación de la realización por otro del
trabajo que deseamos ardientemente ejecutar; por no mencionar los sondeos que realizaba cada media hora, la limpieza de los pisos de las vacas, con el consiguiente cambio
de paja para sus camas, el atender a las dos docenas de
gallinas y a los otros tantos conejos; la rápida comida; y,
finalmente, el espantoso grito de Nerea agarrando frenéticamente aquella cosa repelente que antes fuera un gato,
y el encuentro de ella y la madre en el pasillo, y el cobijo
que los convulsos sollozos de mi hermana buscaron en el

regazo materno) obligaba a pensar que no se había gastado tiempo en ello.

Pero allí estaba la carreta con el carbón, traída con mil precauciones, pues ahora no sólo eran nuestros enemigos los carabineros, sino también el iracundo pueblo que buscaba aplacar de algún modo el despecho nacido de sus frustradas ambiciones. Contábamos a nuestro favor el hecho de que no podían suponer que aún anduviera el carbón en plena danza, bailando de aquí para allá; su equivocado instinto les decía que lo habíamos llevado tranquilamente a casa, ayudados incluso por el teniente y sus hombres, a cambio de unas frases que podrían ser: "Aparezca por allí después de las doce y podrá disponer de medio barco ya recogido, botín del que deberá descontar las tres toneladas de mi carreta". Y fue como si no hubieran existido aquellas doce horas de luz y esta noche fuera la misma que la anterior, su continuación, una noche sin amanecer, ya que allí estaba la carreta, los bueyes y el carbón, y el padre y su palo con el clavo, y casi todos nosotros: Cosme, el tío Pedro y yo, pues Fermín había sido una víctima de la implacable decisión y Bruno podría haberlo sido, quizá ya lo era (nada sabíamos de él) y acaso lo más lógico sería que lo fuera.

La carreta, lenta, excesivamente lenta, pesada, enorme como un monstruo que, irónicamente, pretende pasar inadvertido, se detuvo con angustioso chirrido ante la puerta de la cuadra, sobre el enfangado piso que había absorbido parte del líquido del pozo. Para ese momento, el tío Pedro y yo ya habíamos corrido a la cuadra para descorrer la tranca de la puerta y abrir las dos hojas. Nerea dormía desde las once, hacía dos horas. La madre, también en la cuadra, encendía los dos faroles que yo había vuelto a llenar de carburo durante aquella espera. Después, y antes de que el padre comenzara a maniobrar para introducir la carreta por la amplia abertura del muro, la madre salió a la noche, sin preocuparse en aquella ocasión de envolverse en la toquilla que colgaba olvidada de sus hombros.

—¿Dónde está Bruno? —preguntó al padre, en un tono de voz anormalmente tranquilo.

—No le hemos visto.

Fue Cosme el que contestó, mirando al cielo y como escuchando algo.

—¿Es que no estaba donde lo dejasteis, junto a la carreta?

—No.

Entonces me di cuenta de que tanto el padre como Cosme no tenían por qué mostrarse asombrados, alarmados o lo que sea, en aquel momento, pues habían rebasado la fase en que entonces entrábamos la madre, el tío Pedro y yo, al sopesar lo que podría haber sido de Bruno, hasta dejar la alarma y penetrar en el asombro al comprender lo que nunca debimos haber olvidado: que Bruno había huido del cuartel por culpa de aquella muchacha, y que si todos nosotros, no obstante estar padeciendo aquella especie de maldición, seguíamos, no sólo respirando, sino comiendo, pensando y procurando furiosamente rematar lo empezado, él, Bruno, no podía haber perdido el ímpetu de su vieja sangre llena de deseos, por lo que resultaba fácil comprender por dónde andaba. Y también pensé, seguramente como ellos: que permaneció junto a la carreta hasta que los vio llegar, desapareciendo entonces para no tener que dar ninguna explicación, entregando lo que custodiaba en tan buen estado como lo recibió e, indudablemente, en mejores condiciones, pues ya no llovía ni rugía el viento; y así, pudo echar a correr con la conciencia tranquila y dedicarse a lo suyo.

Cuando los bueyes estaban a punto de cruzar la raya de la puerta, el padre los detuvo y supe por qué: la carga no entraba. Fue necesario trepar a las cartolas y bajar la última capa de sacos, operación que realizó Cosme, echándole mucho nervio a la cosa, sin que nada indicase que sólo había dormido tres horas en casi cuarenta.

Los sacos los íbamos llevando al interior de la cuadra y amontonándolos junto al pozo, hundiéndonos los pies en la tierra empapada del exterior; y luego la carreta entró, rozando sus últimos sacos la viga que cruzaba el vano, y cerramos la puerta con la tranca. Cosme no se había bajado del montón de carbón, suspendiéndose de un costado cuando el carro cruzó la puerta, y en seguida empezó a arrojarnos sacos, hasta que acabó con todos; entonces, el padre manejó nuevamente el palo e hizo moverse a los bueyes hasta conseguir que la parte posterior de la carreta quedara sobre el mismo borde del pozo; y luego, entre él y el tío Pedro, soltaron la cartola correspondiente.

—Tráele la pala a Cosme — me dijo el padre, golpeando con un pequeño leño la cuña que afirmaba la cartola, que cayó momentos después.

Lo hice así, y Cosme se arrodilló sobre el carbón suelto para alcanzar la pala que yo le tendía. El padre y el tío Pedro trataban de mover la cartola, para sacarla de la ranura en que estaba encajada, para vencer el agarrotamiento de la madera hinchada.

—Pasa delante — dijo el padre a Cosme, sin mirarle. Y justamente cuando mi hermano se movía, la cartola se desprendió, y entre el padre y el tío Pedro la corrieron a un lado, apartándose ellos con el tiempo preciso para que el alud de carbón no les pillara.

Cayó sobre el pozo sordamente, extendiéndose por su fondo con suavidad, como si aquella masa negra no estuviera formada de partículas aisladas sino constituida de una absoluta homogeneidad, pues el movimiento, el desparramarse del carbón, resultó entero, elástico, elegante, llegando a cubrir todo el fondo de piedra cuando pudimos ver el desinflamiento de la carreta inmóvil, y la parte de su contenido que quedó formando una rampa entre ella y el pozo semejó una catarata solidificada súbitamente.

—Ahora, con la pala — habló el tío Pedro, pero sobraba aquello, pues Cosme ya había empezado a palear de la carreta al pozo; más que palear, empujar, haciéndolo correr, tratando de poner nuevamente en movimiento la evacuación.

El nivel negro del pozo fue subiendo, y luego el padre dijo:

—Espera, a ver si está ya el metro de Lecumberri.

Era necesario colocar otra vez la cartola y el padre la recogió del suelo.

—Limpia de carbón el asiento — indicó al tío Pedro. Y allí vi a ambos por segunda vez, de espaldas al pozo, en su mismo borde, aunque entonces no se habría derivado ningún inconveniente de perder pie y caer hacia atrás, ya que la altura era escasa.

Puesta la cartola en su sitio, Cosme distribuyó el carbón con uniformidad en la carreta, igualando el piso. El padre me pidió que le llevara su metro plegable de carpintero y midió con él un palo de a metro, que cortó y, esgrimiéndolo, trepó por las cartolas, le oí pisar el carbón e, incluso, cuando introdujo el palo en él, hasta tocar las maderas del fondo.

—Echa dos docenas de paladas, Pedro —dijo, y el tío fue a recoger la pala de Cosme, pero éste no se la entregó: saltó con ella por encima de la cartola de un costado (y yo no pude por menos de acordarme de una escena de la película "Los tres mosqueteros") y, ya sobre el carbón del pozo, empezó a lanzar paletadas llenas y perfectas, con movimiento que resultaba, incluso, gracioso, hasta que el padre dijo "Basta".

—Lecumberri no habría andado con tanto remilgo —gruñó el tío Pedro.

50 Pedro

Es inconcebible que en una casa en la que viven actualmente tres hombres... dos hombres, no se encuentre otra bebida que leche o agua. Mientras ellos han estado sacando ese líquido del pozo, y el chico y la pequeña dormían la siesta, y mi hermana y la madre estaban en la cocina, sin cruzarse entre ambas una sola palabra en todo el rato, yo me he dedicado a buscar por toda la casa algo que beber, alguna botella, porque hoy se ha comido aquí sin vino, por olvido o simple abandono, como si ya sólo importara el maldito carbón de esa carreta. Pero, nada. Y cuando he podido entrar en la cocina sin que ellas estuvieran y he mirado rápidamente en el armario, tampoco he visto nada. Desde que Sabas me rompió la botella de una patada, no he bebido más que el chiquito que me dio Jacinto... Y el carbón está ahí; cualquiera lo querría...

Cosme ha dejado de echar paladas cuando Sabas mide la altura y le dice "Basta". Baja de la carreta y empiezan a arrastrar los sacos, que estaban amontonados a un lado, hacia el pozo. Yo también les ayudo, y el chico. Los vamos colocando sobre el carbón suelto, en una sola capa, pegados unos a otros, y cuando acabamos aquéllo parece la piel escamosa de algún animal monstruoso.

Y, por fin, me entero del verdadero propósito de Sabas: le veo recoger de un montón próximo estiércol, ni húmedo ni seco, y lo va llevando con los baldes hasta el pozo, arrojándolo después sobre los sacos. Cosme le secunda, valiéndose de la pala solamente. De ese modo, van cubriendo los sacos con una capa ligera de estiércol, que basta para ocultarlos y dar la impresión de que lo que se ve es la costra que habitualmente tienen los pozos negros de las cuadras, la que tenía el de Sabas antes de empezar.

Ahora, toma la pala de manos de Cosme y se coloca sobre los sacos y empieza a extender los montoncitos de estiércol depositados, retrocediendo según va cubriéndolo todo, para no pisarlo, dejándolo aplastado de tal modo que hasta yo mismo, que acabo de ver los sacos ahí debajo, casi pienso que allí no existe el menor engaño. Cuando sólo queda el espacio justo para apoyar los pies sobre un saco, ya en el mismo borde, Sabas sale del pozo y, desde fuera, cubre el lugar que acaba de abandonar, y con ello acaba todo. Sí, merecería la pena haber trabajado de cabo a rabo del domingo para lograr esto. Merecería la pena, aunque sea Sabas quien lo ha hecho.

—¿Tardaréis mucho? —pregunta Josefa.

—No, porque tenemos muchas ganas de perder de vista este cajón con ruedas —dice Cosme, dirigiéndose a la puerta y haciendo que la tranca corra por los soportes.

Algo pasa corriendo a mi lado y luego sale de la cuadra sigilosamente en cuanto Cosme abre apenas una de las hojas.

—Ismael... —oigo llamar a mi hermana, antes de que la sombra desaparezca del todo.

—Déjale —dice Sabas—. Ha dormido cuatro hermosas horas por la tarde.

—Pero es la segunda noche que...

—No lo harás más niño obligándole a permanecer pegado a tu falda.

Sabas saca la carreta, que queda atascada en el cenagal que se ha formado a la entrada de la cuadra, a pesar de que casi todo el líquido del pozo se ha deslizado campa abajo, ya que no había que contar con que la tierra lo empapase, después del diluvio de la noche anterior.

—Esto también deberemos hacerlo desaparecer —dice

Sabas, quiñando a los bueyes para que saquen la carreta
de allí —. Echaremos encima arena, porque cualquiera
puede sospechar a qué se debe.

Por fin, sale la carreta y se van los tres con ella. Entro
en la cuadra, siguiendo a Josefa, y atranco la puerta. Cuando me vuelvo, la veo inmóvil, de espaldas, con el rostro
ni del todo alzado ni apuntando claramente al suelo, casi
como una sombra más de la cuadra. Hay en esa espalda
algo que me obliga a detenerme. No oigo su voz en seguida sino, poco más o menos, cuando esperaba oírla.

—He enterrado el gato que sacaron del pozo — me
dice, aún sin moverse —. Lo metí en un agujero y le eché
tierra encima.

El carbón está ahí, y podría hacerlo, porque cualquiera
lo querría.

Ella, sigue:

—Y todo quedó tranquilo. Escucha, Pedro...

No sería difícil.

—...¿quieres que, ahora, entre tú y yo, enterremos
a Fermín?

No puedo ni abrir la boca y ella, después de esperar
mi respuesta un largo minuto, se vuelve y grita:

—¿Qué te sucede, Pedro?

Consigo murmurar:

—Estoy bien. Pero, déjame... Déjame solo.

Y se va.

XIII

Corría un viento frío. El cielo seguía encapotado, y sabíamos que era así a pesar de que ya estábamos en la una de la madrugada y no se veía a diez metros, pero es fatal y sabido que los hombres no pierden jamás de vista la lejanía del cielo por mucha negrura que los rodee.

No llovía y nada nos resultó penoso. La carreta parecía, entonces, mutilada, como un camello sin su jiba, y hasta los mismos bueyes caminaban ligeros, especialmente al llegar a las proximidades del caserío de Juanón Lecumberri y pisar terreno conocido.

Nadie nos vio o, por lo menos, eso creímos, durante aquel trayecto por estradas bordeadas de zarzas de tres metros de altura, de las que los chiquillos de la zona ya habíamos arrancado las últimas moras de la temporada. El padre marchaba delante de los bueyes, aunque no por la, entonces, inútil necesidad de azuzarlos con el clavo, sino casi con la única preocupación de avanzar vigilante y silencioso, esforzándose tercamente por penetrar la oscuridad y percatarse lo antes posible de algún peligro, si bien ignoro cómo habría obrado en tal caso.

Pero no sucedió nada. Y cuando abocamos la última estrada que nos llevaría al caserío de Juanón y, por fin, distinguimos la puerta de su cuadra, ni siquiera se nos ocurrió pensar en la posibilidad de que estuviera abierta; detuvimos la carreta frente al amplio cuadro negro, y al surgir de él Juanón Lecumberri nos produjo la impresión de que había atravesado las tablas, pero en seguida nos dimos cuenta de que las dos hojas estaban abiertas y él esperándonos. Su enorme mole avanzó — con pantalón de pana y camisa a cuadros arremangada hasta los codos, despreciando el frío nocturno — hasta los bueyes y oímos su gruesa voz antes de que llegara a sus morros y los empezara a acariciar suavemente, como habría hecho, por lo menos, con los hijos que no tuvo ni tendría.

—Uh... Moruno, Cimarrón. Valientes.

Me acerqué y lo vi mejor: sus descomunales manos de carretero pasando y repasando por los hocicos de los animales, cuya única muestra de que advertían la caricia o de que la agradecían era el movimiento de sus colas, en tanto que sus cuerpos parecían tallados en piedra y sus patas se posaban firmemente en la tierra húmeda y blanda. Después, sin abandonar sus manoseos, solamente volviéndose al padre, que estaba ya a mi lado, dijo:

—Resulta extraño ver todavía unos cuantos kilogramos de carbón en libertad, después de la gran tarea que han tenido los carabineros esta noche pasada.

Debimos mirarle de un modo particular, porque agregó rápidamente:

—Sí. Lo sé todo. Y más que ellos. Porque esa gente ignora que están equivocados, y suponen que tú, Sabas, tienes la culpa de todo. Fue un trabajo perfecto el del teniente García. Cazó a la mayoría en plena carretera, y fue tal la rabia o estupor de todos esos hombres que apenas acertaron a moverse y huir, suponiendo que les hubiera dado tiempo, o quizá sabían ya que los perseguiría como lo hizo: llegando hasta los más remotos caseríos del distrito, rastreando las pistas, guiándose por los trozos de carbón que, con el apresuramiento, caían de los carros o animales y quedaban en el suelo...

—Como en Pulgarcito — me sorprendí diciendo.

Los tres, Juanón, el padre y Cosme me miraron durante unos instantes, pero en seguida continuó el carretero, monótonamente, mientras examinaba sus bueyes con detenimiento, agachándose incluso por debajo y palpándoles todo:

—Para las seis y media de la mañana, ya tenía dominada la situación. Pudo felicitarse de haber triunfado plenamente hasta que llegó jadeante junto a él Antón y le reveló que el trabajo no estaba acabado... Sabía que ibais a venir hoy, porque estoy convencido, como vosotros, de que el primer paso que dé el teniente mañana, lunes

— hoy, lunes —, será hacerme una visita y comprobar si la carreta y los bueyes de que le hablaron están donde deben estar.

Era una voz recia, pero rica en inflexiones, adquiridas no en finas conversaciones con hombres de mentes analizadoras y oídos sutiles, sino en sus monólogos con sus bueyes, cuando les dedicaba palabras de todas clases y colores mientras arrastraban la carreta cargada de arena o hierba; él solo hablando, con lo que creaba un tiempo mayor para oírse y aprender del que disponían los otros hombres para lo mismo, pues éstos debían, forzosamente, a veces, callar y dejar hablar a los demás; y eso sin contar con la otra gran ventaja de Lecumberri: sus propios bueyes, capaces de asimilar y exigir el lenguaje primigenio que el hombre ha ido superando y, por tanto, olvidando; el viejo lenguaje compuesto de sonidos guturales atravesando las ramas de los árboles, de ruidos que hablan al instinto, capaces de hacer conmover como el más profundo y perfeccionado discurso actual; que bastaba al hombre antiguo y que habríamos olvidado sin pesar si las hermosas palabras a que ha venido a parar todo el esfuerzo de milenios de todas las razas del mundo, hubiesen, no mejorado, sino simplemente igualado su capacidad para comunicar de un corazón a otro la media docena de sensaciones que domina nuestro cosmos: hambre, amo, sueño, mío, odio, miedo.

Acabó su examen de los bueyes, se irguió y miró al padre, frotándose las manos en las musleras de sus toscos pantalones.

—¿Qué pensáis hacer con este carbón? —preguntó, y por vez primera aquella noche, vi una chispa brillar en sus ojillos, semidesaparecidos en los pliegues de su rostro.

—¿Qué? —repitió el padre.

—Vuestro carbón. ¿Qué vais a hacer con él?

El padre tardó casi medio minuto en hablar, midiendo las palabras, tratando de averiguar el nuevo ataque.

—Traemos el metro que fijamos —dijo—. ¿Qué es lo que está pensando?

—¿Y vosotros? —exclamó el carretero con violencia, aunque no con irritación, pues su reacción era calculada —. ¿Pensáis pagarme con moneda falsa el alquiler de la carreta?

—¿Falsa? — repitió el padre, y Cosme y yo pronunciamos también sordamente la palabra, mas Lecumberri continuó sin darnos reposo:

—Ese carbón es contrabando desde hace casi veinticuatro horas. No sólo no sirve para pagar nada, sino que no se puede tomar posesión de él sin salirse de la ley...

Por lo menos, no nos siguió mirando y recreándose con nuestro estupor. Volvió la cabeza y alargó el cuello, como tratando de descifrar algún ruido sospechoso, o acaso sólo fue un modo de permitirnos que asimilásemos la idea que nos acababa de lanzar, que nos dejó tan desconcertados y abatidos como puede quedar quien ha conseguido que le inscriban en una plantilla de buscadores de diamantes en Sudáfrica y se las ha arreglado para tragarse uno y sacarlo fuera de las alambradas dentro de las que ha vivido varios años y ha saltado de un continente a otro para, al final, desanudar el pañuelo, sacar lo que él considera valioso tesoro y enterarse de que no es más que un trozo de carbón relativamente limpio. Pero en nuestro caso, además, estaba el recuerdo del muerto, que elevaba hasta el infinito el valor de...

—¡El trato fue...! — gritó, de pronto, Cosme, avanzando dos pasos hacia Lecumberri, como un palo lanzado furiosamente contra algo; pero el padre se interpuso y le obligó a quedarse en el sitio. El carretero no se había movido viendo dirigirse hacia él a Cosme, con la idéntica pasividad de una roca aguardando la ola que se estrellará contra ella.

—Será mejor que entremos — dijo el padre. Lecumberri le miró con ojos vidriosos y, acaso, vacilante —. Nos pueden oír y ver.

Y, antes de que se hablara nuevamente, blandió el palo, azuzó a los bueyes y los dirigió hacia el recuadro negro frente al cual estábamos detenidos, que momentos después engullía a la carreta y a todos nosotros, entrando el último Lecumberri y volviendo las dos hojas, sin colocar la tranca. Segundos después, oí el chasquido de un mechero y, antes de que su eco se desvaneciese, la llama de un farol de petróleo irrumpió de las tinieblas de la cuadra: una especie de nave inmensa, excesiva para cuadra, por lo menos excesiva para el uso que de ella hacía ahora su dueño, donde los dos bueyes deberían encontrarse como los últimos habitantes de una ciudad muerta que antaño fue próspera y tumultuosa.

—La verdad, no sé para qué hemos... —empezó el carretero, pero el padre le atajó:

—Si queremos dormir alguna vez, es mejor hacerlo cuanto antes, y para ello era necesario tener la carreta dentro de la cuadra.

—Pero, ¿no os he dicho? ¡Eh, un momento! No creáis que porque por seguridad hayamos entrado aquí con esto...

El padre, seguro y firme, le cortó nuevamente:

—Pensamos descargar ahora el carbón.

Lecumberri resopló, hinchando su amplio pecho y la camisa a cuadros rojos y negros tiró de los botones hasta parecer iba a hacerlos saltar. Luego siguió respirando más suavemente, pero de modo sonoro, con ruido semejante al producido por el viento al atravesar una garganta rocosa: observándonos, no ya con el semblante alterado de instantes antes, sino benévolo y apacible, como el del maestro que sabe tiene la obligación de repetir varias veces los conceptos a sus alumnos para que entiendan.

—¿Y os vais a tomar todo el trabajo de descargar una cosa que no vale nada? —soltó—. Ya os he dicho que...

—¡Sabemos lo que nos ha dicho! —gritó Cosme.

—...que, desde hace veinticuatro horas, ese carbón es contrabando y, por consiguiente, carece de valor legal —concluyó Lecumberri mansamente.

—Pero nosotros contratamos el pago del alquiler en este mismo carbón —arguyó el padre, sin que yo pudiera adivinar aún qué es lo que verdaderamente pensaba.

—Cierto. Pero sucedió cuando todavía valía su dinero. Escuchadme. No estamos en una feria tratando de ver quién engaña a quién. Digo algo que para mí es cierto. No me quedaría ningún remordimiento de conciencia si no admitiese ese carbón, a pesar de que antes hablamos de un metro de altura y de que vosotros hayáis tenido que trabajar quizá un par de horas de la pasada noche para reunir mi parte. Es como si uno prestara dinero a otro o le vendiera algo o le alquilara, y sobreviniese un cambio de gobierno y el nuevo anula el billetaje anterior y fabrica otro, con las mismas máquinas pertenecientes al gobierno saliente, pero como a los billetes los han coloreado de modo diferente, son también diferentes, y los pagos han de realizarse en lo sucesivo con ellos, pues los anteriores resulta hasta peligroso tenerlos. ¿Con qué billetes pagaría la deuda mi hombre?

Tanto Cosme como yo miramos al padre, y creí que tendría que estar pensando en lo mismo que yo: el viaje de vuelta con la carreta y aquel carbón que deberíamos seguir soportando nuevamente y buscarle un nuevo lugar para ocultarlo, pues el pozo quedó ya colmado; un tercio de carreta, una tonelada acaso, que nos veíamos forzados a llevar a casa, sustrayéndola a la vigilancia de dos docenas de hombres vestidos de verde y su jefe, el teniente, que no ignoraba que guardábamos carbón, aunque indudablemente pensaba que estaríamos ya tendidos en nuestras camas, preocupándonos, tan sólo, de si pronunciaríamos al quedar dormidos el lugar donde metimos nuestro tesoro negro. Pero cuando le oí pronunciar: "Está bien. Está bien", y miré a Cosme y comprendí que él también había oído lo mismo, que no había soñado o entendido mal, supe que el padre consideró aquella posibilidad o, por lo menos, la asimiló con rapidez; y no podía ser de otro modo, pues en seguida volvió a hablar, sereno y calmo, como si estuviera discutiendo los pormenores de la partida de pesca del día siguiente.

—Ahora, sólo restan dos cosas: calcular el valor de este carbón — dijo —, para que sepamos cuántas pesetas hemos de pagarle dándole a elegir el color de los billetes.

—Pongamos cien, en números redondos — pronunció prontamente el carretero, siendo evidente que lo trajo bien pensado de antemano, aunque no significase que la operación le hubiese resultado sencilla, ya que me lo imaginé durante todo el día del domingo sacando la cuenta con los dedos de la mano que no sabía escribir ni su propio nombre y que para firmar la toma de posesión de la hacienda de su padre lo haría con una cruz, y eso mientras el notario le sujetaba la muñeca para que la colocara en los alrededores del lugar adecuado.

—Está bien. Está bien — dijo el padre.

—Dijiste que eran dos cosas.

—Sí.

—¿Cuál es la segunda?

—El carbón se quedará aquí... digamos en depósito.

Esta vez, Lecumberri no cerró la boca en unos segundos.

—¿No lo comprende? — prosiguió el padre —. Queremos dormir. Lo necesitamos. Si nos fuéramos de nuevo con él, deberíamos buscar dónde esconderlo, y en el viaje y en la descarga nos amanecería. Y, si después de todo este trabajo, consiguiéramos conservarlo, sería necesario traerlo aquí por segunda vez, pasados un mes o dos y liquidar por fin la deuda, una vez vueltas las aguas a su cauce. Por otro lado, si nos lo llevamos y nos lo descubren, deberíamos pagarle esas cien pesetas, a las que habría que sumar el esfuerzo de la segunda mitad de esta noche. No. He decidido dejarlo en su cuadra, donde nadie sospechará que puede haber ni una sola piedra, con lo que ganaremos siempre, suceda lo que suceda, el trabajo de esa segunda mitad de la noche.

Lecumberri le escuchaba muy atento, mientras su cerebro realizaba laboriosas gestiones para tratar de averiguar qué es lo que se podría esconder dentro de aquellas palabras; porque, la verdad, ya no pisaba terreno seguro, como antes, en que todo lo tuvo calculado y pensado. Entonces, los acontecimientos surgieron de lo desconocido, inesperadamente, obligándole a adoptar un semblante inescrutable, observándonos cazurramente.

—¿Por qué suponéis que os dejaré meter el carbón en esta cuadra? — preguntó.

—Porque ya está — dijo el padre.

—¿Cómo? ¿Qué?

Entonces es cuando me di cuenta — e igual le debió suceder a Lecumberri — de que la carreta y nosotros no habíamos sido introducidos en la cuadra solamente para no llamar la atención en el exterior, sino con un fin determinado, que ahora se manifestaba.

—Ya está metida — prosiguió el padre, sencillamente.

Lecumberri se volvió a la carreta, mirándola como si lo hiciera por vez primera y se asombrara de verla allí, dentro de la cuadra.

—Si nos llamasen al cuartelillo — agregó el padre —, no podríamos declarar bajo juramento que jamás hemos visto carbón de ese barco en su casa.

El argumento era débil, pero antes de que Lecumberri consiguiera hacer salir sonido alguno por la boca que acababa de abrir, el padre arguyó:

—No tenemos mala intención. Si así fuera, insistiríamos en pagarle en carbón.

Era una forma de insinuarle que debería ceder, en compensación a la admisión por parte nuestra de esas pesetas. El carretero se pasó una de sus manazas por el rostro lleno de mezclados pelos blancos y negros, deformándoselo, empezando en su frente y acabando el recorrido más abajo de su barbilla, casi en el cuello moreno, y para cuando la mano llegó a él, la decisión estaba tomada.

—¿Y dónde? — preguntó.

51   Pedro

Josefa se ha marchado y he quedado solo en la cuadra, en esta oscuridad sólo turbada por la ya débil llamita del farol, que se me figura un fuego fatuo y yo un sepulturero, pues podía estar en estos momentos enterrando un cadáver, de haberle dicho a Josefa que sí.

¡Dios! ¡Y él por ahí, de nuevo, con su carreta, enloquecido por su furioso deseo de salirse con la suya, sin tener en cuenta sus sentimientos, sin comprender que debería tener unos sentimientos como todo ser humano!

Nunca lo habría hecho, pero él me ha convertido en un desesperado. Y, a fin de cuentas, el carbón es de todos. Me corresponde una parte, pues he trabajado como ellos bajo el viento y la lluvia y soporto, ahora, más dolor que todos juntos.

Sacaré el saco de una esquina, de la parte más oscura de la cuadra, la que corresponde a la pared del fondo; así no podrán advertir nunca la falta, a menos que los cuenten.

Empiezo por agacharme y apartar el estiércol seco que cubre todo el pozo y queda a ras con los bordes de piedra. Lo saco con cuidado, con las manos, amontonándolo junto a una pierna. He de alterar lo menos posible la capa: sólo el trozo que cubre un solo saco. Cuando ya tengo un buen montón a mi lado, veo el bulto completo. Descanso un rato, esperando a que la respiración se me normalice y, entretanto, contemplo la negra superficie del saco, húmeda y tersa, ocultando el valioso carbón.

Luego, me agacho más y cojo con ambas manos la oreja ceñida por la cuerda. Tiro hacia arriba, pero apenas consigo mover el saco. Parece que estuviera pegado a los demás, formando un bloque único. Tiro de nuevo, y ahora lo muevo un poco. Es un peso muerto que empiezo a odiar y hace subir hasta mis labios maldiciones y tengo que cuidar que apenas me las oiga yo mismo, pues no quiero que Josefa sospeche lo que estoy haciendo. Ahora, a la tercera vez, logro levantar el saco. "¡Maldito!", le digo —. "¿No querías, eh?". Y, con un esfuerzo sobrehumano, lo intento sacar del pozo, puesto ya en pie y echándome hacia atrás, obligándole a que se apoye en el borde de piedra, sobre el que roza ásperamente. Quiere volver hacia atrás, pero yo le mantengo a fuerza de insultos y, de pronto, la tela, reblandecida de tanta humedad, se rasga y deja salir el maldito carbón. Es entonces cuando puedo alzar el saco y dejarlo sobre el piso de la cuadra.

Se ha escapado un tercio del carbón, pero no me importa, porque así no me será difícil llevarlo. Primero, arrojo todo el desparramado, al pozo, al hueco dejado por el saco, y encima echo paja, de la que Sabas ha puesto a las vacas para cama, y de este modo disimulo la ausencia del saco. Después, lo cubro todo con el estiércol, y el pozo queda como antes.

Con un alambre, remiendo el saco rasgado, y en seguida cojo la carretilla de mano de Sabas, que él mismo construyó, la cargo con el saco y salgo empujándola de la cuadra, volviendo la hoja de la puerta detrás de mí, y me hundo en la oscuridad de la noche y el silencio, sólo interrumpido por el ronroneo de la resaca y los chirridos del eje de la carretilla.

Como ya no vamos a usar más la carreta por esta noche, entre el padre y Juanón descinchan los bueyes, después de haberla colocado con la parte trasera dando a un rincón de la cuadra. Ismael y yo nos apoyamos en la vara, metidos entre los dos bueyes, para que la carreta, una vez libre de los animales, no caiga hacia atrás de golpe.

—Sujetad fuerte —nos dice el padre—. Ahora agarraremos nosotros también.

Juanón, sin dejar de soltar las cinchas, exclama:

—Nunca he tenido líos con la ley y no quiero tenerlos cuando estoy con un pie en la tumba.

—No los tendrá —le dice el padre—. No han castigado a nadie por sorprenderle con carbón.

Juanón da un último tirón a las correas y suelta el yugo, sin dejar de apoyarse en la cruz, lo mismo que el padre, ambos delante de los bueyes. Entonces, el padre pasa al lado de Ismael, Juanón se agacha y los bueyes empiezan a andar, separándose del carro, bajo el yugo que los hermana. Tres metros más adelante, el carretero les da un grito y se detienen.

—Abre los ojos —dice el padre a Ismael, que se estaba casi durmiendo sobre la cruz, al mismo tiempo que le propina un codazo.

—Arriba —ordena Juanón, y dejamos que la vara se levante poco a poco, pase ante nuestros rostros... y en ese momento oímos caer el carbón, con un ruido semejante al que se oye los domingos por la mañana en el monte, cuando docenas de cazadores disparan sus escopetas. ¿Cómo sonará el "Aya" que tengo en casa? ¡Vida cabr...a!

—Puedes soltar ya —dice el padre.

—¿Qué? —le grito.

—¿Es qué no ves que la carreta está ya fija?

Juanón, a nuestra derecha, revuelve con sus manos en un montón de paja.

—Ahora vamos a darle sepultura —habla con cierto nerviosismo, trayendo él mismo, presuroso, la primera brazada, aunque aún deberemos apartar la carreta y hacer que escurra todo el carbón.

Miro al padre fijamente, pero él está entretenido en algo, no sé en qué, no quiero verlo, no me importa verlo. Juanón pasa a mi lado con la paja casi tapándole el rostro y me mira con asombro. Ismael también, a través de su sueño. Y, de pronto, el padre se vuelve y su mirada pasa por todas las cosas hasta detenerse en mí. Es como si hubiera sentido la mía clavada en su cogote. O quizá fue el silencio de mi inmovilidad lo que le hizo saber que le estaba odiando en ese momento. Nuestras miradas se cruzan, por debajo de la cruz de la carreta. Él sabe qué es lo que yo estoy pensando, pues ha tenido que oír también las últimas palabras de Juanón. Su expresión es muy tranquila, como la que recuerdo que tenía cuando me preguntó, siendo yo un chaval: "Me han dicho que fumas, ¿es verdad?". ¿Por qué me sigue mirando así, si lo miro con toda la furia de que soy capaz? ¿Por qué no quiere enterarse de que deseamos tratar a nuestros muertos como se merecen?

—¿Qué pasa? —pregunta Juanón, ya sin su brazada de paja, observándonos a uno y a otro.

Ismael empieza a temblar y sus ojos se enrojecen.

XIV

L AS botas del padre chapoteaban delante de mí, y el mismo ruido oía a mis espaldas, producido por el recio calzado de cazador de Cosme, mientras caminábamos por aquellas estradas festoneadas de altas zarzas chorreantes de agua, silenciosos y presurosos por meternos de una vez en la cama y dormir o, por lo menos, convencernos de que lo podíamos hacer, que no surgiría de nuevo el espectro del carbón obligándonos a vencer otro contratiempo, como nos venía sucediendo desde hacía treinta horas, el último de los cuales fue la necesidad de dejar completamente limpia la carreta, una vez la hubimos vaciado del carbón y cubrimos éste con la paja, de modo que lo que quedó en aquel rincón oscuro no fue otra cosa, al parecer, que una buena pila de inocente hierba amarilla y seca.

—Ahora tenemos que meternos con la carreta — dijo el padre.

—¿La carreta? — pregunté con asombro, no sólo por ignorar lo que el padre quiso decir, sino por descubrir que todo seguiría lo mismo y la carreta dominando a ese todo, después de la feroz mirada que Cosme dirigió al padre, que éste sostuvo con la limpieza y serenidad con que un aislador rechaza la corriente eléctrica, pero dándose cuenta de que la ardiente lava iba ascendiendo; y no sólo por lo que se refería a Cosme, y eso también lo tenía que saber el padre, como yo lo percibía ya entonces, a mis catorce años y con retraso de diez horas de sueño en treinta, sin contar las horas agotadoras de trabajo: porque la mirada de Cosme no era sólo suya, sino que venía a ser el espíritu condensado de todo el dolor, angustia, estupor e impotencia de la familia; y yo, en medio, vacilando entre uno y los otros, ante el dilema que se me presentaba por vez primera en mi vida: el que se derivaba de descubrir que mis mayores marchaban en desacuerdo, cuando, hasta entonces, se alzaron ante mí tan unidos como las piedras de un muro inderribable.

Pero ellos — Cosme y Juanón — ya sabían a qué se refería el padre o, al menos, lo supieron en el mismo momento de oírle nombrar de nuevo la carreta, porque el segundo corrió a su modo — a zancadas pesadas, bamboleando su enorme cuerpo, y su cabeza semejaba el castillete que suelen poner a los elefantes en el lomo —, atravesó la cuadra y regresó con media docena de sacos secos y limpios, realizando un segundo viaje, para traer esta vez dos baldes llenos de agua, pero el padre dijo:

—El baldeo hará que se pegue demasiado el polvo del carbón a las maderas.

—Claro — admitió el carretero, rascándose los hirsutos cabellos medio canos.

Así, que empujamos entre los cuatro la carreta hasta el extremo opuesto de la cuadra, su lugar habitual, no lejos de donde ya masticaban los bueyes el pienso que arrojara en sus pesebres Juanón, cubiertos de nuevas mantas secas, y haciendo que quedara levantada, con la vara casi en vertical, empezamos a frotar furiosamente en ella con trozos de sacos, limpiando las tablas en toda su longitud y luego los resquicios entre ellas, a la luz del farol, despojando, purificando a la carreta de aquel carbón, como si ella fuera realmente nuestro cerebro y los trapos movidos con desesperación rasparan dentro del cráneo, en un inútil esfuerzo por anular nuestra memoria.

Luego, el padre, descolgando el farol del gancho de la pared, recorrió tabla por tabla, rendija por rendija, con el rostro a escasos centímetros de lo que miraba y el farol pegado a su mejilla, empleando media hora en realizar toda la inspección, frotando frecuentemente aquí y allá y, a veces, introduciendo palos finos en las grietas y uniones entre maderas, mientras nosotros, tras él, le seguíamos, incluso Cosme, que parecía embebido en la faena, pendiente de que aquello en lo que le iba, por lo menos, su amor propio, quedara como debía.

Lo último que vi de aquel carbón fue el montón de polvo negro y piedras menudas que Juanón recogió del suelo después de barrer éste con un escobón de arbustos. Varios viajes de baldes hicieron desaparecer ese montón.

El padre me precedía con su paso elástico e incansable, que con el tiempo averigüé que jamás envejecería, avanzando con sencilla determinación; delgado y duro, respirando normalmente, a pesar de la marcha presurosa, pareciendo más alto de lo que era en realidad; sus hombros rectos, guardando proporción con sus estrechas caderas sin grasa, sin el menor derroche — sus hombros — de ostentación, justos, precisos y firmes, incluso ofreciendo una falsa sensación de debilidad. La única respiración que habría percibido cualquiera que hubiera presenciado nuestro paso, era la mía, pues la de Cosme también era absolutamente normal, y pensé yo entonces que el llegar a ser adulto conservándose seco y fibroso constituía mi mayor ambición, pues ellos habían trabajado vaciando el pozo durante todo el domingo, mientras yo dormía toda la tarde del mismo día, aunque, por lo visto, no resultó suficiente para colocarme a su altura, y durante aquella especie de carrera tuve que luchar denodadamente para sostener su paso y evitar que la noche de mis párpados se derrumbara; porque no sólo el sueño y el cansancio se confabulaban para derrotarme, sino también la misma oscuridad reinante, en el interior de la cual parecía no existir nada, ni siquiera nosotros mismos: un vacío final y absoluto, hecho particularmente de silencio, agotamiento y aniquilación, como si todas las fuerzas naturales desatadas pocas horas antes hubiesen pactado una pausa, un descanso, y se hubiesen retirado lo suficiente o fuese tan real su actual noexistencia que originaron, lógicamente, el vacío en el que entonces nos movíamos, sin poder creer que aquello hubiese pasado, más bien convencidos de que la amenaza seguía allí, expectante y como muerta, aguardando el renacimiento de su apoteosis.

Pero el caso es que llegué despierto hasta la fachada posterior de nuestro caserío o, por lo menos, caminando por mí mismo, y advertí que pasábamos frente a la puerta de la cuadra al sentir que mis botas se hundían en el fango formado por el líquido del pozo; aunque no lo suficientemente despejado para oír las voces que ya habían obligado al padre y a Cosme a detenerse. Permanecieron un momento a la escucha, imperceptiblemente inclinados hacia adelante, inmóviles como estatuas, y el padre manteniéndome a sus espaldas con un gesto, también petrificado, de su brazo extendido hacia atrás. Así permanecieron quizá durante un interminable minuto, escuchando —ahora yo también— aquel murmullo claro y lejano, proveniente, sin duda alguna, del portalón. Hablaban dos voces: la de la madre y otra de hombre; una voz, ésta, seca y hueca, fría, como de viejo. El padre y Cosme se miraron.

—Sea quien sea —dijo el primero—, es mejor entrar por una ventana. Y ojalá vuestra madre no haya descubierto que no estábamos en casa.

Pasamos por delante del ventanuco del cuarto del fondo y alcanzamos el del dormitorio de Cosme y Bruno. Separó el padre las contraventanas de madera y me preguntaba yo si las hojas interiores se hallarían también sueltas, cuando le oí decirme:

—Salta.

Me aupó y caí fácilmente sobre las anchas tablas del entarimado. Antes de que transcurriera un cuarto de minuto, los dos estaban a mi lado.

—Iré al portalón, a ver qué pasa —volvió a hablar el padre, sacándose el grueso jersey por la cabeza y luego sentándose en la cama y soltándose las botas y sacándoselas también—. Y si salís, no te olvides, Cosme, de poner cara de sueño como Ismael.

—¿Qué? —pregunté.

Pero ya él caminaba silenciosamente como un gato por el pasillo, pisando con sus calcetines de algodón y soltándose los botones de la camisa. Miré a Cosme y, como dos muñecos movidos por una misma cuerda, empezamos a soltarnos precipitadamente las botas.

Cuando llegamos al portalón, vi a Bruno entre los dos guardias civiles, vestido con la chaqueta vieja y los pantalones que el padre le llevara en la mañana del domingo, erguido e inmóvil, casi indiferente, como si no fuera nada de aquello con él. Su cuello de toro parecía que sostuviera una cuadrada cabeza de yeso, pues la luz del farol que sostenía a media altura la madre hacía que todos los rostros resultaran blancos en aquella penumbra del portalón.

Uno de los guardias tendría unos cincuenta años y el
otro veinticinco, y en seguida descubrí que a este último
pertenecía la voz seca que oímos; apartó la mirada del
padre, al vernos aparecer a Cosme y a mí — también sin
calzado y dando muestras de habernos levantado entonces
de la cama —, y dijo:

—Le repito que no sabemos nada, señora. Es mejor
que el muchacho se dé prisa.

Y es que la madre había preguntado ya dos veces desde
que llegamos: "¿Qué le harán?", y era lógico pensar, a
juzgar por la contestación del guardia, que le preguntó
lo mismo antes de llegar nosotros. Resultaba evidente que
hacía poco que estaban allí.

—Vamos, ponte tu uniforme — ordenó el guardia joven
fríamente, volviendo sólo la cabeza hacia Bruno. El tricornio parecía que formaba parte de su cráneo.

Bruno pasó ante nosotros y se metió en casa, caminando con desenvoltura. La madre fue tras él. La abuela
se adelantó hacia los civiles y les preguntó, humildemente:

—¿Quieren sentarse?

No fue educación ni hospitalidad, sino temor, y ellos
lo entendieron así: el temor del viejo pueblo a la despótica
ley, promulgada exclusivamente, no para él, sino contra
él, inaccesible e inflexible, sentenciando con la voz in-
humana que irrumpe en los campos saltando de las pétreas
almenas acastilladas. Ellos lo entendieron así y les vimos
violentos, sobre todo al de más edad, que, por fin, dijo:

—Tenemos que salir en seguida, señora.

Siguieron tiesos como dos postes, envueltos en sus ca-
potes de paño verde, del mismo color del uniforme, apoyando las manos en el cañón de los mosquetones, cuyas
culatas descansaban en el suelo.

—¿Quién le denunció? — preguntó luego el padre, simulando estar atándose el cinturón.

—Ella — contestó el guardia mayor —. La chica.

Miró a su compañero.

—¿Cómo dijiste que se llama?

—Pepita.

—¿Es que fue a verla?

El tono del padre era de extrañeza.

—Sí, y por lo visto, hace veinticuatro horas estuvo otra

vez —detalló el joven—. Porque cuando gritó que le había dejado el cuarto lleno de carbón y el teniente García...

—Espere... ¿Dice que dijo que le llevó carbón?

—Sí. ¿Por qué? ¿Es que hay otra cosa en este pueblo desde el sábado por la noche?

Pronunció "este pueblo" con cierto desprecio; cualquiera habría adivinado que no era nacido en nuestra provincia; era castellano; pero Algorta no tenía la culpa de ser el destino que sus jefes le señalaron, sacándole de su tierra.

—¿Qué decía el teniente García? —preguntó el padre.

El guardia joven miró hacia la puerta, por ver si veía aparecer a Bruno, y contestó:

—En cuanto oyó a la chica gritar lo del carbón, le rogó que le guiara a su domicilio, y ella entonces quedó cortada, y acaso se ruborizó (estábamos casi a oscuras, en aquella esquina de su casa donde acababa de suceder todo) y aseguró que él había asaltado su casa y había intentado...

—¡Mentira! —chilló la abuela, mirando al padre, agregando finalmente, clavando sus ojos en los guardias—: Sabemos todos, sabe todo el pueblo que ella...

A la temblorosa luz del farol de carburo que, desde que se marchó la madre descansaba sobre la mesa del portalón, parecíamos falsos intérpretes de una escena sin sentido, cuya única razón de su existencia consistía, a mi modo de ver, en que formaba parte de aquella sucesión de acontecimientos que comenzó cuando el mercante inglés fue arrastrado hacia las peñas.

El padre cortó a la abuela y más que lo que dijo, fue la forma tensa de hablar, las palabras tajantes y justas, lo que me hizo saber que estaba verdaderamente apasionado:

—¿Qué es lo que ha sucedido realmente?

El guardia joven volvió de nuevo la cabeza hacia la puerta, alzando el rostro casi desafiadoramente.

—Pueden decirlo en dos palabras —siguió el padre—. Mi hijo tardará aún unos minutos en salir.

Los dos guardias civiles permanecieron callados durante un rato, como si lo que hasta entonces llevaran dicho les pareciera, entonces, excesivo. Al cabo, habló el de más edad:

—Llegamos cuando...

Pero, vivamente, su compañero le interrumpió. Ni uno ni otro se habían movido, ni siquiera para cambiar de postura: el mayor cuando habló y el joven cuando lo fue a hacer.

—Desprecio a los desertores. Pero ustedes no tienen la culpa de que su hijo haya hecho eso... Ya habíamos recibido en el cuartelillo la orden de detener al soldado Bruno Jáuregui, y pensábamos realizar investigaciones en su misma casa, por si se hallaba aquí escondido, cuando llegó ella al cuartelillo, a las once de la noche, y nos dijo: "Le pueden echar las manos encima dentro de una hora". "¿A quién?", le preguntamos. "Al desertor que tendrían que estar ya buscando". Y fuimos y nos apostamos éste y yo frente a la esquina que ella nos indicó, ocultándonos en la sombra. Un rato después, apareció ella con un acompañante y se detenían en aquella esquina, cerca de un portal. Nos acercamos a la pareja, abandonando las sombras y cruzando la calzada, pero ella nos vio y nos indicó antes de que pisáramos su acera: "No es éste. Hay que esperar más". Así, que, volvimos a nuestro sitio. Eran ya las doce. Casi media hora después, apareció una silueta cuadrada y vertiginosa, llegó al portal y ya tenía un pie dentro de él, cuando los vio. No hay duda de que su intención era la de subir al piso, ya que pensaría sorprenderlos allí, como fin de domingo que era.

"Ni la misma chica se dio cuenta de su presencia hasta que la silueta agarró furiosamente al primer galán y empezó a machacarlo a golpes terribles. "¡Guardias! ¡Guardias!", gritó la chica, pero nosotros ya corríamos, y ella no cesó de gritar, incluso cuando le estábamos sujetando entre los dos, impidiendo, no obstante, apenas que siguiera aporreando al otro. Luego dicen que en los cuarteles no se come. Pero la chica le vengó bien, pues se puso como una loca a golpear y a arañar al que luchábamos por sujetar, y bastante teníamos con eso para pretender apartarla. "¡De mí no se burla nadie! ¿te enteras?", le gritaba una y otra vez. Su hijo interrumpió su agresión cuando vio que el otro caía sin conocimiento, con el rostro ensangrentado.

Luego, llegó el teniente de carabineros con dos números y, al descubrirlo, ella se le plantó delante. "¡Ha vaciado un saco de carbón en mi cuarto! ¡Carbón de ese barco!", le dijo, con sus ojos astutos y brillantes. El teniente la observó fijamente y comprendió que no mentía, por absurda que fuera su declaración. En seguida, se volvió a nosotros y nos preguntó: "¿Quién es este hombre?". No tuvimos tiempo de responder, porque la chica se nos adelantó y, a juzgar por el gesto de entendimiento que descubrimos en el semblante del teniente, su explicación resultó infinitamente mejor que cualquiera de las que nosotros le pudimos haber dado. Dijo: "Es el hijo de Sabas". "¿Quieres guiarme hasta tu cuarto?", rogó entonces el teniente a la chica. Y fue en ese momento cuando ella se ruborizó y aseguró que el muchacho asaltó su casa y su cuarto y se vio precisada a luchar, a defenderse. "Bien. Bien", murmuró el teniente. Nosotros tampoco la creímos, y no solamente porque no encontrábamos un lugar lógico en su historia en el que encajar aquel saco de carbón."

Antes de concluir, el guardia civil ya estaba mirando de nuevo hacia la puerta, impaciente.

Contemplé por centésima vez los fascinantes mosquetones, los cartuchos, los correajes y sus tricornios, y sus miradas y rostros especiales, no como los de un hombre cualquiera, pues todo individuo que se plante en la cabeza ese tricornio deja de ser lo que era para convertirse en un guardia civil, transformándose y alcanzando lo que el diseñador del uniforme sin duda pretendió: no sólo crear un cuerpo distinto, sino unos hombres distintos; que de esos rostros no desaparezca el sello aun cuando paseen con su familia los días de asueto, libres del tricornio.

Y mientras el padre y todos nosotros permanecíamos silenciosos, asimilando lo que acabábamos de escuchar, y los guardias esperaban allí, como dos estatuas, serios y graves, Cosme se adelantó hasta ellos y quedó observando los mosquetones, pasando la mirada del uno al otro, como un niño que ante dos pelotones no se decidiera por ninguno. Luego, dejó de mirarlos, al levantar la cabeza y observar los rostros de los guardias, también saltando del uno al otro y, por fin, ya sin vacilar, se corrió un paso a la derecha y extendió una mano hacia el mosquetón del

guardia de más edad, quien apartó sus manos del arma
en el mismo momento en que Cosme la agarraba, la alzaba del suelo y empezaba a examinarla, en tanto que el
otro guardia contemplaba aquello con visible disgusto.
Pero, en brusca transición, se olvidó de su compañero y de
Cosme, y volvió a asumir aquel aire extraño, no precisamente colérico, sino más bien mustio, huraño, con ligeros
destellos de sorpresa o estupor, y entonces supe que parte
de este modo de aparecer ante nosotros aquella noche se
debió a algo que no comprendía y que estaba deseando
saber o, por lo menos, comentar.

—¿Cómo se enteró? —preguntó al padre.

—¿Enterarse? ¿De qué? — preguntó, a su vez, el padre,
volviendo de sus pensamientos.

—De lo del barco. O él o usted. ¿Cómo se enteraron
de que se estrellaría la noche del sábado?

Al principio, el padre no comprendió, y lo mismo nos
sucedió a nosotros. Pasó medio minuto y el guardia
agregó:

—El muchacho huyó del cuartel y se presentó en
Algorta justamente cuando...

La voz del padre saltó rápida:

—¿También el teniente García cree que fuimos a coger
carbón?

—Es natural que lo crea, como todos. Pero eso no in-
teresa ahora, sino el que alguno de ustedes dos supiera...
¡Bah!, no me haga caso. Pero la coincidencia es verdaderamente singular.

Oímos los pasos en el pasillo y en seguida apareció
Bruno, ya con sus ropas de soldado (aún no secas del
todo), seguido de la madre, que ataba con cuerda un envoltorio de papel que luego supe contenía tres bocadillos
de tortillas, puestas entre trozos de talo, para el viaje.

Con el uniforme, el rostro de mi hermano aparecía
más pálido y, sobre todo, más pequeño, con aquella barba
de más de tres días de entre la que surgían como dos can-
delas sus ojos afiebrados. Su aspecto general era de decai-
miento. No parecía el mismo Bruno lleno de vigor que
siempre conocí, pues entonces ni sus piernas daban sensación de robustez, ni sus brazos de energía, ni su torso de
solidez, ni siquiera su antaño recia mandíbula parecía otra

cosa que una pieza desajustada y casi sobrante. Pero, al
punto, comprendí que estaba equivocado, que esa mandíbula debía apartarla de todo aquel conjunto de derrota,
pues constituyó el único reducto en el que se concentró su
fuerza, el impulso ciego que había movido sus actos desde
que huyó del cuartel; y vi, además, por ella, que no estaba
arrepentido de lo hecho, sino que lo volvería a repetir. Al
ver de nuevo a los guardias civiles, la impresión bajo cuyo
peso salía de casa (días después supe a qué fue debida)
desapareció, la superó, arrinconándola en algún lugar de
su ser, y con ella todas las tristes horas pasadas, y aquella
mandíbula volvió a cerrarse enérgicamente y dio la sensación de que obligó a sus ojos a mirar casi con aire de reto
a los guardias; sus músculos abultaron la piel y aparecían
y desaparecían rítmicamente, con tenaz violencia, mientras cruzaba el portalón y caminaba hacia ellos sin vacilación; y no en aquel momento, pero sí después, al recordar la escena, comparé esa mandíbula a la última porción
de agua de un charco entre peñas que se está vaciando
durante la bajamar, en el que se amontonan los pececillos
que rato antes ocupaban todo el recinto y que entonces la
escasez de agua obligaba a amontonarse y coletear desesperadamente en una miserable e insuficiente concavidad,
dando la impresión de que la suma de sus energías es mayor, cuando, la verdad, es que está simplemente concentrada.

Se detuvo ante el padre y le oí decir:

—Hágalo pronto. ¿Lo hará? Desde allí, sabré cuándo
lo ha hecho, porque podré dormir.

El padre no abrió la boca, limitándose a golpearle
amistosamente el brazo, sin que se moviera un músculo
de su rostro. Luego, Bruno abrazó y besó a la abuela en
la frente y ella dibujó en la suya, con dos dedos juntos, la
señal de la cruz. Antes de que ambos se separaran, ya
le habían rodeado los brazos de la madre, estrujándole,
y vimos el paquete de las tortillas colgar de su mano en
la espalda de Bruno quien, cuando pudo seguir andando,
se detuvo ante mí, sonrió y me dijo:

—No se te ocurra nunca hacerte mayor, chaval.

—Es imposible llegar a querer a un "Mauser" tanto
como a una "Aya" —. La voz de Cosme hizo que todos

volviéramos la cabeza, para verle examinando atentamente el fusil del guardia, dándole vueltas ante su rostro, como si se tratara de un juguete fascinante y él el niño que lo persiguió mucho tiempo; sin accionarlo, solamente mirándolo, no olvidando de mantener constantemente el cañón apuntando hacia la noche —. Ni aunque el "Mauser" haya matado a nuestro mayor enemigo o a la fiera que nos iba a devorar, no lo podríamos querer tanto.

—Las dos son buenas piezas — adujo Bruno, acercándose a él.

—Nadie concibe que se pueda querer a un cañón y sí a un arco con sus flechas.

El "Mauser" siguió girando entonces no solamente ya ante el rostro de Cosme, sino también ante el de Bruno, hasta que el guardia joven extendió el brazo y tomó el fusil por el centro y lo retiró con no disimulada violencia, entregándoselo a su compañero, quien se lo colgó del hombro con un movimiento familiar. Después, el guardia joven tocó a Bruno en el brazo, indicándole que echara a andar. Mi hermano nos miró por última vez, volviendo el pálido y demacrado rostro, y recogió el envoltorio de las tortillas que la madre le tendió, en el que la grasa ya empezaba a empapar el papel.

—Tiene fiebre — dijo la madre, mirando angustiosamente a ambos guardias —. ¿No podrían...?

—Es tarde ya — recordó el joven.

—¿Qué castigo le darán?

—Quizá un par de años más sobre su tiempo de servicio normal.

Iniciaron los tres la marcha al unísono, lanzando el mismo pie al mismo tiempo, como si hubieran tenido ensayado el movimiento. Los clavos de sus botas produjeron en el silencio de la noche un ruido desaforado al chocar contra las losas del portalón, que se interrumpió súbitamente cuando alcanzaron el sendero de tierra entre las huertas, y entonces sólo se oyó un sordo roce, que se fue alejando y al que acompañaron otras pisadas mucho más suaves, las producidas por las suelas de cáñamo de las alpargatas de la madre, también fuera del portalón y, dándonos la espalda; permaneció inmóvil, con las manos sujetándose la garganta, hasta mucho después de que Bruno desapare-

ciera en la oscura noche entre los dos guardias civiles y
sus pisadas dejaran de oírse. Luego, dio la vuelta lentamente y nos abarcó en una mirada. Enmarcada en la oscuridad exterior, en la que sus negros vestidos se confun-
dían y llegaban a desaparecer, su pálido rostro dio la impresión de hallarse suspendido en el aire, como esos trozos de papel enganchados en una alambrada y que al llegar la noche semejan el vuelo petrificado de una mariposa
blanca.

—Acostaos — dijo —. Aún podéis dormir cuatro horas.

53   *Nerea*

Lo oigo todo, pero no me levanto, ni siquiera abro los
ojos, porque no quiero que descubran que estoy despierta,
porque he de llevar luego a los gatitos algo que comer,
cuando ya no se oiga nada en la casa.

Mientras en el portalón hablan y hablan, oigo a la madre y a Bruno entrar en el cuarto donde tienen a Fermín.

—Cuando vuelva, ya no estará aquí — dice él, muy
bajito. Pasa un rato y agrega, ahora más fuerte —: Porque
supongo que el padre, alguna vez, consentirá en que...

Luego salen y les oigo acercarse por el pasillo a mi
cuarto. Entran. Los labios de Bruno tocan mi frente y me
besan suavemente, pero sigo sin abrir los ojos. Ya sé que
se lo van a llevar los guardias, lo he oído, pero no abro
los ojos. Salen los dos.

Rato después, todo queda en silencio en el portalón.
Y entran. Y la abuela se acuesta a mi lado murmurando
no sé qué y pegándose a mí para que le dé calor. Espero
a oírla roncar y luego me muevo con cuidado, me separo
de ella y salgo de la cama, tapándola para que el frío no
la despierte.

Tengo que buscarles comida, pero no sé dónde. No
puedo ir a la cocina, donde está el puchero de la leche,
porque la madre duerme en el cuarto de al lado y me
oiría, pues sé que no dormirá tampoco esta noche. Y no
he podido dejarles nada de mi tazón de la cena; la madre
parece que adivina algo y me lo arrebató en cuanto aca-

bé, obligándome a apurar toda la leche que había dejado
para ellos.

No sé qué hacer, pero salgo del cuarto y voy hacia el
desván. Al pasar ante la puerta de la cuadra, oigo hablar
al padre y a Cosme. Creí que ya estaban acostados.

—Yo le ayudaré —dice Cosme.

—No. Ya puedo arreglármelas solo —habla el padre—. No tengo más que hacer tres o cuatro viajes con
el burro a la playa. Acuéstate de una vez. Dentro de poco
has de salir para la fábrica.

—Necesitará más arena que cuatro viajes para cubrir
y secar ese fango de la entrada.

—Ya me arreglaré —concluye el padre.

Me aprieto contra la pared de piedra cuando pasa Cosme, y no me ve. Oigo cómo el padre comienza a colocar
las albardas al burro y subo al desván.

Dentro de la cesta, los gatitos parecen fieras. Llevan
demasiado tiempo sin comer. Tengo que sacar mi mano
para que no me la muerdan con su hambre.

54   *Jacinto*

Los lunes acostumbro a abrir la taberna algo más tarde, porque los domingos son días de mucho jaleo y la gente se queda hasta muy tarde, y más ayer, que disponían
de un sabroso tema, con su traición y todo. Hablaron tanto de ese barco y del carbón, y tanto y de tal modo contra
Sabas, que acabaron con todo el vino.

Cuando abro la puerta de la vivienda y me asomo al
balconcillo que da al callejón, le veo otra vez. Está acurrucado tras una pila de cajas vacías de limonada, oculto
a cualquier mirada de la calle. Y está sentado sobre algo,
inmóvil, encogido, muerto de frío, con el cuello de la chaqueta levantado y los brazos cruzados sobre el pecho. ¡Por
Cristo!, creo que lleva ahí casi toda la noche. ¿Qué se traerá hoy?

Bajo al callejón con las llaves y, antes de abandonarlo
y salir a la calle, me ve. Levanta la cabeza y me mira con
sus ojos llenos de sueño y de inquietud, y deja el asiento,

y entonces descubro que ha estado sentado sobre un saco de carbón colocado sobre una carretilla.

Salgo a la calle, abro la taberna, entro en ella y luego abro la puerta del callejón.

—Hola, Jacinto —me saluda Pedro.

Me le quedo mirando y en seguida vuelvo la cabeza al saco.

—Traigo dinero —dice él.

No le hago caso y me dirijo al mostrador y empiezo a quitarle el polvo con el trapo. Vigilo con el rabillo del ojo a Pedro. ¡Allí está parte del carbón de Sabas! Entra y cierra la puerta del callejón. Viene hasta el mostrador y me mira con sus ojillos rojos y turbios.

—¿Por qué no me vas sacando esa botella? —me dice, casi en tono de reto—. Te he dicho que traigo dinero.

—¿Qué clase de dinero? —le pregunto.

—Veo que lo sabes—. Mete la mano en el bolsillo del pantalón y la saca cerrada y, cuando la abre, ruedan sobre las tablas cinco trozos de carbón—. Traigo setenta y cinco kilogramos como éste, que hacen siete pesetas con cincuenta céntimos. Rebajo en cinco pesetas la deuda y por el resto me entregas dos botellas de vino.

—Vete y llévate tu carbón —le digo, furioso—. No puedes pagarme ni comprarme nada con él porque no vale nada.

Sus labios empiezan a temblar.

—Bueno... acaso no sean setenta y cinco kilogramos, sino sesenta. Seis pesetas. Mantengo las cinco pesetas para la deuda y...

—No.

Se empina, agarra el borde del mostrador frenéticamente y adelanta el busto. Su rostro se contrae.

—¡Es un buen carbón y hemos tenido que luchar para conseguirlo! —exclama, quebrándosele la voz al final.

—Escucha —le digo, dando un manotazo en el mostrador—. Llévate ese saco del callejón antes de que lo vea la autoridad. Ese carbón está perseguido. El teniente se ha empeñado en recuperarlo todo y lo conseguirá. ¿Cómo voy a admitirlo en pago de algo?

Se derrumba. Se encoge y, ahora, casi le tapa el mos-

trador. Aún levanta la cabeza y dirige a mí su mirada desesperada.

—Pero yo necesito esa botella, Jacinto — gimotea —.
¿Vas a negar una botella a quien necesita de verdad olvi-
darse de... de...?

Le miro fijamente durante un largo rato. Luego, le pregunto:

—¿Qué os ha pasado? Creo que esta noche os ha pasado algo.

Calla y se frota nerviosamente las manos.

—Habéis estado en las peñas. Entre otras cosas, esto
te tiene que agradecer Sabas: que vayas divulgando por
ahí que vosotros también habéis ido a por carbón. Gracias a que yo no acostumbro a comentar ciertas cosas de
mis clientes. Ni en este caso. Lo que me gustaría saber
es qué os ha pasado.

Oímos pasos en la puerta y aparece el teniente García
caminando lentamente, desabrochándose el cuello del uniforme. Viene a desayunar, como todas las mañanas, pero
esta vez mucho más temprano. Pedro le mira y dirige luego sus ojos angustiados a la puerta del callejón, y sus piernas parece que no le van a seguir sosteniendo.

—Buenos días — nos saluda el teniente, y se sienta en
su silla habitual, cerca de la ventana, ante la mesita con
plancha de mármol. Suspira cuando su enorme humanidad deja liberadas sus piernas. Saca un pañuelo y se
enjuga el sudor de su rostro amplio, inflado y moreno, y
de su cuello de toro.

Pedro me ve salir de detrás del mostrador, dirigirme
a la puerta del callejón y abrirla. Está a punto de gritar
algo, pero es su propio miedo el que le deja mudo.

—Trae el café con leche para el teniente — le grito
a mi mujer, que lo está calentando en la cocina de casa.
Y cierro y entro.

Pedro ya no abre la boca. Ha quedado de espaldas al
teniente y no cambia de postura en mucho rato, ni dice
nada, mientras el otro, sentado a su mesa, se entretiene
en pasarse la lengua por los dientes y en repasar una
lista anotada en un cuaderno que sostiene con sus dos
manos.

Alguien anda en el callejón. Pedro también ha oído

un ruido, porque le veo mirar hacia allí. De pronto, se abre la puerta del callejón y aparece uno de los hombres del teniente, un carabinero de cara alargada y pálida, sin posible sonrisa, de mirada fría..., no, no es fría, sino inexistente, como si los ojos no le sirvieran para nada, ni siquiera para ver. Aunque, ¡ya, ya!

—Teniente: aquí, en este callejón, hay un saco de carbón — anuncia monótonamente, como si recitase un papel aprendido sin interés.

El teniente García levanta la cabeza, mira a su ayudante, me mira a mí y luego mira a Pedro. Me mira otra vez y, por fin, sus ojos se detienen, lenta y apaciblemente, como descansando, en el rostro de Pedro, quien, a su vez, le contempla alelado, en tanto que sus manos tiemblan intentando sujetar nerviosamente la tela de sus pantalones.

—Creo que es el cuñado de Sabas — murmura el teniente.

—Sí — le respondo.

Y él saca un lapicero del bolsillo superior de su uniforme y hace una brevísima anotación en la lista, bajo la última cifra; una anotación que creo ver que es algo así como "más setenta kilogramos".

Oí la voz de la madre, muy cerca, tratando de despertarme con una frase que bastó para que yo recuperase de un golpe y aún antes de llegar a coordinar mis recuerdos aquel lunes por la mañana, la noción de todo el caudal de emociones que rebosaba dentro de mí. Me dijo: "Vamos, que tienes que ir a la escuela". No fue el simple: "Es tarde", o el irónico: "Arriba, dormilón", de costumbre, sino el "tienes que ir a la escuela", el anuncio de que debía sobreponerme a todo y continuar viviendo y ejecutando la diaria rutina; que debía saltar y dejar a un lado lo que ninguno de nosotros podía olvidar ni aún durmiendo, y seguir adelante, tragándome las lágrimas.

La consigna del padre fue proseguir nuestra vida normal, si deseábamos defender el carbón. Nadie debería sospechar nada. "Será cuestión de sólo dos días", repitió varias veces a partir de aquel lunes. "Hasta que el teniente dé por terminada la búsqueda y firme el documento correspondiente y le dé curso".

Desayuné solo, pues eran ya las ocho y media y Cosme había salido para la fábrica una hora antes, el padre cortaba hierba (lo veía a través de la ventana de la cocina), la abuela, según me informó la madre, estaba en el cuartucho, rezando ante Fermín, y Nerea seguía durmiendo. Días después, me enteré que la primera en levantarse fue la madre, que desde las cinco de la mañana permaneció junto al catre de hierro, sentada en la silla baja de mimbre y envuelta en su toquilla (no rezando, según palabras de la abuela, sino sólo mirándole), y cuando ella (la abuela) entró en el cuartucho, a las siete, sus rezos no fueron acompañados por la madre, y la abuela le dijo: "Reza", pero ella ni se movió. "Reza, por Dios", insistió, pero la madre siguió imperturbable, con ese furioso gesto en su rostro, que era, al mismo tiempo, apacible.

Me sirvió nuevas tostadas, aquellos pastelillos fritos hechos de harina de maíz y huevo que constituyeron el símbolo y estandarte material de aquel propósito suyo de resistir y atacar, interponiéndose entre el destino y nosotros, para defendernos de aquella Voluntad que suponía iba a aniquilarnos sistemáticamente. ¡Pobre y valiente madre! Ella era, entonces, el espíritu sublimado hasta la monstruosidad (aunque no por causa de lo que se proponía y realizaba, cosa perfectamente normal en cualquier madre enérgica, sino por la clase particular de pensamiento que animaba sus actos), no de la hembra de una especie determinada, sino de todas las creadas, que defienden su prole con el coraje y la vehemencia que hasta ellas mismas ignoran que poseen. Y las comí y me sentí más unido a ella, instintivamente, como si aquellas tostadas fueran la prolongación del cordón umbilical aún no partido.

Luego, cogí los libros y salí hacia la escuela, con el tiempo justo. "Sí, allí está —pensé—, allí sigue", pero no me asomé al ventanuco, como el día anterior, inmovilizado por un puro temor más que por cualquier otra cosa, aunque pasé ante él, y acaso no lo hice, me distraje, al advertir dos pasos más allá, que el piso de frente a la entrada de la cuadra ya no estaba enfangado. Pasé sobre él y mis botas (no las mismas que llevé el sábado, sino otras más nuevas) dejaron unas huellas semejantes a las que solía dejar tras de mí en la playa, y al punto caí en la cuenta de lo que había sucedido: el padre (¿quién, si no?) bajando con el burro y los cestos a la playa, acaso una docena de veces, para subir la arena necesaria para ocultar aquel lodo negro que era lo único que podría despertar sospechas de lo que ocultábamos en la cuadra; y eso, en plena noche, después de que los guardias se llevaron a Bruno, y pesando sobre sus espaldas cuarenta y pico de

horas sin dormir, pues no había que tomar en consideración las tres o cuatro horas en que la vorágine le permi-
tió un respiro, pues tal descanso se limitó a sus manos,
ya que su cabeza seguiría moviéndose incesantemente,
enmendando yerros y creando nuevos recursos para cuando sus manos pudieran empezar a moverse de nuevo. Pero
no durmiendo. Eso, no. El padre, no.

Di un rodeo para evitar pisar el suelo arenoso y falso,
que bastaba una ligera presión para que surgiera de él
el agua negra y espesa delatora, saliendo después a la carretera y emprendiendo el camino al pueblo subiendo la
empinada cuesta.

Al pasar ante la taberna de Jacinto vi que en su interior había varios grupos hablando con vehemencia, como
en las noches de los sábados y domingos. Pero el hecho
pasó ante mí como la imagen desdibujada de un objeto
bajo el agua, porque durante todo aquel trayecto hasta la
escuela estuve pensando en el palangre que todavía no había podido recoger de las peñas, pensando clavar mi mirada en el rostro de Teodoro en cuanto llegara al patio de
la escuela.

Allí estaba, entre un grupo de mocetes de nuestra edad,
hablando y gesticulando violentamente, en un rincón apartado de la explanada destinada a recreo, con sus hirsutos
y vírgenes cabellos entonando con sus ademanes broncos.
Me vieron y se volvieron; todos a una, como autómatas
controlados, los rostros excitados y burlones mirándome,
sosteniendo con desgana sus manojos de libros sujetos con
anchas gomas. El maestro aún no había abierto la puerta de nuestra clase.

—¿Qué miras? — me preguntó Teodoro, alzando bruscamente la cabeza.

—¿Qué miráis vosotros? — repliqué, aunque sabía que
era alentar la guerra que leía en sus ojos.

Avanzaron y me rodearon, sin que yo me moviera. Lo
único que hacía era observar a Teodoro, escrutar en aquellos ojos suyos, tratando de adivinar si en el transcurso de
aquellas dos bajamares, la de la madrugada del domingo
y la del lunes (que aún persistía) había bajado a la playa
y... Por lo menos, sabía que el Negro no estuvo prendido
de ninguno de mis anzuelos, ya que, en otro caso, el re-

vuelo que se hubiera armado en el pueblo habría excedido, acaso, al originado por el carbón.

Teodoro arrojó sus libros al suelo y se plantó ante mí. Sus tiesos y duros cabellos parecía que crecían, no en una cabeza humana, sino en algún árido y reseco terreno. Alargó sus manos y me arrebató del envoltorio de libros el estuche de las plumas, lapiceros y gomas de borrar. Fue un movimiento diestro, de animal selvático cazando, apoderándose de la alargada cajita de madera al primer intento, con rapidez que me impidió hasta moverme. Para cuando reaccioné, ya la tenía abierta y miraba en su interior.

—No tiene aquí el carbón — dijo a sus compañeros, ya no míos, pues estaban de su parte, como sus padres lo estaban de parte de Antón.

Rieron y esperaron mi respuesta, deseándola. Vi sus puños cerrados, alerta, inquietos, como las sensibles terminaciones de las antenas de un insecto.

—Tu padre es un chivato — siguió diciendo Teodoro, arrojando mi estuche lejos y desparramando su contenido.

—¡No! ¡No es verdad! — grité.

—Un cobarde chivato — insistió él.

Sentí sus erizados cabellos entre mis dedos antes de realmente decidir saltar sobre él. Y hasta percibí su olor: el aroma esperado de maleza seca y cortada; pues me hallaba furiosamente abrazado a su cabeza cuando los demás empezaron a descargar golpes y patadas, envolviéndome en la endemoniada fogosidad de sus infantiles instintos primitivos, no conscientemente destructores, sino buscando el equivalente a un buen tronco en donde afilar sus uñas. Y yo mismo: zafándome de brazos y piernas para golpear más y mejor, teniendo la ventaja sobre ellos de saber, por lo menos, que ninguna de mis puñadas o patadas dejaba de encontrar su destino, en medio de aquella malla exaltada de carne y músculos, en tanto que las dirigidas a mí no todas me alcanzaban, y sí a los más próximos a los agresores.

—Veremos quién lo hace mejor... Si ellos o nosotros — jadeó Teodoro.

—Contaremos las moraduras de los dos — dijo otro —.
Es una buena forma de saber quién ha ganado.

"Así, que están machacando a otro en algún sitio",
pensé, preguntándome, al mismo tiempo, de quién se tra-
taría. Un fuerte puñetazo de Teodoro me alcanzó en pleno rostro, en la nariz, y por unos momentos perdí la noción de lo que me rodeaba, pero el despertar fue de lo
más lúcido, ya que lo adiviné todo. Teodoro gritó: "Así,
te parecerás más a él, como tiene que ser entre padre e
hijo. ¿No sabéis que el hijo de Antón me ha prometido
que la nariz de Sabas...?"

Salté, giré, me moví y grité como un loco, asombrando
incluso a mis enemigos, pero sólo durante un infinitesimal
instante, que quise aprovechar para huir, mas al arrancar
mis ropas a sus manos, y mis piernas y mi cuello y mis
brazos, llevó más tiempo, pero lo logré, no a costa de su
asombro, sino de una fuerza centuplicada por el coraje y
de dejar entera la manga derecha de mi jersey entre aquellas garras.

Aquella noche sentí el dolor de tanto golpe como mi
cuerpo había recibido, pero entonces, mientras corría, sólo
advertí que algo caliente se deslizaba por mi labio superior, resbalaba por las comisuras de mi boca, llegaba a mi
barbilla, de la que se desprendía a impulso de los movimientos de mi carrera a través de las calles del pueblo,
aunque no seguí el lógico itinerario que siempre me llevaba de la escuela al caserío, sino que me desvié y tiré
por la calleja que siempre inspiró auténtico respeto a la
chiquillería de Algorta: la vieja calle de una sola acera
en la que estaba enclavado el cuartelillo de carabineros.
Tropecé más veces de las debidas, pero mi mirada no se
apartó de su puerta, sobre la cual se podía ver el rótulo
de letras rojas; y ya pasaba y estaba a punto de rebasar-
lo, cuando lo descubrí a través de una ventana, en el
interior, pero para ese momento yo ya estaba gritando:
"¡Han ido a buscar al padre!"; pero dándome cuenta de
que quizá aquello no resultara lo suficientemente claro,
agregué: "¡Van a apalear a Sabas!".

El teniente García se encontraba sentado ante una
mesa, leyendo o escribiendo, apenas visible allí dentro, envuelto en penumbra, como un redondo monstruo marino

en reposo dentro de su cueva de las profundidades, tratando de digerir, no la comida recién ingerida, sino sus propias adiposidades inertes y perdurables. Levantó la cabeza y me vio. Antes de dejar atrás la ventana, vi que se ponía en pie (lo que ya era algo), pero no lo volví a ver hasta que apareció detrás de sus hombres en la campa donde el padre cortaba la hierba.

Cuando, desde lo alto de la cuesta, divisé nuestro caserío allá abajo, casi oculto entre higueras y parras, a un tiro de piedra de la playa, que también veía, presencié lo que ya esperaba: el grupo de diez o quince hombres rodeando al padre, que esperaba tieso e inmóvil, sosteniendo firmemente la guadaña cuyo hacer habían interrumpido los otros. Ni uno ni otros se movían. La larga y curva cuchilla inmovilizaba al grupo.

Abandoné la carretera y crucé entre huertas para llegar antes. Y es entonces cuando me di cuenta de que le estaban entreteniendo mientras tres o cuatro daban un rodeo tras las zarzas, para atacarle por la espalda. Grité: "¡Padre, padre, mire atrás!", pero en ese mismo momento volaron cuatro piedras y dos de ellas alcanzaron al padre, una en la espalda y la otra en el cuello, derribándole de bruces. Como una ola incontenible, el grupo se echó sobre él. Y ya no me di cuenta de nada, excepto de que deseaba desesperadamente correr y saltar y alcanzar aquella pelota humana. Salté la mimbrera y, sin aminorar mi loca carrera, aprovechando el impulso que llevaba, me remonté hasta la cumbre de espaldas, pero tan absortos se hallaban sus dueños en la tarea de golpear, que ni lo advirtieron, a pesar de que entre mis piernas, cuerpo y brazos abarcaba tres cabezas; y ni siquiera notaron nada cuando empecé a arrearles patadas, mordiscos y puñetazos, simultáneamente, con rabia indecible, al oír los golpes que sobre el padre descargaba la docena de hombres, resoplando a cada esfuerzo de alzar los brazos y dejarlos caer con fuerza, produciéndose el sonido, el choque contra la carne, contra esa carne también mía, y es entonces cuando volví a sentir lo que ya experimentara el sábado en la cuadra de Lecumberri, cuando la lucha con Antón: la afinidad de clan debida a la sangre insobornable y proliferada, diferente para cada grupo; y más que diferente, antagónica; que ha elegido para la defensa de los suyos el odio o, por lo menos, la indiferencia ante el dolor ajeno, como si ello fuera necesario para la supervivencia; y así lo creemos hasta que vemos con estupor que, a fuerza de odiar a los extraños, nos habituamos a sentir así y surge el fratricidio.

No era yo quien estaba sujetando aquellos cabellos insensibles, sino el ser primitivo y salvaje que defiende bravamente a los suyos, que podría hasta matar si su furia ciega le permitiera acordarse del mejor modo de hacerlo. Y cuando estalló cerca de mi oído el alarido infrahumano, que me dejó sordo por unos momentos, y el hombre sangrando de la ceja partida se apartó del grupo, conmigo encima, pude ver cómo el padre no se había dormido, pues dos figuras se revolcaban por el suelo entre sordos gemidos.

De un violento tirón, el hombre me arrojó al suelo.

—¡Maldito cachorro! —bramó, y como me viera tendido en el suelo la tentación de propinarme una patada le venció, pero yo me levanté presuroso y me alejé, pero para caer de nuevo con la zancadilla que alguien me puso, viéndome de pronto rodeado de gigantes espatarrados, a los que el grito del de la oreja había hecho que se apartaran, extrañados, del padre.

Uno me agarró de los pies y me arrastró por la campa, pero la voz del padre brotó como un alud:

—¡Suéltale!

Sentí que las manos se desprendían de mis tobillos con inusitada rapidez, aunque el hombre reaccionó al punto y quiso sujetarme otra vez, pero ya el padre se había levantado y, empujando a los que tenía al lado, corrió hacia mí, con media cara amoratada, sangrando de una ceja y el brazo derecho colgando inmóvil a su costado. Alguien surgió por detrás suyo y descargó sus dos puños cerrados en su cabeza. Era el viejo Antón, temblándole hasta los espaciados pelos de su rostro macilento, alocado y furioso, con aquella mirada tan suya llena de demente fiereza. El padre sólo se tambaleó; no se volvió para encararse con el agresor, ni siquiera para ver quién era, despreciándolo; más exactamente, ignorándolo, porque su único propósito era el de llegar a mí y rodearme con su brazo sano, apretándome contra su costado, como lo hizo. Allí, rodeados de todos, parecíamos alguna atracción de feria. Aquellos rostros sofocados por el ejercicio de hacía unos segundos, nos miraban sin una intención determinada, pues todavía no habían tenido tiempo de averiguar si lo lógico era dar por terminado aquello o la opinión general que los enjuiciaría más tarde en la tasca decidiría que todavía fue insuficiente.

—¿A qué esperáis? — gritó el viejo Antón, con los brazos en alto. Pero no fue él quien avanzó, sino otro, quien se dirigió derecho a nosotros, y cuando echó su brazo hacia atrás para tomar impulso, torpemente, con excesiva lentitud y, quizá, no tanto con verdaderos deseos de golpear y hacer daño, como con la pretensión de escuchar más tarde: "De entre todos, sólo atacó él...", el padre se limitó a levantar su pierna derecha, limpiamente y con rapidez, y a golpearle en el pecho, empujarle más bien con la suela de su bota, haciéndole caer sentado, y entonces supe por qué no le siguieron los demás: los vi con la cabeza vuelta, mirando hacia las campas por las que en aquel momento descendían las tres figuras de los carabineros armados y, detrás de ellas, la más voluminosa y lenta del teniente García.

Sí, ellos nos salvaron de todo lo malo que pudo haber seguido pasando allí. Permanecieron inmóviles hasta que llegaron, hasta que llegó el teniente, quien empezó por aproximarse al padre y a mí, realizando al mismo tiempo movimientos con los brazos, indicándoles que se dispersaran, pues aún no podía hablar. La docena de hombres se movió, quedando formando un grupo apartado alrededor de Antón, como si el teniente, con la rotación de sus brazos, hubiera originado en el aire un remolino capaz de conseguir reunir aquellas partículas dispersas y perdidas.

Tres minutos, durante los cuales no hubo más que miradas. Luego, por fin, el teniente logró pronunciar algo:

—Vamos... váyanse...

Fue más una exhalación de aire que un par de palabras, pues éstas tenían más de sofoco que de sílabas. Pasaron otros tres o cuatro minutos, y el teniente pudo hablar ya verdaderamente:

—Es mejor que se retiren a sus casas, muchachos. O a

sus trabajos, que hoy es lunes y, si no se presentan en sus
fábricas, ese carbón les va a salir muy caro. Ya han hecho bastante daño. De lo contrario, tomaré otras medi-
das. Este hombre no les ha hecho nada.

—Sólo vendernos — exclamó cascadamente Antón —.
Todos nos hemos quedado sin carbón, menos él.

El impecablemente abrochado uniforme del teniente
producía una insoportable sensación de ahogo, viéndole
a él estallante, grasiento, sudoroso, mientras se pasaba un
enorme pañuelo blanco por el encendido rostro y el terrible cuello oprimido por la dura tirilla de la chaqueta.
Habló suavemente, con sosiego y, la voz parecía no pertenecer a aquel volumen de carne.

—He empezado a recuperar su carbón — dijo —. Ayer
noche le tomé el primer saco.

Todos le miramos.

—Pues, en ese caso, los restantes... — gruñó Antón,
esperanzado.

—Se trataba de un saco aislado. Como el de esta
mañana.

El padre clavó en él su mirada con más fijeza, si cabe;
hasta se olvidó de mí, pues el brazo que rodeaba mis hombros cayó fláccido. Pero no preguntó nada aún. Y en ese
instante vimos cómo dos hombres salían del portalón de
nuestro caserío, comprendiendo entonces por qué ni la
abuela ni la madre habían corrido hacia aquella lucha que,
indudablemente, tenían que haber oído: las tuvieron en-
cerradas, sosteniendo la puerta desde fuera. Los dos hombres se unieron al grupo de Antón y todos dieron la vuelta
y se alejaron sin producir apenas ruido, por no mencionar
palabras, como alimañas espantadas.

Cuando el teniente, el padre y yo, y detrás los tres
carabineros, emprendimos el camino del caserío, ellas salieron y se acercaron con el terror reflejado en sus semblantes. El padre se apresuró a limpiarse la sangre de la
ceja; más que el líquido, el color rojo que exaltaría a las
otras sangres, de modo que cuando se colocaron a nuestro lado preguntando con las miradas, él les pudo decir:
"No fue nada y ya ha pasado", pues el golpe que llevaba en el rostro todavía no se había hinchado ni adquirido
el tono violado y alarmante, y el brazo que colgaba como

muerto de su hombro no ofreció motivo de sobresalto simplemente porque no observaron que se hallaba lastimado.

Luego, ante el portalón, el teniente se sentó en la piedra de la entrada, la piedra de las generaciones (mientras sus tres hombres quedaban algo apartados en la posición de descanso), adoptando la postura que resultaba tan familiar para todos los del pueblo, cuando iba a La Galea a vigilar la playa y partes de costa visibles desde aquella altura, y se sentaba pesadamente sobre un montículo, estirando las piernas por completo, separadas, haciendo descansar hasta a sus hombros, aunque no disponía de respaldo, consiguiendo producir la sensación de la auténtica apoteosis del virtuosismo del descanso, pues, en su caso, no era lo más decisivo el disponer de suficientes medios para lograr ese reposo, sino de desbordante masa de carne cansada, agradecida al descubrir, con aquel sobrio asiento, que se acordaban de ella; y, sin apenas moverse, desenvolver el paquete de la tortilla que le preparaban en la tasca de Jacinto y llevaba hasta el monte un subordinado, para que la tomara a media mañana (había otra para la merienda); aquella tortilla de dos huevos que el teniente comía lentamente, masticando con cuidado, el pan con la tortilla en la mano izquierda y la navaja en la derecha, cortando porciones, sin que el pan se desmigara ni la tortilla se resquebrajara, exactamente, como un ritual; y, detrás de él, el carabinero-camarero, en pie, silencioso, viéndole comer, sin que en su rostro alargado, pálido y frío, excesivamente serio, cadavérico, se advirtiera la menor señal de hambre, hastío o impaciencia. Ese hombre (el teniente), venido de fuera, del Sur, hacía más de ocho años, que se hizo respetar de todos desde el primer momento, tranquilo, sencillo y afable, poco charlatán, no escatimador de saludos, aunque sí de prolongar los encuentros, que llegó pronto a constituir, a pesar de su reciente aparición en el pueblo, una figura típica con la que a nadie disgustaba tropezar en la calle, no solamente porque su saludo iba acompañado de una velada sonrisa que hasta los hombres calificaban de agradable, sino también porque nadie tenía que temer de él, pues nadie era contrabandista.

El padre quedó enfrente suyo, erguido, pasándose de vez en cuando el pañuelo por la ceja, y le preguntó:

—¿Dónde?

—¡Ah! Él... Sí, lo llevó su cuñado a la taberna de Jacinto hace un par de horas. Yo estaba allí. Es ya el segundo saco suyo que...

—Querrá decir que he perdido mis dos sacos.

—Ahora sé que es verdad que estuvo cogiendo carbón, porque estos dos primeros sacos...

—Los dos primeros no —le corrigió el padre nuevamente—. Mis dos sacos.

—Sus dos sacos —repitió el teniente, observándole—. En realidad, no puedo probar que estuvo con esa carreta de Lecumberri en La Galea. Hace media hora he ido a charlar con el carretero y me ha mostrado la carreta vacía. Y limpia. Al parecer, no ha soportado un solo kilogramo de carbón la noche del sábado. En ese caso, alguien miente. Bien, apartemos de este asunto las rencillas entre vecinos. Lo evidente es que usted admite que esos dos primeros sacos..., esos dos...

—Mis dos sacos. Iba a decirlo ya bien.

—...sacos son suyos —concluyó el teniente, calmosamente, como siempre—. ¿No son pocos para una familia como la suya? Bien, bien... Esos son los hechos: dos sacos. Dos únicos sacos. No se hable más. Límpiese la ceja.

Pero el padre pareció no oírle. Miraba a aquel rostro búdico y escrutador, que simbolizaba al Enemigo, y todos sus sentidos se hallaban concentrados en esa mirada.

—¿Cuándo cerrará la investigación? —le preguntó, y volvió a pasarse el pañuelo por la cara al advertir que la sangre bajaba por ella.

—Cuando recupere todo el carbón.

—¿Todo?

—Es mi deber. No me agrada. Incluso, siento lástima de toda esa pobre gente que muestra su necesidad bajando a las peñas en una noche terrible a coger unos kilogramos de carbón. Y de usted mismo. —Se volvió a la abuela y a la madre, que permanecían escuchando dentro del portalón—. Lo lamento, abuela. Sé lo que significaba para usted.

—Está al servicio de ellos —dijo el padre.

El teniente parpadeó.

—¿Ellos? — repitió, añadiendo en seguida —: ¡Ah! Ellos. Así es.

—Pero es uno de los nuestros.

—Me pagan. A usted también. O a sus hijos.

—Pero usted se vuelve contra nosotros.

—Cada tornillo que cada obrero concluye en su fábrica es un tornillo que ya no puede ser hecho por otro obrero, y éste pierde por ello.

—Es falta de organización. Si hubiera venta, todo se arreglaría. En cambio: ¿quién podrá comprar jamás lo que produce un carabinero?

—El orden no tiene precio.

—Sí lo tiene: el sueldo que ellos les pagan.

—Es un precio muy pequeño.

—Razón de más para que se sientan despreciables.

—He pensado en eso muchas veces, pero no me siento despreciable, pues no sólo ellos, sino también usted y yo confiamos en este orden y estas leyes; y nosotros lo hacemos con la esperanza de que algún día consigamos abrir un resquicio en la losa que nos oprime — contando para ello con el trabajo, la suerte, el engaño legal, o las tres cosas a la vez — y podamos sacar la cabeza por ella y saludarles de igual a igual, y volver a cerrar precipitadamente la grieta por la que acabamos de pasar completamente, pues ya estamos arriba y no debe seguirnos el hermano que luchó a nuestro lado, codo con codo, cuando estábamos abajo. — Respiró, resopló más bien y agregó —: Y sonreírles y preguntarles: "¿Han entregado ya todo el carbón esos sonámbulos de la ribera?".

Movió su cuerpo pesadamente, irguiéndose, para sacar un cuadernillo del bolsillo superior de su chaqueta. Lo abrió y nos pareció ver en él una lista hecha a lápiz. Nos la mostró y, efectivamente, eso era: una lista en la que estaban incluidos sus buenos cincuenta o sesenta nombres, y frente a cada uno aparecía anotada una cantidad, en números. El teniente había extendido el brazo, de modo que la libreta quedara bajo el rostro del padre; yo, a su lado, pude ver también que el último nombre de la lista era el de Sabas Jáuregui, como, asimismo, que era el único al que correspondían dos cantidades, las dos iguales: "70 kilogramos".

"Tendrá que pasar de hoja cuando...", pensé, pues no podía creer que lográramos quedarnos con el carbón.

—Es posible que estos setenta kilogramos constituyan la última y definitiva anotación — dijo el teniente, cerrando el cuadernillo, aunque no guardándolo en su bolsillo. Él y el padre se miraron.

—Comprendo — dijo el último —. ¿Quiere venir?

El teniente echó a andar para seguir al padre, que ya cruzaba el portalón hacia la puerta de la vivienda. Antes, entraron la madre y la abuela. Fui tras ellos, tras el teniente, que ocupaba un espacio enorme en el pasillo, moviéndose con la paciencia e incontenible decisión de un paquidermo. Sus tres subordinados, a una seña suya, siguieron donde estaban, bajo la parra.

Al final del pasillo, donde aparecían las dos puertas, la que llevaba al dormitorio de Bruno y Cosme, y la de la cuadra, vi ya en la primera a la abuela, cubriéndola por completo, con sus arrugados labios apretados, mirando expectante el caminar del teniente por el pasillo, y sus ojos reflejaron verdadero temor cuando él dio la impresión de detenerse ante la puerta; pero no fue más que el fugaz espacio de tiempo que necesitó para doblegar su humanidad, girar y torcer hacia la derecha, para pasar a la cuadra. Estoy seguro de que la abuela le habría atacado con la furia de una gata, de haber intentado él cruzar aquel umbral, bien premeditadamente o por equivocación.

La luz de la linterna de pilas del teniente rasgó la penumbra de la cuadra, al tiempo que él decía:

—No quiero que tome esto como un registro, sino como una simple formalidad para liquidar todo este asunto.

Pero el padre casi le ordenó:

—Mire bien.

El teniente dirigió hacia él el foco y estudió su expresión, las firmes angulosidades de su rostro, la mirada recta e inescrutable, la ceja todavía manando sangre. Luego, la columna lumínica borró el rostro y empezó a recorrer la cuadra, realizando un giro completo de ciento ochenta grados, haciendo de radio y el hombre de centro, semejando un faro. Fue la inspección general, que precedió

a la más detallada; aunque no llegó a ser tampoco eso:
una ojeada casi indiferente por los pesebres, por el borde
mismo del pozo (mi corazón saltó del pecho) y, finalmente, llegar ante el burro y comentar:

—Claro. No pudo traer más de dos sacos.

Llevaba ya cerca de cinco minutos en la cuadra y supe
que se había habituado a la penumbra cuando apagó la
linterna y se la guardó en el mismo bolsillo del que la sacara, el posterior del pantalón. La libreta de apuntes seguía en su mano y, con la libre, palpó el lomo del asno.

—Está mojado todavía. Es decir, húmedo. ¿Cómo no
lo saca al aire a comer hierba fresca y a secarse mejor?

Sin esperar contestación, se volvió y caminó hacia la
puerta, la grande, la de los carros. La había visto en el
recorrido con la linterna. El padre se adelantó, pero, antes de que pudiera hablar, el teniente miraba al suelo,
al advertir que su calzado pisaba terreno blando.

—Es mejor que salga por aquí — le dijo el padre, con
acento tranquilo, señalándole con el brazo sano la salida
hacia la casa, por la que viniera.

El teniente había extraído su linterna por segunda vez
y dirigió el foco a sus pies, que en aquel momento pisaban
la parte de canal cubierto de tierra, muy cerca ya de la
puerta.

Fue una simple vacilación de infinitesimal duración,
un soplo inesperado sin apenas efecto, un impacto tímido
incapaz de originar una reacción, lo que experimentó el
voluminoso cuerpo. Lo observé muy bien: sucedió talmente como si una onda perdida y desconocida que recorrie-
ra el éter sin objeto determinado, hubiera realizado un
fugaz giro alrededor de aquella cabeza, confundiéndola
acaso con una antena, y motivando un estado de mínima
alerta, más bien intranquilidad. El foco se alzó y su luz
me cegó unos instantes. Luego me vi libre de él y fue el
padre quien tuvo que cerrar los ojos, sin que su gesto,
grave y sereno, se alterara. Finalmente, descubrí dónde
se había detenido: alumbrando las figuras dantescas de
la abuela y de la madre, enlutadas e inmóviles, allí sobre
el segundo escalón de piedra de la puerta interior de la
cuadra, mirando al teniente con excesiva insistencia; y observé que la madre no llegó a cerrar los ojos por completo,

pues dejó una rendija entre la carne, de la que brotaba, intensificada su potencia por la compresión, aquella mirada dura y firme, retadora, que desde aquellas trágicas horas no he vuelto a ver.

El teniente desvió el foco, en el que interpuso seguidamente la libreta de apuntes. "Ahora lo hará", pensé. "Echará la raya de suma y acabará todo". Pero lo único que hizo fue envolverla con una gomita. Luego, se la guardó en el bolsillo de su guerrera y apagó la linterna.

—Si me hacen el favor — dijo, empezando a moverse hacia ellas —, desearía un trapo para limpiarme el calzado.

55 Abuela

Mientras Josefa se lleva a Sabas a la cocina a limpiarle esa herida de la ceja, y la cara, y ver si esos bárbaros le han roto el brazo, yo voy al cuartucho otra vez, a mirarle y rezar, como hago desde que le trajeron. Pero me doy cuenta de que ahora no podré permanecer callada, que tendré que preguntarle lo que me atormenta desde hace más de cincuenta años, desde el momento en que penetró en mi cabeza la idea de que todos los viejos tuvieron, alguna vez, mi edad, y que yo tendría, alguna vez, la suya.

Yo sé que lo tiene que saber. Este cuerpo frío tiene que haber descubierto ya el Gran Misterio...

—Escucha... Escucha — le susurro, arrodillada a la cabecera —. ¿Qué sabes ya, Fermín? ¿Has visto a Alguien? ¿Qué es lo que sucede cuando el cuerpo que hemos soportado durante toda la vida deja de ser el manojo de pasiones vivas y se convierte en el horroroso muñeco inmóvil que nos llena de terror?

La sábana blanca no se mueve. Pero yo sé que me tiene que oír.

—Soy tu abuela, Fermín... Más que eso: una vieja que está oliendo su futura tumba y que sigue aún sin saber nada. Nada. Creo, pero no sé nada. Creo de verdad, pero es que tengo que creer. Lo necesito, como todos. Y tú estás ahí, al parecer desgraciado, pero en realidad rico, lleno de sabiduría, porque posees el Gran Secreto.

Te puedo tocar, estamos dentro de un mismo cuarto, nuestras formas son iguales y, sin embargo, ¡cuánto nos separa! Tú lo sabes y yo sigo ignorándolo. ¡Lo sabes! ¡Lo sabes! ¿Por qué no me lo dices? ¿Es todo tal como nos lo han predicado? Acaso no sea todo, sino una parte... Pero, ¿es verdad que hay esa pequeña parte?

Pienso que no me lo puede comunicar. ¿Cómo?

—Escucha... Sólo quiero saber si has visto algo, sea lo que sea. Algo. Si es así, indícamelo haciendo que la sábana se mueva. Espero.

Y allí me quedo. Pero pasa tiempo y los pliegues de la sábana siguen petrificados.

—¿Es que no queda nada de ti, Fermín? ¿Sólo tu bulto, que pronto desaparecerá? ¿Es que no has podido ver nada?... ¡Soy vieja! ¡Mueve esa sábana!

De pronto, veo una sombra y lanzo un grito. "¡Señor! ¡Señor!". Pero oigo la estúpida voz de Josefa, su alarido más bien, cuando se abalanza sobre mí:

—¡Deja en paz a mi hijo! ¿Es que tú también quieres hacerle la muerte imposible?

Y me agarra y me arrastra fuera del cuartucho.

—¡Señor! ¡Señor! — exclamo —. Tengo fe. A pesar de todo, tengo fe. Me someto a que las cosas se realicen como Tú lo escribiste. Creo, Señor. Creo. Creo. Creo. ¡Créeme, como yo creo en Ti!

P ASÓ el lunes, y el martes, a la mañana, vino Juanón
Lecumberri al caserío y nos anunció: "El viejo Antón ha dicho al teniente que fue mentira que os llevasteis
mi carreta".

La cara del padre se fue hinchando en el transcurso de
aquel lunes (oscuro y amenazando más agua), y adquiriendo un tono entre morado y rojizo, como una vejiga
transparente llena de restos putrefactos. Su ceja también
se hinchó, pero la madre pudo cortarle la hemorragia con
una tira de sábana, con la que envolvió su cabeza. Lo del
brazo ya escapó a nuestros esfuerzos — también a los míos,
allí junto a la madre, siguiendo atentamente sus manipu-
laciones —; no podía hacer el menor movimiento con él,
y cuando se lo tocábamos le veíamos reprimir un gesto
de dolor.

—Hay que llamar al médico — dijo la madre —. Seguramente, lo tienes roto.

—No será nada — murmuró él, palpándoselo con cuidado con la mano izquierda —. Dentro de veinticuatro
horas lo podré mover.

Pero tuvieron que transcurrir esas horas para que co-
nociéramos la verdadera razón por la que se oponía a que
lo visitara el médico.

Fue un insoportable compás de espera de deseos re-
primidos y nervios encadenados. El sepulcro que era entonces nuestro caserío, tapiado y conteniendo también seres vivos, hoscos, silenciosos y expectantes, encerrados entre aquellas paredes que habían dejado de sernos familiares porque ni nosotros éramos los mismos de aquel lejano
sábado, sino espectros iracundos que ni siquiera podían

dejar estallar lo que llevaban dentro. Veía a la madre a
punto de lanzarse a la calle echando gritos; por eso no me
extrañó lo que hizo más tarde; pues no sólo soportaba la
carga que el padre le había impuesto — como a todos nosotros —, sino también la que ella misma se asignó, convirtiéndose, empujada por la desesperación y el dolor, en
guía y protectora de toda la familia, la prole; necesitaba
luchar, tomar la iniciativa en medio de aquel desastre
que amenazaba destruirnos, y no tuvo más remedio que
dar la vuelta completa a la mística herencia de siglos de
su pueblo y borrar en un instante el viejo aliento: sencillamente, suprimió a Dios de su cosmos, y así pudo luchar libremente y con la esperanza de que esa lucha decidiera algo, en vez de someterse de antemano a lo pres-
crito; no fue lo suyo, pues, un reto a los Cielos, como ella
misma creyó, sino un espantoso esfuerzo por crearse un
vacío total e inerte, en el que el esfuerzo desplegado en
el combate significara algo, ejerciera algún peso en la
balanza indiferente de ese destino que ella deseaba furiosamente que no estuviera escrito de antemano. Pero no
pudo soportar lo que creó.

Y Cosme, yendo a la fábrica y regresando de ella con
su cesta de la comida (preparada con mucho más cuidado
que de ordinario por la madre, que metía en ella man-
jares que la costumbre había hecho que nadie sospecha-
ra encontrarlos en una de esas resignadas cestitas obreras:
galletas y jamón, adquiridos en el pueblo en su única salida entre el sábado y el martes, y destinados a nosotros
tres: a Cosme, a Nerea y a mí, como parte de su ciego
plan), taciturno y hermético, obsesionado con esa escopeta
que se había llevado un montón de horas de su trabajo,
que, al mismo tiempo que para cazar (cuando llegara la
ansiada ocasión de salir al monte), le servía para colocar
ante los ojos del padre una prueba más de su disconfor-
midad, de su rebeldía, pues sabía que nunca estuvo de
acuerdo con esa compra, ese lujo que significaba aquella
escopeta para unos obreros como nosotros, ese juguete demasiado caro que nada, ni amparándolo bajo la denomi-
nación de única y ferviente pasión, podía justificar su
adquisición. Se levantaba temprano, tomaba su leche con
sopas de talo que la madre le tenía dispuesta, cogía la

cesta, ya preparada, y salía, y no regresaba hasta las siete y pico de la tarde, y eso los días que no trabajaba horas extraordinarias. Por la mañana, apenas se le veía (yo, en absoluto, pues se ausentaba antes de que me levantara de la cama) y por las noches llegaba cansado, y por ello casi no cambiaba una palabra con alguno, viéndosele serio y con su aire de tensa impaciencia en su rostro estragado, realizando sus cosas sin dar ni recibir explicaciones, mirando (cuando lo hacía) con la contenida cólera que más tarde analicé y supe su origen, cuando rebasé aquella edad de entonces y me sorprendió su mismo problema: el odio que experimentaba contra aquel padre que le había obligado a vivir en este mundo duro, desagradable, fatigoso e ingrato; que le había colocado fríamente en un determinado terreno, como a una semilla o a una tierna planta, diciéndole: "Esto será para siempre tuyo; y no te desesperes, porque ni el trabajo te sacará de aquí"; y, mientras, viendo él (Cosme) como el padre, no sólo soportaba aquella existencia esclava, sino que parecía haber hallado en el trabajo la única razón por la que seguir respirando, hundiéndose en él con el coraje de un poseído, dispuesto a soportarlo todo: sudor, fatiga, angustia e, incluso, sangre y muerte, sólo para sobrevivir un día más y estar preparado para, al siguiente, madrugar y reanudar el frenético esfuerzo. Ese silencio acusador con que lo hacía todo, ese no quejarse y aceptar aquella continua acción, era lo que Cosme (ahora lo comprendo bien) no soportaba; él, que se habría conformado con tan poco, que no podía comprender ese trabajo loco y, en todo caso, lo rechazaba, lo aborrecía, y su descontento se manifestaba sin cesar en su agrio carácter y en su vivir muriendo, en el que la única isla de esperanza la constituía aquella escopeta y la caza de los días festivos, por lo que abandonaba hasta muchachas y amigos. Por ello, veía en el celo infatigable del padre una especie de acusación no proferida pero evidente.

Y la abuela, rezando y rezando, llenando el caserío con sus siseos y el entrechocar de las cuentas del rosario; asustada, no solamente por deber retener en su tembloroso cuerpo aquella tragedia común, sino también por experimentar los terrores de conciencia derivados de hallarse convencida de que aquellas tres toneladas de carbón prevalecían en ella a todo dolor, toda muerte y todo sentimentalismo; no queriendo admitirlo. Y estando a dos pasos del sepulcro. Aunque, acaso, ello constituyera una redención, pues, ¿no queremos más cuanto menos somos, cuanto más viejos nos vemos?

Y Nerea, la niña convertida en gata-madre, o los gatitos en niños, ajena a todo lo que sucedía a su alrededor y, si lo presentía, era a través de sus tres partos hambrientos, dominada y enloquecida por aquel superabundante instinto de maternidad que destruía todos los demás sentimientos.

Y yo mismo, aturdido, sin salir de casa ni para ir a la escuela, por indicación del padre, ante el temor de una nueva agresión, viendo girar a mi alrededor cosas insospechadas y personas nuevas de rostros conocidos, pues hasta el padre seguía siendo él mismo, mi padre-amigo, más amigo que padre (como Bruno era, también, más amigo que hermano), que ni el monstruoso vértigo de que estaba poseído, y con el que nos arrollaba, lograba apartarlo de mí, ensuciarlo de alguna forma que hiciera que mis ojos se horrorizasen; porque, la verdad, yo siempre estuve con él; incluso, cuando el tío Pedro, en plena noche del sábado y después de la caída de Fermín, se le enfrentó para que lleváramos el cuerpo directamente al caserío, yo estaba a su lado, aunque el hermano muerto pesaba mucho en mi ánimo y la actitud desesperada del tío Pedro me ganó momentáneamente. Pero él era "el padre", y yo no podía destruir voluntariamente en un instante todo el caudal de ilusiones y sueños heroicos de mi niñez-adolescencia que había depositado en él, el ídolo que se alza ante todo muchacho con todos los atributos más nobles del animal humano. Algún día, también eso perdí.

Llegó aquel martes por la mañana y nos dijo:

—El viejo Antón ha dicho al teniente que fue mentira que os llevasteis mi carreta.

El padre le tomó de un brazo y lo sacó al portalón, cerrando la puerta y empezando a hablarle casi con precipitación.

—¿Antón ha dicho eso? En ese caso, el teniente suspenderá la búsqueda del carbón... Tiene que hacerlo. Somos los últimos que...

—Acaso lo haga — dijo Lecumberri —. Es decir, si antes no se detiene a pensar que algo hay en todo esto.

El padre le miró atentamente.

—Pero él no sabe que la verdadera mentira es esta segunda afirmación de Antón.

—Sí, claro — ronroneó el carretero, frotándose el lado derecho de la cara con la mano —. Aunque, hasta que acabe todo, no presentará su... eso a sus superiores.

—Su informe — dijo el padre.

—Sí.

Porque estábamos convencidos de que mientras las gabarras que arrastraban los remolcadores siguieran vaciando el barco de carbón (el estado del mar lo permitía y una grúa flotante pegada al costado de la nave partida lanzaba su dentadura de hierro sobre las escotillas, que no había sido necesario abrir, pues el temporal se encargó de ello, y la hundía en las bodegas y la sacaba chorreando agua y carbón, para depositar éste en la gabarra de turno, que el remolcador conducía, una vez llena, a los muelles del puerto) el teniente no echaría aquella raya de total bajo la lista de su libreta. Y, aunque aquella operación no se hubiera llevado a cabo, existía la certeza de saber que el teniente se hallaba a la espera de algún acontecimiento, algún hecho nuevo que le colocara sobre la pista del carbón que, estábamos seguros, sospechaba escondíamos en alguna parte, pues de otro modo habría dado por concluida la búsqueda aquel lunes, después de visitar la cuadra. Pero presintió algo, que no le pilló de sorpresa porque, sencillamente, lo esperaba, y no solamente por haber denunciado el viejo Antón lo de la carreta, sino por llegar a la lógica conclusión de que el padre, con tres o cuatro parientes en condiciones de arremeter con un trabajo como el de la noche del sábado y una tenacidad de sobra conocida de todos, no era hombre que se resignara a perder aquella oportunidad. Y esperaba hechos nuevos, algo en que apoyarse para poder edificar todo un edificio investigatorio, con sus pruebas, certificados de registros y estímulos. Y parte de lo que esperaba acaso fuese la declaración de Antón retractándose de la primera, que había que tener en cuenta no obstante el aparente desconcierto que traía consigo. Desconcierto para él y para nosotros mismos, porque, ¿cómo interpretar la nueva salida del viejo contramaestre?

La puerta del caserío se abrió y apareció el rostro exaltado de Cosme. Nos miró a los tres, al padre, a Juanón y a mí, y preguntó:

—¿Dónde está mi escopeta? —con contenida cólera, realizando esfuerzos por no soltar lo que llevaba dentro. Como no recibiera contestación, introdujo otra vez la cabeza, y yo le seguí.

Y cuando llegué a su dormitorio y le vi revolver en el arcón lo que ya, indudablemente, había sido revuelto momentos antes furiosamente: la caja vacía de la escopeta, la máquina rebordeadora de cartuchos, los paquetes de pólvora, tacos y cartoncillos, diversas prendas en confuso montón... mi mirada se clavó en la puerta cerrada del cuartucho y empecé a gemir sin poderlo remediar, a pesar de que mi voluntad deseaba seguir resistiendo como hasta entonces.

—Ahora, no. Ahora, no —oí a mi lado la voz de Cosme—. Deja eso ahora —. Sus ojos enloquecidos recorrieron la habitación —. ¡Quisiera saber quién...!

De pronto, se detuvo (sí, no había dejado de moverse, desplazándose de un lado a otro del cuarto, buscando afanosamente por todas partes, como un muñeco hecho de muelles vivos), permaneció sólo unos instantes inmóvil, admitiendo, digiriendo la nueva idea que surgió en su mente; se apoderó después del paquete de pólvora y salió del cuarto como un torbellino.

—¡Cosme! —le llamé. Pero él ya corría por el pasillo, con aquellos ojos excesivamente abiertos y aquel paquete de pólvora, sin detenerse ni cuando la madre le vio y salió de la cocina con el tiempo justo de verle salir al portalón, y luego a mí, y aún pude ver a la abuela, encogida y silenciosa, en un rincón de la cocina, y tampoco la fugacidad de la escena me impidió ver que su rosario yacía en el suelo y ella no parecía haberse percatado de ello.

Ni el padre ni Juanón estaban ya en el portalón. Lo crucé, lanzándome angustiosamente en pos de aquellos ojos y de aquel paquete de pólvora.

Uno de mis hijos abrió la puerta y vimos entrar a la vieja, que nos miró con sus aterrorizados ojillos allí hundidos entre todas sus arrugas. No se movió. Y cuando el chico cerró la puerta de golpe, hasta lanzó un pequeño grito de sobresalto.

Y entre sus brazos, como si se tratase de un niño, la traía.

Al principio, no la reconocí. Mi hijo mayor me susurró al oído:

—Es la madre de su mujer...

Miré a la vieja, a la que no veía hacía lo menos veinte años, pues apenas ha salido de su cocina en ese tiempo y, cuando lo ha hecho, no ha ido por donde he ido yo. Hace cuarenta años todavía era hermosa, bien plantada, de firme delantera. Y ahora...

Sus brazos temblaban sosteniendo el alargado bulto.

—¿Qué quieres? —le pregunté—. Vamos, dinos despacio lo que quieres.

Ella avanzó por la cocina, llegó a la mesa y dejó en ella el bulto. Nos miró otra vez. Luego, lo descubrió, despojándole de la toquilla en que lo trajo envuelto. Vimos que era una escopeta reluciente.

Mis hijos se lanzaron sobre ella como fieras, aunque sin atreverse a tocarla. ¡Era una "Aya" soberbia! Aparté de unos codazos a los chicos y la tomé. Olía a nueva. Por fin, habló.

—Dejad en paz a Sabas —dijo—. Id y decid al teniente que no se llevó la carreta.

Los chicos y yo nos miramos. Ella siguió:

—Bien sabe Dios que no he tenido más remedio que hacer esto.

Los tres la miramos bien por todos los lados, dándola vueltas y más vueltas y hablándonos con los ojos sobre su posible valor. Los chicos la tocaban con cuidado, como con miedo, pues era una "Aya" nueva y de las más caras.

—¿Y sólo quieres que le digamos que Sabas no llevó la carreta esa? —le pregunto.

Aquella tarde, la vecina que visitaba nuestro caserío, colocó a su niño sobre sus rodillas y dijo: "Le voy a dar su merienda". Miré por todas partes, pero no vi nada, ningún paquete conteniendo galletas, ninguna botella con leche. Sin embargo, la madre le preguntó: "¿Qué tal come?". "Es un tragón", contestó la vecina. Pero, ¿qué iba a dar de comer a su niño tragón?

Esperé, pues todos los que estaban en la cocina: la abuela, la madre y Berta parecían saber lo que iba a suceder. Y la vecina se soltó los botones del escote de su vestido, hasta descubrir su pecho, tomó la cabeza de su hijo para acercársela al globo blanco, al botón oscuro, y la criatura empezó a chupar. Cuando acabó, estaba dormida de puro llena.

Salgo de la cocina y empiezo a subir las escaleras del desván.

El ruido que hacen Baldosas de Colores, Flor de Peral y Cuarto Oscuro, allí metidos en la cesta de los huevos, es terrible. Casi están a punto de conseguir que la tapa se levante, tirando hasta la cazuela rota que he puesto encima.

El desván está oscuro, pero no tanto que no pueda ver las cosas. La trainera de Fermín está sobre el banco de carpintero, y nadie la ha tocado desde el sábado. Con las sombras que hay ahora, parece la caja alargada en la que metieron al abuelo.

Me siento junto a la cesta y levanto la tapa y meto luego la mano. Los gatitos se lanzan sobre ella como fieras y me la muerden y arañan, pues creen que es algo de comer. Menos mal que apenas tienen dientes; pero siento que en mi mano se clavan alfileres. Cojo a uno y lo saco de la cesta, volviendo a cerrar la tapa. Es Flor de Peral. Levanta su cabecita y la mueve de un lado a otro, con la boquita abierta, buscando y buscando comida. Se mueve como un loco y apenas le puedo contener.

—Pobrecito — le digo —. ¿Tienes hambre?

No toco más que huesos y piel; huesos pequeños y delgados, y piel vacía, llena de pelos secos, cortos y ásperos. Están sin comer hace más de tres días.

Mi vestido no tiene botones por delante, por eso tengo que bajármelo de los hombros, de los dos, pues de otro modo no podría bajármelo como yo quiero. Saco los brazos de él y me lo bajo. Cojo al gatito y acerco su cabeza a mi pecho, sin importarme el frío que hace, sin importarme que casi tenga que gritar cuando noto su áspera lengua raspar mi botoncito, y sus dientes, que aprietan mi carne.

—Come, come, pobrecito — le digo.

Y él muerde furiosamente y en seguida me doy cuenta de que me ha hecho sangrar, pero lo mantengo, no lo retiro, apretándolo contra mí, mientras él chupa y chupa, y los otros dos de la cesta saltan más que antes, como si supieran que su hermanito, por fin, ya está comiendo.

—Ya os tocará, ya os tocará — les digo.

L E llamé varias veces, le grité, pero no me oyó o, por lo menos, no me hizo caso. Se movía con la fatua determinación del que anhela un heroico suicidio, no sólo de su inútil vida, sino de la de todos los suyos, la especie completa acaso; ese gesto ridículo y solemne del borracho que ofrece su alma al peor postor, sabiendo perfectamente lo que hace y cómo lo hace, pues aquello no se ocultaba en el fondo de unas botellas, sino que ha vivido en él durante toda una vida llena de comedidas sensateces y reservas, palabras huecas y posturas acomodaticias. Aquella danzante espalda flaca irradiando excesivo furor, corría tanto por enmendar algo como por huir de algo, incluyéndose aquí la solución suprema de la evasión: ese suicidio que todos, alguna vez, hubiésemos cumplido, caso de no encontrarse el espíritu tan unido a la carne, por ser a ésta a la que verdaderamente tememos.

La loca carrera no acabó o tuvo una pausa (para llamar y esperar a que abrieran) ante la puerta de la casa del viejo Antón, compuesta de planta y piso, no tan antigua como los caseríos de los alrededores ni con tanta extensión de terreno para que se la pudiera denominar caserío aldeano. Antón vivía en la planta, y se decía que no pasaba semana sin que organizara algún escándalo mayúsculo con el vecino de arriba por los motivos más fútiles.

Cosme llegó a la puerta, la empujó (sólo estaba entornada) y entró como un huracán incontenible. Cuando alcancé la casa y traspuse aquella puerta y me presenté en la cocina, le vi jadeante en el centro de la pieza, con los brazos y las piernas temblorosos, sin admitir todavía el reposo y, frente a él, sentados a la mesa, mirándole, al viejo Antón, a su esposa y a los dos hijos, talmente como si hubieran estado aguardando la visita y reconocido por unanimidad que el ancestral y actualmente en peligro rito de la familia, la cocina y su mesa, fuese, no solamente el modo más sensato de honrar a un convecino, sino también el único que podría realizar el milagro de aplacarlo.

Aún seguía viendo yo la espalda huesuda de Cosme (que tampoco quedó quieta del todo, como si un enjambre de nervios eléctricos conectados se hubiese posesionado de ella), allí tras él, manteniendo abierta la puerta de la cocina con una mano. Todo ocurrió con rapidez y, en contra de lo que yo pensaba, sencillez.

—Sacadla de ese agujero donde la habéis escondido y dádmela —habló Cosme.

No dijo: "Vengo por mi escopeta", o "tenéis un arma que no os pertenece", sino que pronunció el "Sacadla... dádmela" como quien se dirige a otro en una clave convenida. Naturalmente, ellos le entendieron, aunque el destartalado rostro del viejo Antón reflejó el estupor más perfectamente fingido. Y, cuando consideró que debía decirlo, lo dijo:

—¿Son esos modos de entrar en una casa?

—Poco se preocuparía de la educación si ahora diera yo media vuelta y me largara por donde he venido. Dádmela.

—Darte... ¿el qué?

La ciega tenacidad de Antón fue demasiado para mi hermano. Avanzó un paso hacia la mesa y les insultó, y en su caso no fue solamente las secas y airadas y ofensivas palabras, sino la tensión y el desprecio con que fueron pronunciadas, lo que obligó a los tres hombres a levantarse, a saltar de sus bancos de madera como tres liebres, mientras la mujer contemplaba con temor a unos y otros, pero estaba cayendo el último de los asientos cuando Cosme gritó otra vez:

—¡Esto os convencerá! —y levantó su saco de pólvora y entonces ellos lo vieron y se detuvieron, no temerosos (ignoraban aún lo que guardaba allí), sino sorprendidos por la presencia tonta de aquel pequeño bulto entre ellos y quien ya tenía que estar midiendo la fuerza de sus puños—. Puedo volar la casa —agregó Cosme con agitación —. Si no la sacáis, esta noche tendréis por techo el cielo.

Se volvió, me entregó el saco y una caja de cerillas, ordenándome que saliera y colocara la pólvora "donde me había dicho". Fui a abrir la boca, pero su mirada me hizo enmudecer. Y salí de la cocina y de la casa, dando la vuelta a ésta y agachándome junto al muro de piedra, esperando a oír de un momento a otro el alboroto de la lucha. Pero nada sucedió. Ignoro qué continuación tuvo la escena de la cocina (Cosme jamás mencionó el incidente), qué palabras se cruzaron, o qué miradas, aunque me lo supuse: Cosme, ante los tres, conteniéndoles, pero no con el chiquillo al que ellos creían que había instruido como dinamitero, sino con su mirada furiosa y alocada, anunciadora de mil catástrofes; esa mirada irresponsable a la que parecía no importar, o ignoraba, las consecuencias de la violencia. No, no pasó nada. Transcurrieron unos minutos, y oí su voz, llamándome. Eché a correr, llegué a la entrada de la casa y le vi con su escopeta en las manos.

De regreso hacia nuestro caserío, me dijo:

—No quiero saber quién la sacó del arcón. No lo he preguntado ni lo quiero saber.

Durante el resto del camino se mantuvo silencioso, sujetando firmemente el arma con la mano derecha, haciendo que encajara a la perfección en el conjunto de movimientos de cuerpo y miembros, como una parte de su propio ser. Al llegar a las lindes de nuestros terrenos, oí su voz, una voz desconocida, apacible y serena.

—¿Te asustaste cuando te entregué la pólvora?

—Sí — le contesté —. Pero luego pensé que no tenías verdadera intención de volar la casa, de otro modo no me la habrías entregado.

—De haberse puesto las cosas mal, la habría volado yo mismo.

XVIII

Yo seguía sin acudir a la escuela. Así, pude ver bien lo que allí sucedió, o mejor, lo que no sucedió hasta aquel martes en que los tres gatitos que trajo la gata días atrás y que nadie sabía qué había sido de ellos, aparecieron en el pasillo, caminando hacia el cuartucho.

Eran las ocho de la noche (una noche oscura, aunque tranquila, en la que siguió cumpliéndose el pronóstico que bullía — en segundo o tercer plano — en nuestras mentes: que las nubes se hallaban exhaustas después de su derroche de la noche del sábado y que, por lo tanto, no llovería en mucho tiempo), pero Cosme aún no había llegado de la fábrica, pues luego supimos que había tenido que trabajar horas extraordinarias. Las gabarras siguieron todo el día transportando el carbón del barco a los muelles del puerto, operación vigilada atentamente por los carabineros y por el propio teniente García frecuentemente, del que ignorábamos si el viejo Antón se habría presentado a él a retractarse de su primera retractación.

Porque todo seguía igual, todos doblegados ante aquella indomable voluntad del padre, que había fijado como fin de aquella patética e insoportable situación, la raya de suma total trazada por el teniente bajo la última cantidad de la lista de su libreta.

Pero los acontecimientos no fueron tan pacientes y sumisos como nosotros; surgieron, arrolladores y, esta vez, ni aquella voluntad, ni el cuidado que su dueño había tenido de preverlo todo, sirvió de nada. Llegaron y nos dominaron, desatando lo que durante tres horribles días había permanecido contenido y anunciando el principio del fin.

Si bien nadie lo sospechó cuando oímos el grito de

Nerea, y la madre, la abuela y yo nos lanzamos al pasillo y los vimos: los tres gatitos, saltando de los brazos de mi hermana, quien, agachada, luchaba desesperadamente por retenerlos entre sus brazos, de los que saltaron uno tras otro como si tuvieran muelles en las patas, mientras ella lanzaba gritos espantosos, de entre los cuales logramos descifrar: "¿Por qué os habéis escapado? ¡Ahora os matarán!", después de quedar encogida sobre las losas del pasillo, tapándose con sus manos las orejas, como si sus propios gritos, a pesar del horror que le producían, no los pudiera contener.

No pude adelantar a la madre, que corría delante con la toquilla colgando olvidada de un extremo de uno de sus hombros, en tanto que el otro flotaba a sus espaldas, avanzando a grandes zancadas impropias de su sexo, hasta que llegó junto a la gimiente Nerea y la rebasó, y en seguida yo también pasé junto a mi hermana.

Con un ahogante gemido, la madre se agachó y trató de apoderarse de ellos, pero los gatitos estaban enardecidos y se le escapaban de entre las manos, como antes huyeron de Nerea. Ni yo mismo fui capaz de atraparlos a todos. Conseguí coger a dos, pero cuando perseguía al tercero, saltó uno de los primeros. Hasta la abuela participaba en la caza, agachada, llamándoles: "Bis, bis, bis..." y respirando entrecortadamente.

Cuando apareció el padre y se sacó el jersey por la cabeza (valiéndose solamente de su mano izquierda, pues la derecha pendía del inmóvil brazo) y me tomó el gato que había logrado retener, la cosa fue rápida: libre, me lancé primero sobre uno y luego sobre el otro, sin importarme los arañazos, y los atenacé frenéticamente, llevándoselos al padre, quien los metió en el jersey, junto al otro, y luego hizo varios nudos gruesos en la cintura y mangas, dejándolos encerrados.

—Dámelos —dijo la madre, y no esperó a que él se los entregase: le arrebató el bulto vivo y, sujetándolo firmemente contra su cuerpo, salió del cuartucho, y los demás la seguimos. Llegó al portalón y, ahora, venía con nosotros Nerea. Pero la madre, con inquebrantable decisión, salió al camino, cruzándose con Cosme, que llegaba entonces con su cesta en la mano.

—¿Adónde vas? — le preguntó.

No recibió respuesta. Era ya noche cerrada y la madre se hundió en la oscuridad, por la estrada, tiesa, violenta, manteniendo contra ella aquellos tres bultos inquietos que se debatían como animales salvajes atrapados en una red. Aún la seguimos hasta la puerta de la cuadra, hasta que el padre nos hizo una seña para que nos detuviéramos, y lo hicimos, aunque él siguió tras sus pasos lentamente, sin, al parecer, mostrar ya interés por el cercano desenlace de lo que estábamos no solamente viendo, sino viviendo, simplemente considerando prudente ir para cuidar de ella, si lo necesitara.

Momentos antes, Nerea comenzó de nuevo a dar gritos, más histéricos que los anteriores; y no sólo eso: fue como si reaccionara y, de pronto, se lanzó por entre nosotros en pos de la madre y el padre, teniendo Cosme y yo el tiempo justo de agarrarla, él de un brazo y yo de otro, y recuerdo que pensé que, a pesar de doblarle yo en edad, de hallarme solo, no habría podido impedir que escapara tras sus gatos. Forcejeó desesperadamente, pataleando. Y así la tuvimos hasta que, al fin, quince o veinte minutos más tarde, regresaron la madre y el padre juntos, silenciosos, y nos encontraron en el mismo sitio donde nos dejaron, reteniendo aún a Nerea, sin osar movernos, esperando su regreso. El padre volvía con su jersey puesto.

Nos lo refirió a Cosme y a mí después de cenar: cómo la madre en la playa, en la orilla del agua, se arrancó la larga cinta de su delantal, y luego fue sacando los gatitos uno a uno del jersey y atándolos a la cinta y, cuando los tres estuvieron enlazados, buscó una piedra grande, que ató también con el extremo de la cinta, y luego, cogiendo el conjunto de piedra y gatos con ambas manos, desentendiéndose de los arañazos y de la indicación del padre para que se lo dejara hacer a él, se acercó más a la orilla, tomó impulso y lo arrojó todo al mar, con el frío rostro inhumano que exhibiría quien rechazase toda esperanza de poder volver a llorar.

María, la sirvienta, acaba de despedirse por hoy, después de recoger los platos de la cena. Y estoy rezando mis oraciones antes de acostarme, cuando la oigo de nuevo abrir la puerta.

—Abajo está una mujer que quiere verle, Padre —me dice.

—¿Quién es? —le pregunto—. No son horas para nada.

—La mujer de Sabas.

—¿Sabas?... ¡Ah!, Sabas. ¿Y qué quiere?

—Confesarse.

Después de unos momentos de pensar, le indico que le diga que es ya muy tarde, que venga mañana. María desciende las escaleras. Cinco minutos después oigo de nuevo sus lentos y cansados pasos de vieja.

—¿Qué dice ahora? —le pregunto—. Hoy hemos tenido una función religiosa muy larga. Cada vez me pesan más. Estoy cansado.

—Sólo que quiere confesarse —me dice María.

—¿Y lo dice así, tan tranquila?

—Habla sin nerviosismo de condenada, pero nunca he visto una cara tan seria y tan pálida.

Me asomo al balcón y miro hacia la calle. Allí la veo, envuelta en su toquilla, como una sombra más, tan quieta como cualquiera de los árboles que brotan de la acera.

—Dile que bajo en seguida.

Cojo una bufanda, me la enrollo en la cabeza, tapándome la boca, y salgo. Ella está mirando el portal. Mira como si contara los segundos. Sin embargo, cuando llego ante ella y me besa la mano, descubro que, tal como me dijo María, se muestra más tranquila que otra cosa. Aunque por algo ha venido hasta mí a esta hora. Es una mujer casada que jamás ha dado que hablar. Quizá por eso ha de confesarse ahora de algo. ¿Qué tendrá que decir a Dios?

—Ven —le digo. Y la llevo a la iglesia, que abro con mi llave, y llegamos al confesonario. Los templos deben ser grandes, pero en invierno parecen demasiado grandes. Y, muertos de frío los dos, empezamos. Y me lo dice. La escucho horrorizado. "A tu Dios... A tu Dios", le repito una y otra vez; y ella se defiende, como si aún no estuviera arrepentida del todo: "Era mi hijo. ¿No lo comprende, Padre? Y Él consintió en todo ello..."

—¡Calla! ¡Calla! — le ordeno, escandalizado —. ¿Aún insistes?

No baja la cabeza. Me mira fijamente, y yo deseo con vehemencia que vea en mí a su Dios.

—No, Padre — me dice, por fin.

—¿Estás arrepentida, pues?

—Sí, Padre.

—Recuerdo que yo te enseñé el Catecismo cuando eras una niña, y no debes olvidar que la Religión nos manda doblegarnos a Sus propósitos.

—Sí, Padre. Ahora, ya deseo también la muerte de mi hijo.

—¿Dices... que...?

—Sí, como Él.

—¡Espera, espera...!

—Él la deseó y yo debo doblegarme a Sus propósitos y desearla también...

Le tapo la boca para que no siga hablando. Está loca. Y sé lo que sucede en esa mente de madre: ese hijo que lleva muerto desde el sábado. ¡Y hoy es martes!

—Escucha, hija — le digo —: voy a darte la bendición. ¿Te arrepientes de tu soberbia?

—Sí, Padre — me responde sin vacilar.

—¿Te arrepientes de tu soberbia?

—Ya me he arrepentido.

Luego, salimos a la calle y le digo que voy a acompañarla para llevar a su hijo los últimos consuelos de la Religión. Observo que ella me mira sobresaltada, pero murmura:

—Sí, es lo mejor. Ya nadie puede más. Ni él.

—¿Él? — pregunto.

Pero no agrega nada más y echa a andar. La sigo, pero unos pasos más allá la abandono un momento para dejar un aviso al médico y al juez, y seguimos andando en medio de aquella soledad fría que nos rodea.

Ella, por fin, ha matado a Cuarto Oscuro, a Baldosas de Colores y a Flor de Peral. Los llevó a la playa y los ahogó. Pero pienso...

Ahora estoy en la cama, donde me han metido entre el padre, Cosme e Ismael, y han permanecido mucho tiempo a mi lado, sujetándome, hasta que me he quedado dormida o, por lo menos, quieta y baldada, y entonces ellos han salido del cuarto callandito.

...pienso que si a mí me ha matado los gatitos, a ella le han matado a su hijo.

La están esperando en el portalón. Cuando llegamos — después de caminar por esas estradas llenas de barro, especialmente el trozo de frente a la cuadra, donde mis zapatos se han hundido por completo —, los veo allí: a la madre de Josefa, a Sabas, Cosme e Ismael, y recibo la impresión de que ella no ha comunicado a nadie su salida. La anciana se adelanta y me besa la mano nerviosamente. Sabas me mira con fijeza, pues conmigo se rompe el espantoso plan de mantener en secreto la muerte de su hijo. ¡Estos aldeanos! Son capaces de dejarse cortar a pedazos con tal de ganar algo. Él es uno de los que dejaron de frecuentar la iglesia de muchacho. Y lo sentí, porque Sabas era un gran tipo, y lo es. Me satisfacía que él y yo fuéramos amigos y se dejara guiar: el cura de pueblo y su joven feligrés serio y formal, inteligente y empezando a vivir, a quien yo enseñé tanto. ¿Por qué sucedió aquello, entonces? ¡Recelo, recelo! No de mí, personalmente, sino de algo que anda mal, que siempre ha andado mal, pero que ahora, al cabo de veinte siglos, hay que arreglarlo de una vez si queremos salvar nuestra Iglesia.

Me mira. Sí, nunca abandoné la esperanza de que seguía siendo amigo del hombre que hay bajo mi sotana. En sus ojos leo simpatía, y presiento que no es sólo debida a que le recuerdo aquellos tiempos de su perdida juven-

tud. Y le tengo que hablar, que decir algo, pues me he
detenido ante él, y lo que sale de mis labios es lo que yo no
hubiera querido decir, esa frase sobada de cura de aldea
que he repetido tantas veces:

—Hace mucho tiempo que no te veo por la iglesia,
Sabas...

De pronto, me doy cuenta de que ya no me está mirando a mí, sino a alguien que tengo detrás. Me vuelvo, y
veo que Josefa sigue sin moverse. Es un curioso cambio de
miradas el que tiene lugar entre ellos. Y puedo asegurar
que, aunque conozco lo suficiente de la tragedia que ha
asolado a esta familia, del fracaso que significa para Sabas
la denuncia de Josefa, su fallo, en los ojos de él no leo el
menor reproche.

—¿Ha venido a estar con él?...

Su pregunta surge de improviso.

—...Pues, sígame, Padre.

Y nos metemos en el caserío.

Cuando concluyo con ese pobre chico —casi precipitadamente—, y salgo del pequeño cuarto donde lleva tantos días muerto, me topo con Sabas, que ha permanecido
en la misma entrada. Le veo tranquilo y sereno, como siempre, actuando sobre las cosas con esa seguridad que parece bastar para que se le dobleguen. Y siempre trabajando.
Honradamente. Pudiéndose averiguar, con algo de paciencia, en qué momento del día y con qué movimiento de
músculos se ha ganado cada bocado que llevan a la boca
él y los suyos. ¿Cuál es su secreto? ¿Puede seguir viviendo
así, acaso porque le anima una esperanza de diferente naturaleza que la mía? ¿Cuál? Y, si tiene otra esperanza, es
que hay dos esperanzas... Señor, soy ya anciano y Te necesito. Me horroriza el pensar si no Te tuviera, ahora que
no me quedan más que treinta, cien o quinientos amanece-
res. Pero Tú estás ahí, esperándome. ¿Y qué espera Sabas?
Es un hombre bueno, he de reconocerlo, aunque vive sin
Ti. ¿Acaso, Señor, quieres demostrarnos Tu humildad con
hombres como él que, sin conocerte, se comportan como si
Te conocieran y, por tanto, no Te adoran, ni lo hacen todo
por Ti, sino por...? ¿Por qué? ¿Por qué?

Salimos al pasillo y allí le detengo.

—La prueba que habéis soportado ha sido dura —le

digo —. Pero has comunicado a los tuyos tu fortaleza. Jamás desesperas. ¿Confías tanto en tí que eso te basta?

—Sólo confío en mi trabajo — contesta con sencillez.

—Comprendo. Él te salva. Pero el trabajo es vida. ¿Te gusta la vida?

—Me gusta.

—¿El qué de ella? — le miro más atentamente.

—Todo lo creado. Es bonito.

—Lo creado, ¿por quién? — le miro casi con angustia.

—Lo creado — me contesta.

—Sí, pero...

—¿Importa algo decirlo o siquiera pensarlo? Queramos o no, actuamos honrando lo creado. Siempre, aun pecando. ¿Qué importan las palabras y las ideas?

Salimos al portalón. Sabas se sube hasta la cintura un gran cesto lleno de hierba, con su mano izquierda, y desaparece con él en la vivienda.

¡Oh, Dios, qué humilde eres!

XIX

E L miércoles, a las seis de la mañana, llegaron el juez y
el médico que atendía aquella zona. Y, poco después,
el teniente García con dos números (uno de ellos el sujeto de
cara de enterrador), y un empleado del servicio de pompas
fúnebres. Pero, cuando se presentaron en el portalón, hacía
dos horas que el padre lo tenía todo dispuesto.

El Padre Eulogio se marchó sin poder disimular la expresión de espanto de su rostro. Todos permanecimos en
el portalón — a aquellas horas tan avanzadas de la noche
fresca y húmeda — mirándonos aturdidos, como si acabara de concluir una etapa que nos resultaba ya hasta familiar
y hubiera surgido otra nueva y desconocida contra la que
no estábamos preparados.

El padre había regresado de llevar a la cuadra el cesto
de hierba; una pajita salía de su boca, pero la mantenía
inmóvil. Su rostro, con barba de cuatro días, ofrecía, con
su palidez y angulosas formas acentuadas día a día, la su-
blimación de la carne exhausta e indomable. Fue él quien
habló. Dijo:

—Aún podemos hacer una última cosa.

La madre movió sus hombros y alzó levemente la
cabeza.

—¿Hacer? — repitió —. ¿Hacer?

Sus ojos habían perdido aquel brillo feroz y volunta-
rioso, y ahora solamente eran ya ojos enrojecidos, silenciosos, vencidos.

—Vendrán en cuanto amanezca — siguió el padre —:
el teniente y demás hombres que deben rellenar los papeles para incluir todo esto nuestro en lo que oficialmente
ha existido. Y él, el teniente, lo sabrá. Sabrá que un muerto

tiene su precio y que éste no puede ser, como le dije, dos
simples sacos de carbón, sino, por lo menos, una carreta
llena. Se pondrá a buscar eso que hemos logrado ocultar
hasta ahora. Y, como hombre que persigue algo que sabe
existe, lo encontrará. Por eso, debemos proporcionarle un
carbón para que, al fin, trace esa raya de total en su libreta. Le traeremos el carbón de Lecumberri. Lo perdere-
mos y se lo tendremos que abonar, pero salvaremos el
nuestro.

—Pero — argüí —, estuvo en la cuadra con su linterna y...

—Se trató de una inspección ligera, pues entonces me
creyó. Vio el burro aún humedecido y consideró que lo
de la carreta fue una especie de venganza de vecino malhumorado. Además, no encontró ni rastro de carbón en
toda la cuadra.

—Por eso, si ahora nosotros...

—No se asombrará de ver el de Lecumberri amontona-
do en un rincón, bajo hierbas o pajas. Pensará, simplemente, que la primera vez no había acumulado la suficiente
decisión para encontrarlo, por suponer no era necesaria...
Bien, bien, ya sé que no trazó la raya ésa. Advirtió algo,
todos lo vimos. Algo tan tenue que no justificaba un nuevo
registro, y sí una sosegada espera.

No se habló más. La madre abandonó el portalón y
entró en la casa con paso cansado y gesto ausente, como
si ya todo le diera igual; desapareció; y sólo la vimos
otra vez aquella noche cuando nos disponíamos a salir
(el padre, Cosme y yo, después de que la abuela nos sirviera tres tazones de leche caliente): plantada en el umbral, sin casi mover los labios, dijo: "¿También te llevas
a Ismael?", con el último rescoldo de su instinto maternal
vencido. "Sí — le contestó el padre —; esto ya no tiene
importancia". Y nos fuimos y sacamos al carretero de la
cama. Pareció que esperaba aquella invasión nocturna.
Aún ignoraba lo de la muerte de Fermín y no le dijimos
nada, quizá sólo por no perder tiempo ni energías, pues
inmediatamente nos pusimos a cargar la carreta con palas,
los dos, Cosme y yo, pues el padre bastante tenía, con su
brazo colgante, con ir amontonando y recogiendo el carbón que se desparramaba, para así nosotros llenar mejor

las palas. Juanón, aún no despierto del todo, nos observaba frotándose la cara con una mano mientras que la otra sujetaba sus pantalones de pana para que no se vinieran al suelo.

No fue necesario correr como lo hicimos (el juez y el médico no se presentarían hasta que se hiciera el día, y aún así mascullando contra lo que fuera), pero las palas no cesaron hasta que todo el carbón pasó del suelo de aquella cuadra a la carreta, a la cual, en aquella ocasión, le fueron colocadas, no las altas cartolas para la hierba que llevamos el sábado, sino las bajas, las que Lecumberri intentó endosarnos para que las viejas maderas de su vehículo y sus bueyes realizaran menor esfuerzo.

Fuimos, cargamos y nos llevamos el carbón, sin disponer de tiempo para dar alguna explicación al adormilado carretero, metidos de nuevo en aquella turbonada furiosa de golpes de pala, vaho de sudor, resoplidos y color negro, como si aquel carbón (¿o la carreta?) contuviera el maleficio de la prisa loca y lo contagiara para librarse de él, aunque en seguida viniera a padecer sus consecuencias inmediatas; ni él nos la pidió, limitándose a decirnos al marchar: "En realidad, prefería el dinero".

A la entrada de nuestra cuadra, las ruedas de la carreta y las patas de los animales se hundieron más de lo conveniente en aquella especie de arena movediza que se formó con la que subió el padre de la playa y el líquido del pozo, si bien sólo fue durante un instante, el preciso para que pasaran por encima sin detenerse, pues el padre me había ordenado previamente entrar en el caserío, correr la tranca y abrir las dos hojas antes de que la carreta se acercara a la puerta, y de este modo no se atascó, como habría sucedido si hubiésemos desaprovechado el impulso que traía.

Elegimos uno de los rincones opuestos a la entrada, y en él descargamos el carbón, realizando de nuevo aquella operación que ya habíamos ejecutado dos veces la noche del sábado al domingo: una ante el pozo y la otra en la cuadra de Juanón: descinchar los bueyes para que la carreta se venciera de atrás y escurriera el carbón, ayudándole también Cosme con la pala. Cosme, ahora asombrosamente ajustado al ritmo impuesto por el padre el pasado sábado como un recluta que tarda más de lo necesario en acomodarse al paso de la formación. Luego, ocultamos el montón bajo paja; era el engaño burdo y sin imaginación, nacido de la precipitación, y por ello creo que no nos sentimos tan satisfechos de nuestra obra, como durante los primeros manejos con aquel carbón, pues el hombre siempre lucha lealmente en tanto puede hacerlo, no recurriendo a las argucias hasta que se ve perdido, y nosotros nos hallábamos en este último caso.

Al sacar la carreta nuevamente y hacerla pasar por el fangal, el padre comentó que debería subir más arena de la playa para cubrir los destrozos causados por los bueyes, las ruedas y nuestras propias pisadas, agregando, mirándome:

—Vete a la cama.

Y yo pensé que constituía una traición prescindir de mí cuando todo estaba a punto de concluir y restaba el último "sprint" de la carrera para luego recoger el premio, pues la devolución de la carreta a Lecumberri (sin, ahora, cuidar de limpiarla, ya que el postrer paso del teniente en aquel asunto sería el de su entrada en nuestra cuadra) ya no constituía apenas esfuerzo y, por consiguiente, mérito, y entonces descubrí que por eso mismo me ordenó que me acostara.

Se fueron los dos, pues, y yo eché la tranca por dentro y salí de la cuadra. Desde el pasillo, la casa me pareció muerta. La madre estaba en la cocina, sola, encogida bajo su toquilla negra y sentada en la baja silla de paja. El fuego se hallaba apagado y me estremecí de frío. Me oyó y levantó la cabeza.

—Acuéstate ya — me dijo.

—¿Y tú?

—Espero que, al fin, mañana pueda dormir — murmuró, fijando su mirada hueca en el frente. Aquella mujer que, entonces, parecía que la hubiesen desinflado, no tanto de carne y huesos como de voluntad y deseos de moverse, no solamente vencida, sino también arrepentida, destruida por ese destino que ha escrito en el Gran Libro en el instante primigenio los enloquecedores millones de tragedias que acabarán en el aniquilamiento, redactadas por el Creador de los irremediables destinos de los Edipos, Hamlets, Willys Loman y Fermines.

Me encerré en mi cuarto y me acosté, y cuando llegaron a las seis de la mañana, sospecho que no me desperté, no pasé de un estado a otro antagónicos: se trató de un muelle desplazamiento, pues lo mío no pudo denominarse verdadero sueño, sino postramiento alerta con un buen tanto por ciento de incertidumbre, al no serme posible olvidar lo que a la mañana siguiente se ventilaba.

Llegaron y me despertaron (digamos), me vestí y salí al portalón. El padre estaba respondiendo a unas preguntas ásperas de un hombre pequeño, que más tarde me dijeron que era el juez, y junto a ellos se hallaba don Vicente, el médico, con su maletín.

El padre, con su brazo derecho colgante, erguido, enfundado en su jersey oscuro de cuello alto, respondía brevemente, con monosílabos, desentendiéndose del tono agrio del hombre pequeño. Luego, les precedió adentro. Y, entonces, avancé unos pasos hasta llegar bajo la parra, y vi los dos carros de mulos que habían traído el teniente García y sus ayudantes; estos últimos, durante los diez minutos que tardó el padre en salir con el juez y el doctor (los cuales, para ese momento, ya habían extraído de sus carteras los impresos correspondientes, aunque todavía no habían anotado nada en ellos, esperando a hallarse lejos de aquel cuartucho para hacerlo), estuvieron midiendo el portalón con sus pasos; el teniente miró a su alrededor, descubrió el banco alargado adosado a la pared y se sentó en él, es decir, intentó hacerlo, pero tuvo que separarlo un tanto del muro para que su humanidad descansara cómodamente.

Y, antes de que saliera el padre, llegó también un sujeto nervioso y vivo, vestido de modo indiferenciado, como lo era su personalidad toda, preguntando si aquello era el caserío de Sabas. Le contesté que sí y, rápidamente, como si trajera ensayado el movimiento, se retiró sigilosamente a un rincón y quedó a la espera de algo, recorriendo con su vista todo lo que de nuestra casa estaba a su alcance. Era el empleado de pompas fúnebres.

Por fin, pasados esos diez minutos, salieron los tres; el juez y el médico garrapatearon en sus papeles con sus

estilográficas y, mientras lo hacía el segundo, le oí decir
en tono enfurecido: "Esto debería estar penado severa-
mente". Seguidamente, guardó su pluma y avanzó hacia
el padre, tomándole su brazo inerte y murmurando sordamente:

—No podemos dejarlo así.

—No vamos a preocuparnos de un brazo ahora — dijo
el padre.

—Es poco lo que puedo hacer en este momento.

Levantó el brazo, pesado, cataléptico, palpándolo con
sus dos manos. Vi que el rostro del padre se contraía. El
médico le lanzó una rápida reojada y, finalmente, llevó
suavemente el brazo a su posición vertical contra el cuerpo.

—Creo que está roto — declaró —. Si viene ahora conmigo le sacaré una radiografía y luego escayolaremos.
Estará de vuelta para el entierro.

—No — contestó el padre —. Quizá vaya a la tarde.

—Claro — comentó el doctor —. Es natural. Ya no le
puede asustar nada. Por lo menos, se lo sujetaré con una
venda.

Abrió su maletín, sacó de él un rollo blanco y empezó
a envolver el brazo del padre, que colocó, doblado por el
codo, en ángulo recto, suspendido de su cuello. Realizado
lo cual, ambos, el juez y el médico, sin abandonar el gesto
iracundo que habían sacado al portalón, pronunciando unas
incoherentes palabras de despedida, se fueron.

Luego, el padre se volvió al teniente, quien se puso en
pie y le miró a su vez, y siguió mirándole incluso cuando
el padre volvió la cabeza hacia los dos carros con sendos
mulos; atentamente, aguardando a que le encarara de nuevo, y entonces tuvo lugar un expresivo cambio de miradas.

—Está bien. Está bien — dijo el padre, al fin, sin el
menor rastro de enojo, ni siquiera fingido —. Sígame. Esta
vez no le hará falta la linterna.

—Espere — se apresuró a decir el teniente, echando a
andar, aunque retrasado con respecto a sus palabras, como
una máquina que ha de vencer, antes de iniciar el movimiento, el factor negativo de su masa inerte y muerta —.
Déjeme pasar delante.

El padre se hizo a un lado, pero, antes de cruzar el
vano, el otro se volvió a sus hombres y les ordenó que lle-

varán los carros ante la puerta de la cuadra. En seguida, llegaba el teniente a ella, precediéndonos al padre y a mí, y durante el corto trayecto por el pasillo, nos cruzamos con Cosme, que salía, metiéndose los faldones de su camisa por la cintura del pantalón, de la habitación donde había dormido aquella noche. Pero no vino con nosotros; siguió hacia el portalón, sin que nada revelara que nos había visto.

El teniente pisó la cuadra con movimientos atentos, incluso apreciables en él, en aquella humanidad pesada y rígida, sin facilidades de expresión. El padre movió la tranca y abrió las dos hojas, entrando la luz a raudales, a pesar de que el cielo se hallaba encapotado, y el teniente se detuvo delante del pozo y empezó a mirar a su alrededor, realizando casi un giro completo, como un faro, hasta que lo descubrió: el montón cubierto de paja en un ángulo de la cuadra.

—El lunes no esperaba encontrarlo, y hoy sí — dijo —. Eso es todo.

Y entonces conocí por qué deseó ir delante, llegar el primero y evitar que el padre le indicara dónde se hallaba el carbón: le habían presentado un jeroglífico cuya solución — acababa de enterarse — se hallaba en aquella cuadra y quiso buscarla sin ayuda de nadie, anhelando, además, borrar la negra mancha profesional de su fracaso del lunes, que, naturalmente, ignoraba que no fue.

En aquel momento llegaban los dos carros y se detuvieron en el fango de la puerta.

—Aquí, aquí dentro — ordenó el teniente.

Pero sucedía que no les fue posible salir de allí, hundidos en el barro aquél. Vi que el padre se dirigió a ellos rápidamente. Los conductores habían descendido de los carros y, al recibir la seña de él, se pusieron a su lado y empezaron a empujar los tres de las ruedas de uno de los carros, el padre utilizando solamente su mano y su hombro izquierdos; yo tiraba de las riendas de los mulos. Cuando el primer carro pasó, realizamos la misma operación con el segundo, y los dos estuvieron dentro de la cuadra antes de que el teniente, con sus lentos pasos, acudiera al lugar; pero, aunque no tenía nada que hacer ya allí, no se le vio intención de detenerse, sino de continuar hasta averiguar qué es lo que detuvo a los carros. Al advertirlo, el padre le salió al paso y le dijo:

—¿Han traído palas?

Y el teniente se detuvo y se volvió a sus hombres, y un gesto del rostro pálido le notificó que sí.

Pero cuando los carros estuvieron cargados (los dos carabineros se encargaron de ello y acabaron agotados, pues hacía muchos años, seguramente, que no trabajaban así) y llegaron a la salida de la cuadra, el padre no pudo impedir, como antes, que el teniente pisara aquel fango; como si entonces se acordara que algo quedó pendiente hacía un rato, llegó a la puerta y sus botas hollaron el fangal por sus bordes, casi delicadamente, extrayendo lo menos cuatro o cinco veces su calzado para mirar asombrado, viéndolo cubierto del lodo negro característico. El padre le observaba atentamente y yo no pude evitar el lanzar una reojada al pozo.

—Se diría que aquí ha llovido cien veces más que en sus alrededores — comentó el teniente García —. Y no solamente agua.

Eso fue todo, por entonces. Pero cuando, horas más tarde, aquel aldeano que iba a la cabeza del acompañamiento del entierro lanzó la frase enfurecida, a la vista ya del cementerio y cuando alcanzábamos la altura del último caserío de La Galea, todos oímos claramente: "¿Por qué han de vaciar estos locos el pozo negro después de una lluvia como la del sábado?", y doscientos ojos miraron al suelo, las conversaciones se interrumpieron y hubo necesidad de dar un pequeño rodeo, saliendo del camino y volviendo a él algo más adelante; sólo el padre, Cosme, el teniente y yo no alteramos el rumbo, no solamente porque ya habíamos entrado en el fango semejante al nuestro, sino también porque ninguno de los cuatro deseó salirse de él. Y, antes de pisar de nuevo terreno duro o casi duro, yo ya corría como un loco hacia nuestro caserío para tratar de salvar, más que un ridículo saco de carbón, algo que nos diera motivo para gritar a nuestras conciencias que el holocausto de Fermín no había sido inútil.

Lo primero que veo, al llegar, son los dos carros alejándose de la cuadra y a Sabas, Ismael y el teniente, en medio del barro de la entrada, contemplándolos. Luego, es Sabas el que echa a andar hacia el portalón, dando la vuelta al caserío, seguido del chico y del carabinero, y me ve y me espera.

—¿Habéis visto a Pedro? — le pregunto.

Me mira y sé que no saben nada de él.

Al llegar al portalón, no veo a Josefa ni a su madre, y sí a un hombre que deja de apoyarse en la pared cuando nos ve. Y, en aquel momento, salen las dos. Josefa parece una sonámbula; parece que ni ve ni oye nada. Pero pienso que, por lo menos, aún le quedan tres hijos. El desconocido aborda a Sabas.

—¿Usted... usted es el padre? Bien. Si le parece, podríamos hablar del entierro.

Siempre he aborrecido a estos empleados de pompas fúnebres. Sabas se detiene ante él y le mira sin poder disimular su aversión. El hombre no se encuentra muy a gusto allí entre todos aquellos rostros que le contemplan hoscamente, pues también acaba de salir Cosme al portalón. El hombre saca un libro del bolsillo exterior de su americana, un libro manoseado de pastas gruesas ennegrecidas, y lo abre.

—Tenemos el entierro de segunda clase — comienza diciendo, después de pasar varias hojas y apuntando con el dedo en la que se ha detenido —. Todo incluido: sacerdotes, féretro, cirios y otros gastos, le resultaría por setecientas cincuenta pesetas. Ocho sacerdotes y féretro revestido de buen paño.

¿De dónde van a sacar ellos setecientas cincuenta pesetas? Sabas se revuelve inquieto, no sé si por lo que acaba de oír a aquel hombre o porque le duele ese brazo que lleva encogido.

—¿No sabe que no tenemos setecientas cincuenta pesetas ni para gastarlas por un hijo? — le suelta a la cara al empleado, que retrocede.

—Yo no he dicho... Estoy tratando de... Naturalmen-

te, tenemos otros entierros más económicos. — El hombre
mira la lista de precios y agrega —: Tercera clase: cuatro
sacerdotes, féretro corriente, cirios y otros gastos, cuatro-
cientas pesetas.

Sabas se le acerca más. Nunca le he visto tan excitado,
aunque esa furia o lo que sea no es de fuera, no sale apenas al exterior; es su modo de mirar, su modo de tocarse
ese brazo vendado, oprimiéndolo con fuerza innecesaria,
su modo de emitir las palabras... Y, luego, ese aspecto suyo,
con el rostro lleno de barba, sus ojeras y su palidez (¿desde cuándo no duerme o reposa siquiera?), los cabellos negros enmarañados cayéndole sobre la frente, la acentuada
delgadez que se adivina bajo ese jersey oscuro, una delgadez que no es sólo falta de carne, sino también indiferencia por las comodidades y lo bueno, o desprecio, como si
al aceptar su dura existencia (la de todos) hubiera aceptado su reto y todo su afán consistiera en salir adelante sin
exhalar una queja.

—¿Hasta una vez muertos hemos de pertenecer a una
clase? — dice al hombre —. No podemos pagar ni ese entierro de tercera. Nosotros mismos construiremos la caja
y lo enterraremos. El Padre Eulogio vendrá con nosotros
y su presencia será tan valiosa como la de los otros cuatro u ocho.

—Cállate, cállate — gime Josefa, acercándose a su marido y poniéndole una mano en la boca, nada suavemente,
al contrario: casi con la misma fuerza que si fuera a darle
un plastazo —. Venderemos algo. Una vaca. Lo que sea.

Pero Sabas sigue diciendo, apartándola con su mano
sana:

—Mi mismo hijo dejó preparadas tablas en el desván,
y con ellas haremos...

Nuevamente, Josefa le cubre la boca con su mano, y se
le coloca enfrente, cara a cara, muy pegada a él, para que le
resulte más difícil alejarla, al tiempo que repite otra
vez: "Calla, calla". Se miran. Parece que una extraña corriente pasa de uno a otro. Y es que no sólo se miran, sino
que también se están tocando. Sabas deja sus labios inmóviles. Se miran. Sí, ya sé que hacen una buena pareja de
amadores. Los hijos que han tenido lo demuestran. ¿Acaba
de nacer, acaso, en este momento, el deseo de otro hijo

que supla al perdido? ¿Por qué no? ¡Dios! ¿Por qué no?

—Nuestra casa puede hacer rebajas — sigue diciendo el hombre, ahora ya sin consultar su sucio libro —. Féretro de peor calidad, sólo dos cirios...

—¿Hacen rebajas por enterrar parejas?

—...conservando los mismos sacerdotes... ¿Cómo ha dicho?

—¿Y por grupos enteros? Elija a quienes más le agrade de aquí. A ninguno le importaría morir ahora mismo y acabar de una vez.

Verdaderamente, Sabas está desconocido. De pronto, Cosme se adelanta y pregunta al hombre:

—¿Cuál es el último precio?

—Pongamos trescientas.

—Quite de todo lo demás, pero el féretro ha de llevar revestimiento interior.

El hombre piensa y responde:

—Trescientas cincuenta.

Entonces, Cosme penetra en la casa y, cuando sale, trae la escopeta, que supongo será la que Pedro me ha dicho que ha comprado.

—¿Podemos pagar ese entierro con esto? — pregunta.

Es una escopeta de caza que hasta podría servir para adornar un comedor. Cosme la tiene ante sí, con los brazos extendidos hacia el hombre. Su rostro de piedra no revela nada. El funerario la mira, se guarda mecánicamente el libro en el mismo bolsillo, sin apartar sus ojos del arma y, por fin, la toma, dándole vueltas ante su rostro, abriéndola y observando el interior de los dos cañones.

—Las cosas de segunda mano pierden mucho de su valor — comenta.

Pero Cosme se lanza sobre él y le agarra de las ropas furiosamente. Es como si hubiera estado deseando que le ofendiera en algo. Parece un loco.

—¡Diga esa mentira otra vez y le aplasto la cara! — grita, zarandeando al hombre —. ¡Es una escopeta nueva! ¡Sin estrenar! ¿Es que no lo quiere ver todavía?

Por fin, le deja. El hombre, mientras sostiene todavía el arma con una mano, con la otra se arregla su chaqueta.

—Tendrá el entierro que quiere — declara, débilmente.

Cosme ha quedado de nuevo inmóvil y mira con fijeza

la escopeta. Bruscamente, se lanza hacia la puerta, desaparece y, momentos después, sale con la caja negra, nueva, alargada, que tiende al otro.

—Quiero que la cuiden — dice, y más que una simple indicación parece una orden feroz —. Sea usted u otro quien la use, quiero que la cuiden. Esta es su caja. La que usted nos envíe seguro que no será ni parecida.

Oigo llorar. Vuelvo la cabeza y veo a la vieja mirar a Cosme con sus ojos enrojecidos y gimoteando.

62　　　*Josefa*

Ahí se lo llevan, metido en esa mala caja que huele a pino verde.

Se aleja para siempre. Y ya no podré regalarle aquel balandro que tanto me pidió el día que fuimos todos a la feria de Bilbao, cuando el mayor de los chicos tenía diez años.

Alrededor de los tíovivos había puestos de chucherías, y del techo de uno de ellos colgaba el balandro que a él se le encaprichó. Y no es que no quisiera comprárselo, pues hasta pregunté su precio. Era demasiado caro. Abusan cuando hay feria. Él lloró mucho y yo le prometí que, algún día, se lo compraría. Y quise hacerlo muchas veces, pero siempre me faltó ese sobrante de dinero que podría haberle hecho feliz.

Y, ahora, ya nunca podré hacerlo. ¡Pero yo siempre quise comprártelo, hijo, siempre quise comprártelo!

63　　　*Abuela*

Es la balanza que había que equilibrar. El Señor lo hace todo bien. Fermín sólo valía el carbón del pozo. Es justo.

XX

Fᴜᴇ el primer entierro en que tomé parte. Contemplados desde fuera no parece que van tan despacio como cuando uno está metido entre esos seres indiferentes y aburridos que arrastran sus pies pesadamente y no cesan de hablar de sus cosas. Porque acudió muchísima gente, y nosotros sabíamos a qué fue debido: al morboso espectáculo que esperaban contemplar, la familia que acababa de salir de un mundo de pesadilla que duró la inmedible eternidad de ochenta horas y reflejaría en sus rostros algo que les completara lo poco que aún sabían. Es que, a aquella altura, ya hasta nos compadecían; y no solamente por haber descubierto que el padre no les vendió, sino, y especialmente, por sabernos tan fracasados como ellos. Era la utópica solidaridad humana, sagrada y desesperada esperanza de las razas del mundo.

Los cuatro sacerdotes marchaban delante, seguidos de los cuatro hombres con la caja a hombros, mostrando visible desagrado en sus rostros, seguidos, a su vez, de nosotros y del resto del acompañamiento.

Yo caminaba entre el padre y Cosme, los dos serios y tiesos, con la chaqueta y el pantalón de los domingos, el primero con el brazo en cabestrillo e, indudablemente, olvidado de su sueño, quien miraba, acaso sin ver, la cara posterior de la negra caja, de la que ya sabíamos que sus uniones estaban mal hechas, que su tapa no cerraba bien y que su madera debía parecer una esponja de tantos poros como tendría. Y, detrás nuestro, iba el teniente García.

Su gesto fue de agradecer, aunque supusimos que su decisión de asistir al entierro se debió, más que nada, a un vano antojo o capricho por contemplar otra vez el escenario de lo que imaginaba su triunfo final, y a sus últimos oponentes, como, asimismo, ser testigo del postrer movimiento de aquella noche del sábado, que aún no había concluido, ansiando verla terminada y contemplar derrotado tanto esfuerzo, con el sonido de la tierra cayendo sobre la madera que encerraba el símbolo representativo de la feroz decisión de que hicieron gala aquellos sus contrincantes.

Esa naturaleza que todavía parecía estar reponiéndose del inmenso esfuerzo de su pasado derroche de iras, con su actual quietud y abandono, más próximo al propio desprecio hacia todo lo vencido por ella, que a puro agotamiento, constituyó el telón de fondo ideal de aquella marcha fantástica por entre estradas embarradas bordeadas de zarzas con inusitado verdor después del pasado riego vivificador, donde los pies chapoteaban sordamente, formando un despersonalizado eco entero y confuso, sin grietas ni pausas entre dos sonidos, un clamor a modo de coro de tragedia griega.

Ya llevábamos recorrida la mitad del trayecto, cuando advertí que el nuestro era un entierro silencioso. Se hablaba muy poco. Quizá la preocupación por evitar los charcos influyó en ello. Los relevos de los grupos de cuatro hombres que transportaban la caja se realizaban sin intercambiarse una sola palabra. Y a ese silencio fue debido el que se oyera perfectamente la airada protesta del aldeano que vio que sus botas, no solamente se manchaban del simple barro (a lo que ya estaba resignado), sino que también debía soportar el que quedaran por completo ennegrecidas al sacarlas del fangal oscuro y hasta maloliente que cruzaba la estrada procedente del caserío cercano.

—¿Por qué han de vaciar estos locos el pozo negro después de una lluvia como la del sábado? — exclamó.

Iba en cabeza, a nuestro lado, precediendo al teniente García, de modo que empezó a pisar el lodo negro y gelatinoso un instante antes que él, por lo que éste (el teniente) tuvo tiempo de inclinar la cabeza y mirarse sus botas y ver en ella los restos, también negros, de lo que pisó en otro lugar. Fue algo instintivo, surgido de ese fondo individual en el que almacenamos los inevitables impactos a los que nuestra sensibilidad no fue capaz de catalogar y contestar debidamente, archivándolos para mejor o para ningún momento, como la secretaria que introduce en el cajón correspondiente la carta cuya respuesta deja para otro día. Me di cuenta de que el padre observaba al carabinero atentamente, aunque sin apenas volver la cabeza, sin dejar de andar (a pesar de que todo sucedió en un inapreciable espacio de tiempo), contemplando cómo se fue haciendo la luz en aquel cerebro notablemente más ágil que el cuerpo al que dirigía; e, incluso, contemplando hasta las palabras con que revistió aquel alumbramiento: miróse las botas. "También negras". Alzó la vista, el ceño frucido. "Entonces... lo que estaba allí..." Bajó la cabeza y sus ojos se detuvieron de nuevo en el calzado. "Sí, negras. Las tenía de antes, de allí". Bajó el pie que había alzado y pisó premeditadamente el cenagal, hundiendo en él la bota que luego extrajo cubierta por entero del nauseabundo limo negro. "Igual. Igual". Y una décima de segundo después: "Entonces, el pozo estará..."

Estuve a punto de lanzar un grito, pero me hallaba mirando al padre y su inescrutable semblante agarrotó mis músculos, inmovilizándome. Ya no observaba al teniente. Sabía, como yo, que acababa de descubrir toda nuestra maniobra, el reducto contra la pared del cual nuestras espaldas se apoyaban, dando cara a la implacable adversidad, no pudiendo creer que su saña nos persiguiera hasta el extremo de producir el desmoronamiento de esa última pared acogedora. La serenidad que irradiaba el semblante del padre me desconcertó. A su lado, Cosme (tan enterado de todo como nosotros dos), seguía también con la mirada clavada en el grupo de los cuatro hombres con su carga negra, que bordeaba, en ese momento, el cenagal formado por las aguas sucias que descendían por el corte realizado en el monte para crear la estrada y cruzaban ésta procedentes del pozo del caserío, del que veíamos solamente sus tejas de feo color rojo. Con delectación incluso morbosa, pisamos el pestilente légamo, metiendo y extrayendo nuestras botas con sorda furia, pero no sucedió nada más hasta que lo rebasamos y pisamos nuevamente terreno más firme y recorrimos varios pasos más. La voz del padre, entonces, sonó violenta y queda:

—Vete. Corre. Salva aunque sea uno. Salva algo.

Y yo eché a correr, saliendo de la formación por la parte opuesta a la ocupada por el teniente, que no me vio, y abandoné la estrada (no sin antes ver, tras la larga comitiva de vecinos, uno de los carros de los carabineros que aquella mañana se llevaron el carbón de la cuadra) y me lancé por entre huertas y campas, atajando para llegar antes y disponer de algo más de tiempo para salvar lo único que suponía redimiría nuestras conciencias: la pequeña porción que sería capaz de sacar del pozo yo solo, el privilegiado y solitario saco de carbón al que investiríamos de raciocinio y del don de la palabra y obligaríamos a decir: "Lo suyo no fue inútil. Me tenéis. Él me consiguió para vosotros. Secad ya vuestras lágrimas".

Y, mientras lanzaba mis piernas, una delante de otra, a descomunales trancos, gritaba dentro de mí, con lágrimas también interiores: "Adiós. Adiós. Jamás volveremos a estar tan cerca como cuando iba detrás de tu caja..."

Entré en casa, salvé el pasillo como un endemoniado y llegué a la cuadra, abriendo de par en par las dos hojas de la puerta grande, para poder ver bien, sin temores ni reservas, pues ya todo era igual. Cuando, con una pala, había empezado a escarbar en la costra de la superficie del pozo, oí pasos y vi a la madre y a la abuela descendiendo los dos escalones de piedra. Se acercaron, pero yo ni siquiera entonces me tomé un momento de aliento: seguí apartando estiércol frenéticamente, y al alzar la cabeza de nuevo y detenerse mis ojos en los de la madre, ya se veía el lomo negro y tenso del saco. "¿Qué más puede sucedernos? ¿Qué más?", leí en su expresión abatida, en su faz más pálida que la de la abuela, pues, por lo menos, en la de ésta las arrugas de la carne proyectaban sombras ennegrecedoras.

—¡Lo sabe! —les grité—. ¡No tardará en venir! Pero aún podemos luchar un poco más.

La abuela empezó a lloriquear, agarrándose con desesperación la cabeza con ambas manos. La madre, después de permanecer unos instantes como una estatua, se despojó de la toquilla, que colgó de un gancho, avanzó y se inclinó sobre el pozo, a mi lado. Se arremangó los brazos y me miró.

—Qué cansado estarás, hijo...

—No sé — le dije. Y era verdad.

Las faldas de la abuela rozaron mis pantorrillas.

—Empezad ya — nos ordenó, con voz no muy segura, esa voz de los viejos que tan fácilmente se torna trágica.

Agarramos el saco, la madre de una de las orejas y yo de la otra. Hoy me pregunto cómo lo pudimos conseguir, sacar aquellos setenta kilogramos del pozo y arrastrarlos al rincón de la cuadra. Un niño y una mujer debilitada por el cansancio y el supremo dolor humano. Pero lo hicimos. Quizá no recurrimos más que al delirante anhelo de realizarlo, olvidando a nuestros músculos; o presentimos a la abuela muy cerca, la violencia de su presencia, tratando de transmitirnos su inútil fuerza a través de los eléctricos contactos de sus prendas y de su jadeante respiración, con la que parecía hasta marcarnos los tiempos de nuestro esfuerzo.

Sólo interrumpimos aquella tarea los brevísimos segundos que duró la sombra proyectada por el tío Pedro, quien, plantado en el vano de la puerta, más fuera que dentro de la cuadra, permaneció el tiempo justo para enterarse de lo que hacíamos. Luego, se esfumó, desapareció, ignorando entonces si huyó del caserío o se introdujo en él por el portalón. Y hasta llegué a dudar de si se trató de él. No asistió al entierro, lo que demostraba que estaba sufriendo una crisis terrible de aturdimiento, vergüenza, terror, dolor y remordimiento. Nos dijo Berta que en todos aquellos días no lo vio más que tres veces. Tampoco acudió a su trabajo. Sí, fue él.

Apoyamos el saco en el mismo rincón donde estuvo el carbón de Lecumberri (que deberíamos abonarle en metálico), y lo cubrimos también de paja. Ignoro cuánto tardamos en concluir, aunque recuerdo que pensé después: "Quizá podamos sacar otro". Pero el trotecillo del caballo del carro me obligó a correr hacia el borde del pozo y extender el estiércol nuevamente, cubriendo el hueco que dejó el saco. Arrojé la pala lejos, y en aquel momento, el carro de los carabineros se detuvo ante el ancho vano.

Entonces lo vi claro: el teniente había ordenado al conductor que siguiera al entierro para luego regresar en el vehículo. Y resultó muy oportuno, pues de otro modo no habría podido presentarse con aquella rapidez a incautarse de la última partida de carbón. En el carro también venían el padre y Cosme, que saltaron ágilmente a tierra, el primero alzando el brazo herido. El teniente García descendió torpemente, ayudado por su subalterno (era el hombre de rostro cadavérico), y penetró en la cuadra, encaminándose derecho al pozo. Encendió su linterna y, con un palo, removió el estiércol. Arrojó el palo y levantó la cabeza. La abuela, la madre, el padre, Cosme y yo le mirábamos en silencio e inmóviles. Desde la puerta, nos miraba a todos el carabinero esquelético.

—Lo siento —habló el teniente. Y siguió repitiendo roncamente mientras se alejaba hacia la entrada—: Lo siento. Lo siento...

Mas no salió de la cuadra. Algo se lo impidió. Las demenciales carcajadas surgieron en el amplio recinto como el seco estallido de un disparo. El teniente se detuvo y todos nos volvimos. El haz de rayos de la linterna formó una aureola alrededor del tío Pedro y del saco de carbón, ya abierto, en el que aquél introducía las temblonas manos y las sacaba con vacilante fuerza, lanzando al aire el negro carbón, brotando de su boca la risa vesánica que aún no he podido olvidar.

64   *Cosme*

Sé de uno en Algorta que se fabricó él mismo su escopeta. Era muy habilidoso y, con paciencia, robando horas al patrón del taller donde trabajaba, la acabó. El que, al disparar la primera vez, reventara y le sacara un ojo, no quiere decir que no se pueda hacer una que funcione bien.

Los cañones los prepararé en la fábrica, aunque me cueste un año de trabajo a escondidas.

La culata la haré en casa, en el desván, donde Fermín acumuló tanta buena madera para su trainera.

65   *Nerea*

A Fermín lo metieron en una caja. Y al abuelo. Resulta que parece que el mejor trato que se puede dar a un muerto es meterlo en una caja de madera.

Dentro de dos o tres días, el mar arrojará los cuerpos de Baldosas de Colores, Cuarto Oscuro y Flor de Peral a la playa. Siempre lo hace así. Con los perros, con las personas, con todo. Y los recogeré y los meteré en las tres cajitas que voy a empezar a hacer hoy mismo con esa madera, la de Fermín.

66   *Abuela*

Tú has hecho todas las cosas y de Ti somos. Tu bondad vela por nosotros, aun cuanto más desesperados nos veamos. Has dispuesto que este invierno no tenga carbón, pero también has hecho que toda la madera de Fermín quede abandonada en el desván. La madera calienta más que el carbón. Alabado seas, Señor.

Pero, ¿por qué me sale al encuentro ella cuando salgo del desván con una brazada de tablas, y me grita: "¡Déjalas! ¡Son de él! ¡Nadie tocará su trainera ni las maderas con que pensaba acabarla! ¡Fuera de aquí!".

67   *Josefa*

Sí, Dios. Sí, Dios. Sí, Dios.

XXI

M E encontré caminando junto al padre antes de que me diera cuenta cabal de que todo había acabado con aquellas carcajadas del tío Pedro.

Nadie comió aquel miércoles. A primera hora de la tarde, llegaron cuatro carros (en uno de ellos el teniente) y se llevaron todo el carbón del pozo, cuyo fondo rasparon a conciencia. Después, el padre vino a mi encuentro.

—Ponte las botas y ven conmigo —me dijo.

Sin decir palabra, extendí la pierna derecha y le mostré el pie calzado con la bota.

—Ésas, no —agregó—. Las otras. Las viejas que llevaste el sábado.

Entonces descubrí que él también llevaba puestas las botazas con las que fue a La Galea bajo la tormenta. Entré en casa y busqué las que él quería, preguntándome, al mismo tiempo, el motivo. Fracasé en mi cuarto y busqué en la cocina. Allí estaban, colgadas del alambre para secar la ropa, en la sombra de un rincón del muro, aguardando pacientemente el fin del vértigo, sabiendo que, hasta entonces, no existiría mano caritativa que las despojaría del barro y del carbón.

Estaban ya secas, pero duras y acartonadas. Me las calcé, sin sospechar el dolor que iban a producirme los inflexibles pliegues interiores del cuero.

—¿A dónde vamos? —le pregunté, al echar a andar a su lado.

—Sígueme —se limitó a decirme. Avanzaba a zancadas impropias de un hombre que llevaba un brazo en cabestrillo, creyendo yo que no se preocupaba de si le seguía o no, pero me dijo un par de veces: "Vamos, no te rezagues, puede que aún lleguemos a tiempo". Y me quedé de una pieza, pues admitía que sí habría sitios adonde ir y cosas urgentes que hacer en esos sitios, pero no entonces, sino pasados unos meses, unas semanas o, ¡por Dios!, unos días al menos; no entonces, en que me sentía rodeado de un vacío tan absoluto y neutro que hasta mi propio cuerpo parecía estar hueco, sólo con la engañosa epidermis envolviendo nada.

Sí, le seguí. Subimos la cuesta, cruzamos varias calles del pueblo y llegamos. La preocupación de obligar a mis botas a mantener su paso, no impidió que observara que la gente nos miraba y que hasta alcanzamos la categoría de espectáculo, porque cuando pasamos bajo la muestra escrita en letras rojas del cuartelillo, varias docenas de personas quedaron a la puerta, de las que pronto las dispersó un carabinero a una indicación vaga de la mano del teniente.

Estaba sentado a la misma mesa donde le vi cuando, el lunes anterior, pasé por aquella calle gritando ayuda. La libreta de apuntes descansaba sobre ella, abierta por la hoja en la que concluía la lista con el nombre de "Sabas Jáuregui". En la rolliza mano morena se veía un lapicero.

El teniente y la media docena de carabineros volvieron la cabeza al vernos entrar, y oyeron pronunciar al padre las únicas palabras suyas de aquella visita: "Vemos que hemos llegado a tiempo", mirando distraídamente el cuaderno del teniente y su lapicero en ristre, delante de él, del otro lado de la mesa, tieso y serio, como prólogo de lo que sucedió en los breves segundos siguientes: se agachó y, trabajosamente, desanudó y se sacó una bota, todo con sólo la mano izquierda; se irguió nuevamente y, dando vuelta a la bota sobre la mesa, y agitándola, hizo que cayeran algunos fragmentos de menudo carbón, retenidos en ella desde el sábado; y, no contento con eso, la golpeó contra las tablas, y se desprendió nuevo carbón, que se sumó al otro. Luego, se agachó por segunda vez para calzarse esa bota (sin anudar las correas) y alzarse en seguida con su compañera, con la que realizó la misma operación, y el montoncito de carbón de la mesa creció de modo insignificante. En el momento de agacharse otra vez, y antes de introducir su pie en ella, tocó fugazmente las mías, y yo empecé a soltarme los nudos, y para cuando se fue a levantar nuevamente, pudo hacerlo con la primera bota mía, que volcó igualmente sobre la mesa, y cuando cayeron los residuos de carbón adheridos a su exterior o empotrados en los pliegues interiores del cuero, o en la planta, me la entregó y yo ya le tenía preparada la otra, que también agitó y golpeó sobre la mesa.

Durante toda esta operación, ni el teniente ni sus seis hombres (uno de ellos el de rostro fantasmal, cuya mirada alechuzada siempre me impuso, pero que entonces había perdido su frialdad y participaba del asombro de sus compañeros) se movieron, contemplando en silencio aquel hacer del padre. Cuando me entregó la segunda bota, quedó ante el teniente, erguido, mirándole, con la mesa (sobre la que se veía aquel ridículo montoncito de polvo y partículas mezquinas de carbón) entre ambos, hasta que, por fin, el teniente exclamó: "¡Ah!, claro", y bajó la cabeza y trazó la raya de total bajo la columna de números. Pero no acabó ahí la cosa, pues el padre, imperturbable, tomó el lapicero de manos del teniente, dio vuelta a la libreta y escribió torpemente los dos guarismos 2 y 5 en el breve espacio entre la última cantidad y la raya, aunque las insertó indebidamente, ya que resultaban entonces veinticinco kilogramos más. Al recoger su libreta y el lapicero, el teniente se dio cuenta de ello y dijo: "Comprendo: veinticinco gramos", y borró con una goma lo puesto por el padre y apuntó en su lugar los 25 gramos de fin de ejercicio.

Yo mismo tuve que anudar las botas del padre, y salimos del cuartelillo sintiendo clavadas en nuestras espaldas las miradas de los siete hombres. Pero no me importó, porque mi embarazo ya había desaparecido y creo que ella (mi espalda) mostró la misma calma invulnerable que la del padre, aunque mi entereza sólo duró hasta encontrarnos fuera de las calles del pueblo, caminando por el monte que dominaba la playa. Y fue el brazo del padre, al apoyarse en mis hombros, el que dio suelta a todo lo que yo llevaba dentro, pues supe que él acababa de descubrir el temblor sollozante que fui incapaz de evitar a mis hombros.

—¡Después de todo!... ¡Después de todo! —exclamé, sintiéndome más unido a él a través de ese brazo consolador, protector, amigo.

Todavía sin hablar nada, me llevó hasta el mismo borde del monte y nos sentamos sobre la hierba. La marea iba para arriba, pero todavía aparecían muchas peñas al descubierto.

Le miré y vi que de sus labios acababa de brotar una pajilla, que danzaba suavemente. De pronto, levantó una piedra de regular tamaño.

—Mira — dijo —. Ellas también trabajan.

La piedra había dejado al descubierto un hormiguero a nuestro lado.

Los inquietos insectos, al ver que el peligro se cernía sobre su república, se desplazaban de un lado a otro con un frenético movimiento de patas.

—Están llevando a mejor lugar a sus larvas — oí decir al padre —. Otras regresan con alimentos. Otras parecen dispuestas a defender el hogar. Ahora — agregó —, mira esto.

Y sacó la pajita de su boca y la colocó cruzada sobre una de las rutas fijas que seguían las hormigas. Y éstas, por muy cargadas que fuesen con granos o larvas, la salvaban trabajosamente y seguían su ruta.

—Pondrías una piedra y también la remontarían. Destrozarías a azadonazos su recinto y siempre quedarían algunas para reanudar la misma vida de esfuerzo bien aquí o en otro lugar. Siempre siguen adelante. Tropiezan y se levantan. Están preparadas para vencer todo lo que les pongan delante. Son invencibles. Han sido creadas con esa consigna y la cumplen.

—¿Para qué?

Y él repitió, volviendo a mí la cabeza, con sorda furia:

—¿Para qué? ¿Para qué? ¿Quién puede saber para qué han sido creadas así?

Siguió un silencio prolongado, que él mismo interrumpió cuando volvió a dejar la piedra en el mismo sitio, sobre el hormiguero, y dijo:

—Creo que hasta les habría gustado seguir luchando.

Se levantó y su mirada recorrió la playa de un extremo

a otro, aquellas arenas y peñas desiertas y desapacibles, hasta desoladas.

—Aún tenemos tiempo de ir a por gusana.

—Y de recoger mi palangre que puse hace siete días.

Me miró y parpadeó.

—El Negro — comentó, afirmó. Y agregó —: No lo cogerás nunca. No puedes. No debes cogerlo nunca.

—¿Por qué?

—Cuando, después de un día de trabajo, te eches en tu cama pensando en la dura tarea que te espera al día siguiente (no solamente de trabajo, sino también de contención de la mente y de la carne y, sobre todo, de inútil lucha feroz por mantener incólumes tus convicciones ante el fárrago de palabras e ideas que surgen de libros, diarios, radio y estrados, tratando de destruir tu individualidad y empotrarte en la gran bola masiva que en su loco giro acabará absorbiéndote hacia su interior y despojándote de lo único digno), y tus ojos, en la oscuridad, miren hacia el techo, sin ver, te acordarás de él y lo sabrás nadando invulnerable y te sentirás mejor. Llegará una edad para ti en que no desearás atraparlo, como les sucede a todos los demás, a pesar de que les ves bajar a la ribera armados de buenos anzuelos, carnada y ganchos. Mienten cuando, una y otra vez, se lamentan al regreso por no haberlo capturado.

—¿Por qué?

—Porque saben, sé, sabrás, que, después de conseguirlo, no podríamos arrebatarle más que su carne. Él perdería lo que no tiene precio para ningún ser viviente y nosotros sólo ganaríamos su carne.

—¿Por qué?

Pero el padre alzó la cabeza, y en seguida supe el motivo: acababa de abrirse una brecha en las nubes y el olvidado sol irrumpió por ella.

—Vamos a por gusana para pescar, Isma.

—¿Y el brazo?

—Más tarde. No vamos a estropear esta luz metiéndonos en un consultorio. En casa les gustará comer pescado fresco, después de estos días sin él... y sin tantas cosas. Y a ti también.

—Sí — contesté, asustado.

—De paso, miraremos si la marea ha arrojado a la playa algún tablón.

—Sí.

—Mañana, después de la pesca, bajaremos con las re-diñas a por carbonilla.

—Sí.

—Ahora, Isma, vamos a por esa gusana.

—Sí.